광개토태왕

담덕

6

광개토태왕 담덕 6

초판 1쇄 발행 | 2023년 5월 15일

지은이 엄광용
발행인 한명선

주소 서울시 종로구 평창길 329(우편번호 03003)
문의전화 02-394-1037(편집) 02-394-1047(마케팅)
팩스 02-394-1029
전자우편 saeum98@hanmail.net
블로그 blog.naver.com/saeumpub
페이스북 facebook.com/saeumbooks
인스타그램 instagram.com/saeumbooks

발행처 (주)새움출판사
출판등록 1998년 8월 28일(제10-1633호)

ⓒ 엄광용, 2023
ISBN 979-11-92684-97-0
ISBN 979-11-90473-88-0 04810(세트)

엄광용 역사소설

담덕

광개토태왕

6

상업의 길

제6권 상업의 길

제1장

상업의 길

1

태백산으로부터 흘러내린 압록강은 중류로 접어들자 유장한 물줄기의 흐름을 유지하면서 애써 소리를 죽인 채 흘러가고 있었다. 가을 강은 여름 강과 달리 흙탕물이 섞이지 않아 매우 맑았다. 수면 위로 높고 푸른 가을 하늘이 반사되어 한결 그런 느낌을 주었다. 한낮의 햇살이 강하게 비칠 땐 물고기 비늘 같은 물결이 은백색으로 빛났다.

압록강 중류 지점 국내성 인근의 선착장에는 상선들이 즐비하게 늘어서 있었다. 닻을 내린 그 배들은 국내의 상선들뿐만 아니라 중원에서 서해를 건너온 대상단의 배들까지 섞여, 저마다 특유의 색깔과 문장紋章이 새겨진 깃발을 펄럭이고 있었다.

평양성에 아홉 개의 사찰을 세우고 대법회를 열 때처럼, 그로부터 얼마 후 국내성에서도 대규모의 특별 임시장터가 마련되었다. 압록강 선착장 인근에 천막 점포들이 즐비하게 들어서면서 시장은 활기를 띠기 시작했다.

비록 천막 점포들이지만 임시장터에는 각처에서 몰려온 고구려 상인들뿐만 아니라 초원로를 통해 온 서역의 상단들까지 한데 어우러져 시끌벅적했다. 서역상들은 말에 각종 비단, 금과 옥 가공품 등을 싣고 와서 고구려 특산물과 교환하기 위해 흥정을 벌였다. 간혹 서로 말이 통하지 않을 경우 서역 말에 능통한 역관譯官 출신의 거간꾼들이 끼어들기도 했다. 이러한 진풍경은 자못 국제시장을 방불케 하였다. 고구려 특산물은 태백산 등지에서 사냥꾼들이 갈무리했던 호피虎皮·문피紋皮 등 짐승 가죽, 부소갑과 갑비고차에서 생산된 인삼이 인기를 끌었다. 고산지대에서 심마니들이 캔 산삼은 특산물 중 가장 비싼 값에 팔려나갔다.

장터는 고구려와 주변 국가들의 문화를 총체적으로 보여주는 종합 축제의 장이라고 할 수 있었다. 교역이란 물산의 교류만을 의미하지 않음을 증명해 주는 것이, 바로 온갖 놀이와 기예를 펼쳐 보이는 장마당 공연장이었다. 장마당은 시끌벅적해야 제 맛이듯, 공연장이야말로 흥을 돋우어 장터 분위기를 주도해 나가는 역할을 제대로 해내고 있었다.

공연장에선 여러 군데서 각 나라의 문화 형태가 종족별로 특화되어 다양한 전통 예술을 보여주고 있었다. 그중 고구려 공연장은 내국의 전통 예술을 선보이는 만큼 가장 규모가 큰 데다 관람객도 인산인해를 이루었다. 외국에서 온 대상들은 공연단을 소규모로 이끌고 올 수밖에 없었다. 그러나 그들 또한 고구려 전통 예술에 대한 관심이 많아 외국의 기예단뿐만 아니라 대상들까지도 고구려 공연장으로 몰려들면서 떠들썩한 분위기를 연출하였다. 장터 구경을 나온 고구려 사람들 말에 각종 서역 사람들의 말이 한데 뒤섞여 와글대는 소리가 마치 이른 봄날 무논을 점령한 개구리 울음소리를 방불케 하였다.

장안에서 상단을 이끌고 온 조환도 고구려 전통 예술 공연장 앞좌석을 차지한 채 앉아 있었다. 그는 고구려 출신이지만 남다른 생각을 갖고 각종 공연을 관람했다. 고구려 전통 공연은 악기 연주, 노래와 춤, 각종 기예 등으로 이루어져 있었다.

고구려에는 약 40종의 악기가 있었다. 뿔나팔·쌍두나팔 등의 각角 종류와 장적·횡적 등 대나무로 만든 젓대 종류, 그리고 각종 피리는 모두 입으로 부는 악기에 속했다. 줄로 켜는 금琴 종류도 현금·4현금·6현금·완함阮咸·비파 등이 있었고, 수공후·와공후·대공후·소공후 등 공후箜篌의 종류도 다양했다. 타악기로는 큰북·작은북·장고 등 북이 대종을 이루었으며, 그 밖에 손에 들고 치거나 나무 걸대에 걸어놓고 앉아서 울려대는 징 종류도 각양각색으로 선보이고 있었다.

악기를 연주하는 기악에는 반드시 그에 어울리는 노래와 춤이 동반되었다. 따라서 공연은 기악의 독주나 이중주 이상의 합주로 연주되기도 하지만, 대부분은 이러한 기악과 함께 노래와 춤이 한데 어우러진 종합 예술이었다.

여성들로 이루어진 무희들의 춤은 대체로 부드러운 곡선미와 아름다운 동작을 연출했다. 특히 '황조가'는 애틋하면서도 슬픔을 자아내는 곡조로 여성 관객들의 눈물샘을 자극했다. 남자 춤꾼들의 경우 흰 바지저고리에 각반을 차고 춤을 추는데, 그 동작에서 사냥이나 전투 장면을 연상케 할 만큼 강력한 힘과 투지가 느껴졌다. 특히 큰북의 장단에 맞추어 창이나 칼을 들고 추는 춤사위는 날렵하면서도 격렬하여 관객들로 하여금 손에 땀을 쥐게 했다. 가까이에서 보는 사람들에게는 춤꾼의 거친 숨소리가 느껴질 정도로 격렬했고, 빠르게 동작을 변환할 때마다 몸에서 튀는 땀방울까지도 육안으로 보일 정도였다. 그 땀방울은 무대 바닥으로 점점이 떨어지거나, 간혹 가까이 앉은 관객들의 얼굴에까지 튀었다.

그러나 뭐니뭐니 해도 역동적인 춤은 역시 탈춤이라고 할 수 있었다. 소매가 넓은 긴 장삼을 걸치고 추는 남자 춤꾼은 타령 장단에 맞춰 탈춤을 추었다. 이때 반주는 피리·젓대·북·장구·해금 등이 동원되었고, 꼭뚝이타령·중타령·대꼬타령·병신난봉가·산대놀이 등의 노랫가락이 반주 음악에 맞춰 불려졌다.

탈은 흰색과 검은색, 그리고 붉은색 계통이었다. 춤꾼들은 상쇠·소무·먹중·원숭이·취발이·말뚝이 등 기괴한 모양의 탈을 뒤집어쓰고 저마다 역할에 따라 다양한 춤사위를 선보였다. 특히 그들의 해학적인 몸짓은 관객들의 폭소를 자아냈다.

아까부터 조환은 산대놀이에서 취발이 역을 맡은 춤꾼에게 관심을 집중시키고 있었다. 온갖 익살과 육담을 섞은 대사와 천방지축으로 날뛰는 듯하면서도 현란하고 뛰어난 기교의 춤사위를 보여주는 취발이는, 다른 춤을 선보일 때도 여러 번 등장한 춤꾼이었다. 소무와 먹중 사이를 휘돌아가며 추는 춤사위는 팔을 뻗고 오므리고 다리를 벌리고 멀리뛰기를 하는 동작에서 사뭇 기백이 넘쳐흘렀다. 소무에게 홀린 먹중을 놀려대며 위협적이면서 현란한 춤사위로 질리게 만들어 무대에서 퇴장하게 한 다음, 취발이는 대뜸 소무의 넓은 치맛자락 속으로 붉은 빛깔의 탈을 쓴 머리를 들이밀고 육담 섞은 익살을 떨어댔다.

"쉬이, 이놈의 곳 불화로보다 더 뜨겁구나!"

이 장면에 이르러 관객들의 웃음이 와르르 쏟아졌다.

이때 조환은 취발이의 춤동작에서 예사 인물이 아님을 짐작할 수 있었다. 오래도록 갈고 닦은 고수의 솜씨였다. 그것은 칼을 다루어본 자의 몸짓이 분명했는데, 보통의 수준을 훨씬 넘어서고 있었다. 팔을 뻗고 구부리는 절제된 자세나 두 발의 정연한 움직임, 좌우상하로 허리를 돌리고 꺾는 솜씨는 검술에서의 세법洗法과 격법擊法 등을 응용한 것임에 틀림없었다. 그만큼 그의 동작은 민첩하면서 몸의 균형을 유지하는 안정감을 갖추고 있는데다, 한 동작이 끝나고도 결코 빈틈을 보이지 않는 검술의 방어자세를 제대로 응용하고 있었다.

'……흐음, 과연 놀라운 솜씨로군!'

조환은 이렇게 마음속으로 되뇌면서 탈춤이 끝난 뒤에도 한동안 공허한 무대를 올려다보았다. 지금은 장안에서 서역까지 오가며 상단을 이끌고 있는 대행수가 되었지만, 그도 한때는 검술로 일가견을 이루었던 무사였다. 팔을 휘두르고 발을 내딛는 동작이나 예사롭지 않은 눈빛만 보아도 상대의 검술 실력이 어느 정도인지 금세 알아차릴 능력을 그는 갖고 있었다. 만약 상대의 실력을 가늠해 보는 그런 눈썰미가 없었다면, 그는 전쟁터에서나 상단을 이끌고 가는 서역 땅에서 살아남지 못했을 것이다.

무대 뒤의 천막은 공연 배우들이 분장을 하거나 옷을 갈아입는 대기 장소였다. 조환은 천막 사이로 기웃거리며 그 안을 들여다보았다. 혹시 방금 취발이 역할로 춤을 추었던 자를 만나볼 수 있을까 해서였다.

"거 뉘시오?"

조환 바로 뒤에 한 사내가 허리춤을 여미며 서 있었다. 방금 가까운 어딘가로 가서 소변을 보고 돌아온, 취발이 역을 맡았던 바로 그 춤꾼 사내였다. 공연할 때 얼굴을 탈 속에 감추고 있어 얼핏 알아보기 어려웠지만, 아직 갈아입지 않은 의상을 보고 곧 눈치를 챌 수 있었다.

"아, 난 장안에서 온 상단 대행수 조환이라 하오. 방금 그대의 탈춤을 보고 반해 직접 만나보고 싶어 이곳을 기웃거리던 참이었소."

조환이 자신을 소개할 때, 사내는 상대의 흔들거리는 왼팔을 짧게 일별했다. 소매 밑으로 삐죽 나온 쇠갈고리 모양의 의수義手를 보았던 것이다.

사내는 조환보다 10여 세 연하로 보였다. 그러나 날카롭게 째려보는 눈빛은 예사롭지 않았다.

"장안에서 온 대행수?"

사내는 조환을 마치 혓바닥으로 핥는 듯한 눈길로 머리부터 발끝까지 한참 동안 훑어보았다. 믿지 못하겠다는 눈빛이 역력했다. 아마도 왼팔의 덜렁거리는 의수가 그런 의심을 갖게 한 모양이었다.

"오늘 탈춤 공연에 큰 감동을 받았소. 이건 약소하오만 기예단 대원들 저녁 술값으로나 쓰시오."

조환은 허리춤에 차고 있던 은화가 든 가죽 주머니를 선뜻 사내의 손에 쥐어주었다.

"여보시오. 초면에 이래도 되는 거요? 우리가 비렁뱅이 집단인 줄 아시오?"

사내는 조환의 품으로 가죽 주머니를 집어던졌다.

"아, 실례했소이다. 공연을 잘 본 보답의 뜻인데, 너무 박절하게 대하시는군! 허면 그대를 꼭 만나 이야기하고 싶은 것이 있으니 오늘 저녁에 나를 찾아오시오. 헤에, 너무 그렇게 의심의 눈초리로 바라보지 마십시오. 나도 믿을 만한 사람입니다."

조환은 상단이 묵고 있는 숙소 위치를 알려준 후 뒤도 돌아보지 않고 공연장을 떠났다.

그날 저녁 무렵, 탈춤을 추던 사내가 조환이 묵고 있는 숙소로 찾아왔다. 그는 사내를 근처 주막으로 이끌었다. 술과 안주가 나오기를 기다리는데, 사내가 먼저 불쑥 물었다.

"당신은 고구려인이오, 아니면 한인이오?"

"고구려 출신이고, 장안에서 장사를 한 지는 스무 해가 넘었소이다."

술이 나오자 조환은 먼저 사내에게 술을 따라주었다.

"어찌 고구려인이 장안에 가서 장사를 하게 된 것이오?"

"그 이야기를 하자면 길지요. 사연이 많지만, 그 구구절절한 이야기는 차차 하기로 합시다. 그보다는 오늘 탈춤 공연을 보았는데 그 솜씨가 예사롭지 않아 그대를 보고자 한 것이오."

"예사롭지 않다니?"

"내가 눈여겨보니 그대는 무사 출신임에 틀림없소. 그것도 야생에서 갈고 닦은 떠돌이 무사의 실력인데, 그 동작이 범상치 않았소."

조환의 말에 사내의 눈빛이 야수처럼 빛났다. 잠시 숨을 죽이는 듯싶더니 사내는 이내 빙그레 웃으며 욱대기듯 말했다.

"상인이라고 하더니, 그쪽의 정체야말로 수상쩍군! 대체 내게 접근하는 의도가 뭐요?"

사내는 조환을 향해 경계의 자세를 취했다. 여차하면 한 대 치고 달아나기라도 할 기세였다.

"고수는 고수를 알아보는 법! 나도 한때는 그대처럼 떠돌이 무사였던 시절이 있었소."

"더 이상 수작 부릴 생각 마시오. 그보다 다시 묻겠소. 대체 왜 나를 보자고 한 것이오?"

사내는 술을 한입에 털어 넣더니 다그치듯 물었다.

"역시 내 눈이 틀림없군! 그대는 검법의 고수야."

"그래서 한판 겨뤄보자는 것이오?"

"아니오. 이 자리에서 단판을 지읍시다. 나는 장사꾼이오. 당신의 기예를 사고 싶을 뿐이오. 가능하다면 당신이 속해 있는 기예단 전체를……."

"뭐라고? 우리가 무슨 물건이라도 된단 말이오?"

사내는 엉덩이를 들썩거릴 정도로 화가 나서 소리쳤다. 수틀리면 술상을 뒤엎고 먹살잡이라도 할 듯한 태도였다.

"장사꾼의 흥정하던 버릇이 있어 그러하니, 내가 실수했다면 용서를 구하겠소. 기예단을 이끌고 고구려 방방곡곡 장터를 순례하며 먹고사는 것 같은데, 나를 따라 저 서역까지 가서 크게 한 판 벌여보는 것은 어떠한지 묻고 싶은 것이오. 그 대가는 이 고구려 땅에서 버는 수입에 열 배를 보장하겠소."

조환은 말끝에 빙그레 미소를 머금었다. 그의 말에 사내가 경계심을 풀고 매우 놀란 표정을 지었기 때문이다.

"서역이라? 열 배를 보장하겠다고 했소?"

사내는 다시 한 번 확인이라도 하듯 되물었다.

2

조환은 사내의 달라진 모습을 보고 한결 느긋해진 표정으로 술잔을 기울이고, 또한 상대에게 권하기도 했다. 그렇게 술이 몇 순배 돌아간 후에야 그는 사내를 향해 천천히 입을 떼었다.

"기예단을 이끌고 여러 장터마당을 순례하셨다니까 묻습니다만, 장사를 무엇이라 생각하시오?"

"장사요?"

사내의 눈이 언뜻 조환의 그것과 마주쳤다. 그 두 눈이 한참 서로를 노려보다 허공에서 엇갈렸다.

"따지고 보면 기예단도 일종의 장사와 같은 행위가 아니겠습니까?"

이것은 조환이 사내를 떠보기 위한, 이를테면 미끼 같은 질문이라고 해야 옳았다.

"방금 장사라 하셨소? 기예를 장사로 보느냐 이 말이오? 그래서 나에게 지금 장사 수완으로 흥정을 걸어오는 것이오?"

사내는 곧 일어서려는 듯 엉덩이까지 들썩이며 노골적으로 불쾌감을 드러냈다. 얼굴이 불쾌해진 것이 결코 술기운만은 아님을 조환은 순간적으로 간파했다. 상대는 그가 던진 미끼를 한 치의 의심도 없이 덥석 물었던 것이다.

"기예단은 무대에 올라가 여러 가지 재주를 보여주고 약을 팔거나 관객들이 던져주는 푼돈까지 챙기지 않소?"

"나는 단 한 번도 기예를 팔아 당신 같은 장사꾼들처럼 이득을 남긴 적이 없소. 약을 팔거나 푼돈을 받는 것은 가장 기초적인 생계수단일 뿐이고, 내가 기예단을 이끌고 장터마당을 순례하는 것은 다른 차원의 일이오."

"그 차원이라는 것이 무엇입니까?"

조환은 사내가 성질을 내며 곧 일어설까 두려워 다급하게 물었다.

"그, 그것은 서로가 마음을 주고받는 것이오. 일종의 교감ᵝ

感이라고 할 수 있소. 무대에서 기예를 펼치는 우리 단원과 관객의 교감은 물론이고, 단원과 단원 사이에도 교감이 전제되지 않으면 조직이 와해되고 말기 때문이오. 당신네 같은 상인들이야 철저하게 계산된 이득에 의해 매수와 매도가 이루어지고, 조직이 유지되겠지만……."

사내는 방금 전의 화를 애써 가라앉히고 어느 사이 진지한 표정으로 돌아와 있었다. 조환이 바라던 바였다.

"맞아요. 나는 바로 그 교감이야말로 진정한 장사라고 생각하는 사람이오. 방금 전에 그대는 철저하게 계산된 이득에 의해 모든 것이 이루어지는 것이 우리 상인들의 세계라고 했는데, 실은 그렇지 않아요. 장사란 단순히 물건을 사고팔아 이문을 남기는 일이 아니지요. 이 지방에서 멀리 저 지방으로 혹은 저 지방에서 또 다른 지방으로 옮겨 다니면서 물건을 사고팔되, 교류交流를 통해 좀 더 나은 사회로 발전시켜 나가는 데 목적을 두고 있는 것이 바로 진짜 장사꾼이 할 일이라고 나는 생각하는 사람이외다. 내가 말하는 교류와 그대가 말하는 교감은 다르면서 같은 것일 수 있다는 말이오. 나는 고구려 출신으로 저 중원에서 장사꾼으로 활동하고 있소. 그러나 단 한시도 조국을 잊어본 적이 없소. 작은 장사꾼은 물건을 사고팔지만 큰 장사꾼은 문화를 교류합니다. 내가 그대의 기예단과 함께 저 서역까지 오가며 장사를 하자는 것은 바로 문화의 교류를 통해 고구려의 위상을 알리고, 또한 서역의 물화와 문화를 들여와 더욱 발전된 나라의 기틀을 다지자는 것이오. 이러한 문화의 교류를 통해 보다 나은 세상으로 바꾸어주는 것을 문명文明이라고 하지요."

이와 같은 조환의 말에 사내는 얼이 빠진 사람처럼 그저 멍하니 상대의 입만 주시하고 있었다.

잠시 침묵이 흐른 후 마침내 사내가 입을 떼었다.

"대행수께선 큰 장사꾼임에 틀림없는 것 같소. 인사가 늦었소이다. 양수楊洙라고 하오. 나는 원래 비려부의 조의선인이었소. 산속 도장에서 비려부 장정들에게 무술을 가르치는 사범이었는데, 갑자기 부친께서 억울한 누명을 쓰고 죄인이 되어 집안이 몰락하고 말았소. 그런 바람에 도장에서도 쫓겨나는 몸이 되었고, 그 이후 나는 부친에게 누명을 씌운 원수를 찾아다니기 시작했지요. 부친은 결국 장독으로 옥사하셨고, 나는 신분을 숨기고 기예단에서 칼춤을 추는 광대가 되어 천지사방을 돌아다니던 끝에 10여 년 만에 드디어 원수를 찾았소. 허나 부친의 친구였던 당사자는 대풍창大風瘡(문둥병)에 걸려 다 죽어가고 있었소. 내 칼에 피를 묻힐 필요도 없이 먼저 하늘이 그에게 벌을 내린 것이었지요."

스스로 '양수'라고 이름을 밝힌 사내는 잠시 숨을 돌렸다. 그의 입에서 저절로 한숨이 토해져 나왔다.

"그 대풍창 환자는 어쩌다 부친께 억울한 누명을 씌우게 된 것인가요?"

"이야기하자면 길지만, 한마디로 황금에 눈이 멀었기 때문이죠. 나의 고향은 운양雲陽(운산)입니다. 부친은 친구와 함께 일찍부터 광산업자로 동업을 했는데, 어느 날 금맥을 발견했습니다. 우리 고구려에는 금이 귀했으므로 금맥을 발견하면 즉시 조정에 신고를 해야 하는데, 부친은 그 일을 가지고 동업자 친구와 말다툼을 벌였답니다. 부친은 조정에 신고를 하자고 한데 반해, 친구는 몰래 금을 캐내 일확천금을 벌어보자는 개인적 욕심이 강한 바람에 서로 의견이 엇갈렸던 것이지요. 결국 동업자 친구는 혼자서 금광을 차지하고자 하는 욕심에 남몰래 모략을 꾸몄지요. 부친에게 조세포탈과 군역회피 혐의를 씌워 관가에 고발했던 것입니다. 동업자 친구는 미리 관가에 뇌물을 주어 부친을 옥에 가두고 단단히 죄를 물어 평생 옥살이를 하도록 농간을 부렸지요. 결국 부친께선 심하게 곤장을 맞아 장독으로 감옥에서 세상을 떠나셨습니다. 내가 비려부 조의선인 사범으로 있다가 그 소식을 듣고 하산해 알아본 결과, 그 동업자 친구는 운양의 금광에서 굴토작업을 하다 굴이 무너지는 바람에 광부들과 함께 모두 흙더미에 깔려 죽었다고 소문이 나 있었습니다. 그런데 나중에 자세히 수소문을 한 결과 다른 광부들은 다 죽었는데, 부친의 동업자 친구만은 겨우 목숨을 건져 어디론가 도망을 쳤다는 것이었습니다. 황금에 눈이 어두워 과도한 욕심을 부리더니 끝내 가산까지 탕진하고 등짐장수로 이 장터 저 장터 떠돈다는 소문을 들었지요. 그래서 나는 어디선가는 원수를 만날 날이 있을 거라 생각하고 기예단 단원이 되어 전국 장터를 순례하게 된 것이지요."

긴 이야기 끝에 양수는 사발에 담긴 술을 벌컥벌컥 들이켰다.

"운양이라……. 운양 땅에 정말 금광이 있단 말이지요?"

술잔 속에 눈을 박아두고 있던 조환이 번쩍 고개를 들었다. 그의 눈빛이 갑자기 칼날처럼 예리해졌다.

"정말인지 아닌지는 누구도 본 사람이 없으니 알 수 없지요. 다만 부친과 동업자 친구가 금맥을 발견했다는 소문만 운양 인근 마을에 널리 퍼져 있을 뿐입니다."

"흐음…… 그건 그렇다 치고. 허면 그 원수를 언제 어디서 만났습니까?"

조환이 양수의 빈 잔에 술을 따르며 물었다.

"서해 바닷가 장연長淵(장산곶) 땅에서 보았지요. 바닷가 외딴 곳에서 물고기와 조개를 잡아 생계를 유지하고 있더군요. 코와 귀가 문드러져 인가와 멀리 떨어진 야산의 바위 밑 동굴에서 살고 있었는데, 막상 그 몰골을 보니 아니 만난 것만 못하다는 생각이 듭디다. 사람이 아니었어요. 반은 귀신의 형상이었는데, 차마 칼로 그 목을 베기가 두려웠어요. 코와 귀가 문드러진 얼굴을 보니, 그 원귀가 평생 따라다닐 것 같아서 말이오. 그 욕망에 사로잡혀 일생을 망친 자의 더러운 피를 칼날에 묻히기도 싫었고……."

양수는 이야기를 마치면서 목이 말랐는지 다시 술 사발을 입으로 가져갔다.

"그래서 대풍창 환자를 토굴 속에 그대로 버려두고 그곳을 떠났단 말이군요?"

"어차피 한두 달 이상 더 살지 못할 것이란 생각이 들어서, 그 벌을 하늘에 맡기기로 했지요."

"잘하셨습니다. 아주 잘했어요. 원수를 갚는다고 속이 다 시원하게 풀리는 것은 아니니까요. 오히려 가슴에 한을 하나 더 심는 꼴이 되지요."

이번에는 조환이 말끝에 한숨을 빼어 물었다.

"대행수께서도 한에 사무친 원수가 있었던 모양이군요."

"눈치가 구단일세. 있긴 있었지요. 나는 끝내 원수를 만나 한풀이를 하긴 했는데……. 놈의 목을 단칼에 베어버렸지만, 한이 풀린 것이 아니라 다른 한이 하나 더 쌓이더이다."

조환은 서역을 오가던 고비사막에서 우연히 사기를 만나 원수를 갚은 일을 떠올렸다. 그는 자신도 모르는 사이에 오른손으로 덜렁거리는 왼팔의 쇠갈고리로 된 의수를 만지작거렸다.

"혹시 대행수께선 그 잃어버린 왼팔과 관련한 원한을 갖고 계셨던 모양이지요?"

양수가 날카로운 눈으로 지그시 조환을 응시했다.

"족집게로세. 어찌 그리 남의 마음을 잘 읽으시오?"

"장터마당에서 오래도록 뒹굴다 보니 눈치가 빠르지 못하면 굶어 죽기 십상입디다."

"허긴, 그럴 것이오. 장터마당도 무기만 안 들었지 전쟁터가 아니겠소?"

이번에는 조환이 목을 축이기 위해 벌컥벌컥 목울대가 씰룩이도록 단숨에 술 사발을 기울였다.

컬컬했던 목이 한결 부드러워지자, 조환은 상대가 묻지도 않았는데 자신의 이야기를 주절거리며 털어놓기 시작했다. 20여 년 전 수곡성 전투에서 백제의 첩자 사기에게 속아 왼팔을 잃은 이야기에서부터, 구사일생으로 살아나 장안으로 가서 진유량 대상단의 행수가 된 사연을 일사천리로 엮어냈다. 그리고 대상단을 이끌고 서역을 오가던 중 철천지원수인 사기를 만나 원한을 갚은 일, 또한 그때 지금의 태왕이 왕자였던 시절 우연히 만나 특별한 인연을 맺게 된 일련의 이야기들을 허심탄회하게 털어놓았다.

"허면 대행수께선 태왕 폐하를 잘 아신단 말씀입니까?"

양수가 놀라운 사실을 알았다는 듯 눈을 크게 뜨고 조환을 바라보았다.

"그렇지 않아도 내일쯤 태왕 폐하를 알현하기 위해 입궐할 생각입니다. 나는 저 중원의 장안을 중간 교역지로 삼아, 서역과 고구려 간의 문물 교류를 위해 이 몸을 바칠 각오가 되어 있습니다. 태왕 폐하를 알현하면 상업의 길이 먼저 열려야 나라가 부강해지고, 나라의 재화가 차고 넘쳐야 군사를 길러 강국으로 거듭날 수 있음을 말씀드릴 작정입니다."

이와 같은 조환의 말에 양수는 목울대가 심하게 꿈틀댈 정도로 침을 꿀깍 삼켰다.

"듣고 보니 실로 대행수가 생각하는 상업의 길이 곧 호국護國의 길 아니겠습니까?"

양수는 조환 앞으로 바싹 무릎을 당겨 앉았다.

"그대처럼 나도 무사 출신이오. 칼로써만 오직 나라를 일으킬 수 있다는 생각으로 어린 시절부터 열심히 무술을 익혔소. 그런데 전투를 하다 왼팔을 잃은 후 장사에 입문하면서 생각이 완전히 바뀌었지요. 석성을 쌓으려면 기초 터다짐을 잘해야 합니다. 무른 땅에 제대로 터를 다지지 않고 무조건 석성을 쌓는다면 그 성은 무너지기 쉽습니다. 바로 성 쌓기와 마찬가지로 나라를 부강하게 만들려면 기초적인 터다짐이라 할 수 있는 국고부터 튼튼히 해야 합니다. 그래야 외방의 적들이 넘볼 수 없는 강한 요새의 석성을 쌓을 수 있게 되는 것이지요. 즉,

부국강병이야말로 주변 나라들이 감히 넘볼 수 없는 최강의 나라로 우뚝 서는 길이라는 얘깁니다. 우리 고구려는 사방에서 적들이 호시탐탐 기회를 노리고 있습니다. 그 기회란 고구려가 허약성을 보여주는 때이지요. 적들이 얕잡아볼 기회를 주기 이전에 우리 고구려는 강국이 되어야 합니다. 그래야 주변의 나라들이 겁을 먹고 감히 침략할 기회를 노리지 못할 것 아니겠습니까?"

어느 사이 조환은 자신도 모르게 열변을 토해 내고 있었다.

"정말 대단하십니다. 상업의 길이 그렇게 큰 의미를 지니고 있는 것인 줄 오늘에야 처음 알았습니다."

양수는 조환의 손을 덥석 잡았다.

"이렇게 손을 잡는 것은, 나와 함께 저 서역 땅을 순례하며 우리 고구려를 강국으로 만들기 위한 상업의 길을 열어보자는 약속이라고 여겨도 되겠습니까?"

조환이 만면에 미소를 가득 지으며 양수를 그윽한 눈길로 바라보았다.

"이르다 뿐이겠습니까? 미천한 이 몸을 상업의 길로 인도해 주신다면 한 목숨 바쳐 대행수 어른을 돕겠나이다."

그 순간, 조환의 손을 잡은 양수의 손이 부르르 떨렸다. 조환은 거기서 상대의 어떤 강한 의지 같은 것을 느낄 수 있었다.

3

"수레가 다닐 수 있는 넓은 길을 닦아야 한다. 이 말씀이지요?"

편전에서 조환과 마주 앉은 태왕 담덕이 다짐하듯 되물었다.

"네, 폐하! 우리 고구려는 산이 많아 도로를 닦기가 쉽지 않긴 합니다. 그래서 외적이 쳐들어오기도 어려운 요새인 것은 사실입니다만……. 그렇다고 좁은 길을 고수한다면 고구려의 발전은 요원할 수밖에 없습니다. 등짐과 수레는 실어 나르는 물량에서 엄청난 차이가 있습니다. 더구나 사람이 등짐을 지고 걷는 것과 말이 수레를 끌고 달리는 것은 그 속도에 있어서도 천양지차입니다. 상업은 물량과 속도에서 누가 유리하느냐에 따라 이득의 차이가 결정되는 것이옵니다. 서북방으로 여러 갈래 큰 도로를 뚫어 문호를 크게 개방해야만 고구려의 발전을 기할 수 있음을 말씀드리는 것이옵니다."

조환은 태왕과 독대를 하고 있었다.

"옳은 말씀입니다. 태자 시절부터 길을 넓게 닦아 문호를 개방하자고 부왕께 건의를 드린 바 있습니다만, 그때마다 문무 대신들의 한결같은 반대에 부딪쳐 뜻을 이루지 못했습니다. 역시 서역을 내왕하며 대상의 길을 걸은 대행수의 말을 들으니

다시 용기가 솟습니다. 대행수께서 말하는 상업의 길을 두고 문무 대신들은 결국 전쟁의 길이 되어 외적을 끌어들이는 결과를 낳는다고 반대를 했는데, 우리 속담에 '구더기 무서워 장(醬)시(豉) 못 담그냐'는 말이 있지 않습니까? 하나만 알고 둘을 모르는 수구 대신들의 생각이야말로 너무 무사안일주의에 빠져 있다는 느낌을 지울 수가 없었습니다. 외적이 침입하는 길이라면, 반대로 우리 고구려가 외적을 치기 위해 원정을 가는 길도 되지 않겠습니까? 모든 것을 진취적으로 생각해야 나라의 발전이 있다고 봅니다. 문제는 우리 고구려에 수레 만드는 장인이 드물고 기술 또한 부족하다는 데 있습니다."

"폐하! 수레는 나무바퀴보다 쇠바퀴로 만들어야 튼튼합니다. 쇠를 잘 다루는 수레 장인이 필요한데, 장안에 돌아가는 대로 쇠바퀴의 장인 몇 사람을 고구려행 대상들 편에 보내드리지요. 폐하께선 제나라 전단(田單)의 '화우지계(火牛之計)'를 잘 알고 계시겠지요?"

"소 천여 마리의 꼬리에 불을 붙여 연나라 대군을 물리쳤다는 그 전투를 말씀하십니까?"

"네 맞습니다. 전단 장군이 나라 운명이 경각에 달렸을 때 대장군에 발탁될 수 있었던 것은, 그가 쇠로 된 수레바퀴의 명인으로 잘 알려져 있었기 때문입니다. 연나라가 쳐들어왔을 때 다른 사람들은 나무로 된 수레바퀴에 짐을 싣고 피난을 가다 수레가 모두 부서져 적의 포로가 되었는데, 전단은 쇠로 된 수레바퀴를 달아 무사히 즉묵성卽墨城으로 피신해 후일을 도모할 수 있었던 것이요. 그 후예들이 지금도 장안에서 쇠로 된 수레바퀴를 만드는 장인으로 있습니다. 천금을 주고서라도 그 장인과 수하에 부리는 자들을 고구려에 보내드리도록 하겠습니다."

조환의 말은 시원시원했다. 그것이 담덕의 마음에 쏙 들었다.

바로 그때 편전 밖에서 내관이 알려왔다.

"하명재 대인 입시오."

태왕 담덕은 아까부터 하명재를 기다리고 있었다.

"드시라 이르라!"

담덕은 그러더니 조환을 향해 작은 소리로 말했다.

"대행수에게 오늘 소개시켜 드리고 싶은 사람이 있어 일부러 하 대인을 입궐토록 했습니다."

"하명재 대인을 이르시는 말씀이오니까?"

"그렇습니다. 하 대인을 아시오?"

담덕은 놀란 눈으로 조환을 바라보았다.

"그 명성이야 진작부터 듣고 있었습니다. 고구려를 대표하는 대상단을 이끄는 대인이 아니십니까?"

이때 하명재가 편전으로 들어섰다.

"이쪽으로 오세요. 여기 앉으시지요."

담덕은 하명재를 조환의 옆자리에 앉게 했다.

"오랜만에 태왕 폐하를 뵙습니다."

하명재가 태왕에게 예를 올리고 자리에 앉았다.

"두 분께서도 인사를 나누시지요. 여기 하 대인께선 사사롭게는 짐의 외숙이 되십니다. 이쪽은 장안에서 서역을 오가며 대상단을 이끄는 조환 대행수이십니다."

담덕의 소개로 두 사람은 정식 인사를 나누었다.

조환은 서로 악수를 할 때 언뜻 하명재를 일별했다. 이미 나이 쉰 줄에 접어들었지만, 그 얼굴에는 젊은 시절의 모습이 어렴풋이 남아 있었다. 그는 동부욕살 하대곤의 집사로 있을 당시 하가촌에 심부름을 갔다가 먼빛으로 몇 번 본 기억이 있었다.

그러나 하명재 쪽에서는 상대가 누구인지 잘 모르고 있는 것 같았다. 조환은 오히려 그것을 다행스럽게 여겼다.

"조환 대행수에 대한 이야기는 요즘 국내성에도 널리 퍼져 있어 잘 압니다. 이렇게 직접 만나기는 처음이군요. 반갑습니다."

하명재는 그러면서 정면으로 조환을 바라보았다.

"하 대인에 대해서도 대상선의 선단을 이끌고 서해를 통해 중원의 여러 나라와 해상무역을 한다는 소문을 익히 들어 잘 알고 있습니다. 그렇지 않아도 이번 걸음에 꼭 만나뵙고 싶었는데 폐하께서 우리의 만남을 주선해 주시다니, 정말 기쁘기 그지없습니다."

"전에는 초원로를 통해 저 서역과도 교역을 했으나, 이제는 관미성 전투 이후 고구려의 바닷길이 열려 주로 서해를 통해 해상무역을 하고 있습니다."

하명재의 말이 끝나자, 담덕이 두 사람을 번갈아 보며 말했다.

"관미성 전투는 우리 고구려에 아주 소중한 것 두 가지를 얻게 해주었습니다. 그 하나는 인삼재배단지와 교역권의 확보이고, 다른 하나는 오랫동안 백제에 빼앗겼던 해상권을 우리 고구려가 가져왔다는 것입니다. 부왕의 뒤를 이어 제위에 오른 후 가장 먼저 관미성 전투를 벌인 것도 선왕들에 대한 원수를 갚는다는 표면적인 이유도 있었지만, 사실 그 두 가지의 권한을 우리 고구려가 확보하는 것이 무엇보다 시급했기 때문입니다."

"폐하께서 인삼 교역권을 우리 상단에 부여해 주신 데 대해 다시 한 번 감사를 드립니다."

하명재가 말했고, 조환이 조용히 머리를 끄덕였다.

"감사는요? 외숙께서 관미성 전투에 그 많은 군선과 상선을 대여해 준 것만으로도 나라에 큰 힘이 되었습니다. 사실 오늘 두 분을 이 자리에 부른 것은 인삼 교역권 문제 때문입니다. 저 중원에서는 우리 고구려의 인삼이 아주 비싼 가격에 판매된다고 알고 있습니다. 외숙께선 국내 인삼 교역권을 맡아 해상을 통해 산동에 넘기고, 거기에서부터는 조 대행수께서 중원의 인삼 판매권을 가지고 널리 보급토록 하십시오. 인삼 교역은 우리 고구려의 중요한 수입원입니다. 따라서 두 분께서는 교역과 판매에 따른 일정 부분의 이익을 나라에 바쳐 국가재정에 보탬이 되도록 해야 할 것입니다."

"이르다 뿐이겠습니까?"

"중원 인삼 판매권을 주시는 것만으로도 그저 감읍할 따름입니다. 이번에 인삼 교역을 통해 애국할 수 있는 기회를 주셔서 정말 감사드립니다."

하명재와 조환이 태왕 담덕을 향해 고개를 숙였다.

"조환 대행수께서 고구려 사람이란 얘긴 들은 바 있습니다. 어쩐지 어디선가 많이 뵌 느낌이 들기도 합니다."

하명재가 조환을 다시 한 번 쳐다보았다.

"고구려 사람이니 통하는 바가 있어 그러하겠지요."

조환은 하명재의 말에 자신의 과거 모습을 상대에게 들킨 것은 아닌가 싶어 은근히 조바심이 났다.

이때 조환은 문득 화제를 돌렸다. 그는 고구려 국고에 도움이 될 수 있는 새로운 사업을 제안하려는 것이었다. 다름 아닌 양수에게 들었던 금광개발에 관한 이야기였다.

"폐하! 국고를 튼튼히 하기 위해 금광을 개발해 보는 것은 어떨지요?"

"금광이요? 우리 고구려는 금이 많이 나지 않는 것으로 알고 있습니다. 소문에 들으니, 신라는 하천에서 사금을 채취한다고 합니다. 허나 우리 고구려의 하천에선 그런 사금도 별로 나지 않는 것 같습니다."

담덕도 금광에 대한 관심은 있으나, 고구려에는 금이 나는 산지가 많지 않으므로 시큰둥한 표정으로 조환을 바라보았다.

"적유령과 묘향산 산줄기가 에워싸고 있는 운양이란 지역이 있습니다. 살수薩水(청천강) 상류의 분지를 이루고 있는 이 지역은, 늘 구름이 발생하여 운발산雲發山이라고도 하지요. 소문에 의하면 10여 년 전에 운발산 중턱에서 금맥을 발견한 자가 있었다고 합니다. 두 사람이 발견했는데, 혼자서 몰래 금을 차지하려는 자가 동료에게 억울한 누명을 씌워 관가에 고발해 태장으로 죽게 만들었답니다. 그러나 그 발고한 자 역시 혼자 광산을 개발하겠다고 욕심을 부리던 끝에 나병을 얻어 떠돌다 결국 불귀의 객이 되고 말았지요. 그래서 금맥이 있는 정확한 위치를 아는 자가 없다고 하는데, 광산 전문가를 운양에 보내 제대로 찾아보면 금맥을 발견할 수 있을 것이옵니다."

"그래요? 허어, 금맥이라! 운양에 정말 금맥이 있단 말이지요?"

담덕은 그러면서 하명재를 바라보았다.

"살수 상류 지역에 금맥이 확실히 있다고 하면 사금 채취도 가능하리라 봅니다. 금광이든 철광이든 나오기만 한다면 손해를 볼 일은 아닌 듯하니, 광산 전문가를 한 번 보내보도록 하시지요."

"흐음, 조 대행수의 말처럼 금맥만 발견한다면 국고에 큰 보탬이 될 것이오. 외숙께서 금광 전문가를 운발산으로 보내 조사를 해보도록 하세요."

"폐하, 소신은 평생 장사꾼 노릇을 한 몸이라 광산업에는 문외한입니다. 지맥을 잘 아는 전문가에게 맡기는 것이 어떠하올는지요?"

"외숙께서 우선 지맥에 능통한 사람들을 물색해 보세요. 그때 다시 금광 개발에 관한 건을 구체적으로 논의해 보도록 하십시다. 그리고 두 분께선 따로 자리를 마련해 인삼 거래에 관한 사업 이야기를 나누어보도록 하세요."

담덕은 두 사람과의 접견을 마무리하고 일어섰다.

편전에서 물러나온 하명재와 조환은 궁궐을 벗어나 헤어질 때 따로 날짜를 정해 만나기로 했다.

"조환 대행수께서 저희 상단을 한 번 찾아주시지요. 조촐한 술자리를 마련해 놓겠습니다."

"그럴까요? 압록강 부두로 찾아가면 되겠지요?"

"접대에 소홀해선 안 되니, 준비가 되는 대로 조환 대행수께서 묵고 계신 객사로 사람을 보내겠습니다. 그 사람의 안내를 받으면 될 것입니다."

하명재는 조환에게 악수를 청했다. 두 사람은 손을 마주 잡고 한참 동안 흔들었다.

4

압록강 부두의 상설 시장이 들어선 곳에서 조금 떨어진 강가 언덕에는 역관과 호상胡商들이 머무는 객사가 즐비하게 늘어서 있었다. 조환은 그중의 한 객사에 머물고 있었다.

중참을 끝내고 오수를 즐기던 참인데, 조환에게 손님이 찾아왔다.

"조환 대행수께 인사 올립니다. 하명재 대인이 보낸 집사 안길수라고 합니다."

"어서 오시오. 하 대인께서 보내셨다고?"

조환은 반갑게 맞았다. 그렇지 않아도 궁궐에서 태왕 담덕과 함께 하명재를 본 이후 오늘 내일 하며 손꼽아 소식을 기다리고 있던 참이었다.

"대인 어른께서 모셔오라는 분부가 있었습니다."

"초대해 주셔서 고맙습니다. 곧 의관을 갖출 것이니 좀 기다려주시지요."

조환은 바로 따라나서고 싶을 정도로 마음이 급했지만, 하명재의 집사 앞에서 짐짓 느긋한 행동을 취했다. 사실 그는 수하의 행수들을 시켜 장안으로 가져갈 고구려의 물산을 거의 다 확보해 놓은 상태였다. 다만 인삼은 하 대인에게 교역권이 있는 만큼 구하기가 쉽지 않았다. 암암리에 판매하는 인삼을 조금 확보해 놓긴 했으나, 이번 행차에 될 수 있으면 많은 양을 구해 장안으로 가져갈 생각이었다. 중원 각지에서도 인삼이 나지 않는 것은 아니나, 고구려 인삼에 비하면 약효가 많이 떨어졌다.

객사의 별실로 들어간 조환은 장안에서부터 입고 온 한족 의상이 아닌 고구려 의상으로 갈아입었다. 하 대인 앞에서 자신이 고구려 출신임을 특히 강조할 필요가 있다고 생각했던 것이다.

조환이 특별히 관리하는 별실은 수하의 행수 누구도 그의 명령 없이는 드나들 수 없는 공간이었다. 그만이 오직 열쇠를 가지고 있을 만큼 아끼는 보물들이 진열장 안을 가득 채우고 있었다.

'무엇을 선물로 가져가야 할까?'

처음 하명재와 만난 이후부터 고심을 거듭해 온 조환이었다.

고구려 의상으로 갈아입은 조환은 진열장 안에 들어 있는 옥합 하나를 꺼냈다. 옥합을 열고 그 안에서 염주의 한 종류인

단주短珠를 꺼냈다. 이 염주는 가래 열매만 한 크기로 된 열세 개의 비취빛 옥으로 만든 것인데, 그 하나하나마다 부처의 상이 정교하게 새겨져 있었다. 화전 옥상단 대인 카라자나가 준 선물로, 그가 특히 귀중하게 여기는 것이었다. 그때 문득 그의 머리를 스치는 생각이 있었다.

'이 기회에 하 대인에게 카라자나 대인과 옥 거래를 틀 수 있는 기회를 마련해 주어야겠군!'

조환은 그때서야 한시름 놓은 듯 만면 가득 환한 웃음을 지었다. 그는 하명재와 인삼 거래를 하게 되면, 그 대가로 어떤 선물을 주어야 할지 고민하고 있었다. 작은 선물이어서는 안 된다고 생각했다. 그런데 옥을 본 순간 화전 옥상단 대인 카라자나와의 거래라면 인삼 거래와 맞먹는 선물이 될 듯싶었다.

옥은 중원에서 황제들도 귀하게 여기는 보물로, 고구려에서도 국새國璽를 옥으로 새긴 것을 특별히 '옥새玉璽'라 할 정도로 최고의 가치를 인정하고 있었다. 중원 제국들 가운데 황제들이 옥새로 즐겨 사용하게 된 것은 진시황秦始皇 때부터였다. 중원을 최초로 통일한 진시황은 '화씨벽華氏璧'을 얻어 자신의 인장을 만들게 하여, 그때부터 국새에 '옥새'라는 명칭이 붙게 되었다.

"그래, 따로 옥새를 새길 만한 옥을 하나 더 가져가야겠군!"

조환은 무릎을 탁 쳤다.

곧 조환은 큼직한 옥 한 덩어리를 다시 챙겼다. 옥이 많이 나는 화전에서도 귀하게 여기는 황옥으로, 그것은 옥새를 새기기에 알맞은 크기였다. 태왕이 된 담덕에게 특별히 그 격에 맞는 새로운 옥새가 필요할 것이라고 생각했다.

보물 상자에 따로 황옥 덩어리를 챙긴 조환은 곧 하명재의 집사 안길수를 따라나섰다. 잠시 후 그들은 장터마당으로 들어섰다.

"엿 팔러 왔수다. 엿! 수수엿, 기장엿, 콩엿, 보리엿…… 자아, 엿 팔러 왔수다! 엿 사시오, 엿 사! 울고 보채는 아이들도 이 엿 한 가락이면 울음 뚝! 시집 장가 못 간 노처녀 노총각, 이 엿 먹으면 찰떡궁합! 매일 밤마다 방아를 찧어도 애 못 낳는 부부, 이 엿이 바로 삼신할멈이로세!"

시장 바닥에 엿판을 벌여놓은 엿장수는 물구나무를 서고, 공중제비를 하며 구경꾼을 끌어 모으려고 온갖 재주를 다 부렸다.

조환은 문득 발걸음을 멈춘 채 엿장수를 유심히 바라보았다. 엿장수는 주로 물구나무를 서서 구경꾼들에게 말을 걸기도 하고 재담을 늘어놓기도 했다. 그의 두 팔은 다리처럼 자유로웠다. 구경꾼 하나가 엿을 달라고 하자, 그는 물구나무를 선 자세 그대로 한 손은 땅을 짚고 다른 한 손으로 엿을 팔았다. 도끼날 모양의 도구로 엿판 위의 엿을 쪼개고, 가죽주머니에 엽전을 받아 넣는 것까지 자유로운 한 손을 사용해 능수능란하게 해내는 것이었다.

"어서 가시지요."

하명재 대상단 집사 안길수가 조환에게 말했다.

"아니, 저 사람과 얘기를 좀 해보고 싶습니다. 미안하지만 잠시 기다려주시지요."

조환은 안길수에게 양해를 구한 후 엿장수 앞으로 성큼 다가섰다.

"엿 사시게요?"

엿장수가 물구나무선 자세로 조환을 빤히 올려다보았다. 그러더니 싱긋 이를 드러내고 웃었다.

"그대처럼 물구나무를 잘 서는 사람 처음 보오. 두 발을 놔두고 애써 두 손으로 땅을 짚고 서 있는 데는 필시 어떤 연유가 있을 법하이……."

"헤헤헤, 요즘과 같은 난세에는 거꾸로 서서 세상을 봐야 더 잘 보입지요."

"……허어?"

"두 발로 걸으면 너무 빨라서 두 손으로 걷는 게 더 편하기도 합니다."

엿장수는 연신 헤헤거리며 웃었다.

"자네가 두 발로 걷는 걸 보고 싶군! 내게 보여줄 수 있겠소?"

"엿은 누가 팔구요?"

"내가 엿판의 엿을 다 사겠소. 그러면 될 것 아니오?"

"히히 힛, 이렇게 속여먹는 재미에 물구나무를 선다니까. 오늘도 청맹과니 하나 엮였다!"

엿장수는 팔짝 뛰어 재주넘기를 하듯 두 발로 제대로 섰다.

"어서 걸어보시오."

조환이 재촉했다.

"엿 값부터 계산을 하셔얍죠."

엿장수가 두 손을 내밀었다.

조환은 허리에 찬 전대에서 은화 서너 닢을 꺼내 엿장수에게 건넸다. 보기 드문 은화를 보자, 엿장수의 입이 쫙 찢어졌다.

"자, 그대의 걷는 재주를 보여주시게."

조환의 말이 끝나기 무섭게 엿장수는 장터마당의 사람들 사이를 비집고 바람처럼 빠져나갔다. 키가 훤칠하여 보폭이 넓기도 했지만, 두 다리를 보이지 않을 정도로 재게 놀려 보통 사람의 두 배 이상 빠른 속도로 걸었다. 뛰는 폼이 아닌데도 보통 사람들이 뛰는 것만큼 빨랐다.

엿장수는 장터마당을 한 바퀴 돌아 다시 조환 앞에 섰다.

"나리, 이제 됐습니까요?"

그렇게 빠르게 걷고 나서도 엿장수에게선 숨찬 모습을 볼 수가 없었다.

"실로 그대 재주가 놀랍소. 그 재주라면 지금까지 세상을 몇 바퀴는 돌았겠구먼!"

"어려서부터 호기심이 많아 안 가본 곳이 없습죠. 세상 방방곡곡을 몇 바퀴가 아니라 수십 바퀴는 돌았을 겁니다."

"그대가 말하는 세상이란 어디를 말하는 것이오?"

"이 엿판 하나 메고 우리 고구려 땅은 물론이요, 남쪽으로는 백제와 신라 땅을 수십 번 밟았지요. 또한 동쪽으로는 말갈과 숙신, 동북쪽의 부여와 서북쪽의 거란, 그리고 서쪽으로 모용·우문·탁발 등 선비족들 사는 지역을 두루 안 가본 곳이 없을 정돕니다."

엿장수는 엿을 팔 때 사설을 읊조리듯 주절거리는 버릇이 있어서인지, 제법 가락까지 붙여가며 말하고 있었다.

"대단하오. 어찌하여 엿장수를 하면서 그 귀한 재주를 썩히고 있는 것이오?"

"뭐 재주랄 게 있습니까? 걷는 걸 재주로 알아주시는 분은 나리가 처음입니다요."

엿장수는 많은 구경꾼이 모인 가운데 조환을 향해 너부죽이 절을 올리기까지 했다.

"허허헛! 이 엿은 여기 모인 구경꾼들에게 골고루 나누어 주시오. 지금은 내가 어디 바삐 가는 중이고, 나중에 시간이 날 때 나를 한 번 찾아오도록 하시오. 그대에게서 세상 돌아가는 이야기나 한 번 듣고 싶구먼!"

조환은 자신의 거처를 구두로 설명해 주었다.

"네, 알겠습니다요. 내일 저녁쯤 찾아뵈면 될는지요?"

"좋도록 하시오. 헌데 그대 이름은 무엇이오? 나는 조환이라고 하오."

"추동자鄒桐子라고 합니다요."

"이름이 범상치 않군! 그럼, 내일 저녁에 객사에서 봅시다."

조환은 곧 등을 돌려 엿장수 곁을 벗어났다.

옆에서 길안내를 하던 안길수가 문득 조환을 돌아보며 물었다.

"대행수께서 방금 전의 저 엿장수를 다시 보고자 하심은 무슨 특별한 뜻이 있어서입니까?"

"엿장수의 말이 걸작이지 않습니까? 요즘 같은 난세에는 거꾸로 서서 봐야 세상이 더 잘 보인다고…… 허허허!"

"허세가 좀 심해 보이는 자 같습니다만……."

"물론 그런 점도 없지 않아 있지만, 그자의 눈빛이 예사롭지 않습니다. 엿장수는 그저 심심풀이 삼아 하는 양이고, 아무래도 자기 나름대로 다른 생각을 갖고 있는 자 같았어요. 천지사방 돌아다니지 않은 곳이 없다 하니, 그만큼 견문도 넓지 않겠습니까?"

"대행수께선 사람 보는 눈이 남다르시군요."

"남다르다기보다 이상하게 보이면 궁금해서 견디지 못하는 성밉니다. 사람마다 이 세상에서 반드시 특별한 쓰임새가 있는데, 저 엿장수는 긴요하게 쓰일 데가 따로 있을 듯하여 다시 보자고 한 것입니다."

조환은 그러면서 마음속으로 생각을 가다듬었다. 어쩌면 하명재에게 또 다른 선물 하나를 줄 수 있을 것 같다는 기대감이 앞섰던 것이다.

그래서일까 조환의 발걸음은 아까보다 한결 가벼워졌다. 그의 길안내를 하는 안길수는 어느덧 번듯한 기와집 문 앞에 당도했다.

"어서 들어가시지요?"

"오, 이곳이 하명재 대인의 저택이로군요!"

조환은 짐짓 감동한 눈으로 높은 솟을대문을 올려다보았다.

5

집사 안길수를 조환에게 보내놓고 혼자 차를 마시며 하명재는 자주 고개를 갸우뚱거렸다.

'어디서 본 것 같은 얼굴이야.'

태왕 담덕의 부름을 받고 입궐하여 조환을 처음 만났을 때부터 하명재는 그런 느낌을 지울 수가 없었다. 장안에서도 최고 대상인 진유량 상단을 이끄는 대행수라는데, 어쩌다가 고구려 출신이 비단으로 유명한 장안 대상단의 대행수가 되었으며, 거기에다 왼팔이 의수라는 것도 심히 수상쩍게 생각되었다. 더구나 우뚝 선 콧날이 예리하게 보이는 조환의 옆얼굴은 결코 낯설지가 않았다.

"조환 대행수님을 모시고 왔습니다."

집사 안길수의 목소리가 문밖에서 들려왔다.

하명재가 문을 열고 나가자 마당에서 조환이 허리 굽혀 인사를 했다.

"어서 오시오. 자, 방으로 드시지요."

하명재가 집사의 안내를 받아 뜰로 오르는 조환을 반갑게 맞았다.

방은 널찍했다. 외방의 손님을 맞는 객사의 거실이었다.

두 사람이 좌정한 후 의례적인 인사를 나누고 나자, 조환은 먼저 가져온 선물 꾸러미를 내놓았다.

"이건 옥으로 만든 염주입니다. 목에 거는 것은 아니고 손에 들고 돌리는 단주입지요. 저 서역에 가면 옥이 많이 나기로 유명한 화전이라는 나라가 있습니다. 강가에서 곡괭이로 옥을 캐지요. 앵두나 자두만 한 크기의 것도 있고, 개중에는 주먹만 한 복숭아나 더 큰 것은 하눌타리만 한 옥도 발견되곤 하지요. 그런 큰 옥돌을 발견하면 일확천금의 횡재를 했다고 여기지요."

조환의 설명에 하명재는 눈앞에 펼쳐진 옥 염주를 신기한 듯 바라보았다.

"허어? 강가에서 옥을 캔다고요? 그렇게 옥이 많이 납니까?"

"저 중원의 장강 발원지이기도 한 곤륜산崑崙山은 보옥寶玉이 나는 명산지로 알려져 있지요. 화전의 백옥하白玉河와 흑옥하黑玉河는 곤륜산에서 동과 서로 나뉘어 흐르는 강입니다. 곤륜산의 옥돌이 물결을 따라 구르고 굴러서 오랜 시일이 지나 조약돌이 되어 강변에 묻히는데, 그걸 곡괭이나 호미로 캐는 것이지요. 주로 장마철이 지나면 옥을 캐기 시작하는데, 가장 먼저 화전의 왕이 직접 옥 캐는 시범을 보인 후에야 일반 백성들이 옥을 캘 수 있습니다. 백옥하나 흑옥하에서 나는 옥은 모두 왕의 소유라는 것을 상징적으로 보여주는 풍습이지요. 화전에선 왕이 옥을 캐는 것이 연중행사 중 가장 큰 축제이기도 합니다. 일단 옥을 발견하면 화전의 왕에게 신고를 한 연후 옥상단에 팔수 있는데, 그 수익의 일부는 국고로 들어가고 나머지는 백성들 차지가 되지요."

조환은 그러면서 화전의 옥 대상 카라자나와 알게 된 사연에서부터 자신이 장안에서 옥 거래를 전담하게 되었다는 이야기를 장황하게 늘어놓았다.

"화전의 옥은 모두 조 대행수의 손을 거쳐야 구매가 가능하겠군요? 대단하십니다."

하명재는 옥에 대한 관심이 많은 듯 조환의 말을 귀 기울여 들었다

그런 낌새를 눈치챈 조환이 이번에는 정말 복숭아보다 더 큰 옥 덩어리를 꺼내 하명재에게 보여주었다.

"우리 고구려에서 산삼을 발견하면 '심봤다' 하고 외치는 심마니들처럼, 화전 사람들은 이런 큰 옥을 캐면 쾌재를 부르며 팔자를 고쳤다고 다들 좋아하지요. 이 정도 크기면 옥새도 만들 수 있습니다. 저 중원의 황제들도 이렇게 큰 옥을 귀하게 여기지요. 진시황이 화씨벽을 어렵게 손에 넣은 후, 그것으로 둘레가 네 치나 되는 옥새를 만들었다고 하지 않습니까? 하 대인께서 친히 이 옥을 태왕 폐하께 드린다면 아주 기뻐하실 것이옵니다."

"아니 이 귀한 걸 내게 주시는 겁니까?"

하명재는 크게 벌어진 입을 다물지 못했다.

"이것은 하 대인께서 태왕 폐하께 진상토록 하고, 따로 하 대인께는 선물을 마련하였습니다. 사실 그것은 옥이 아니라……."

조환은 잠시 뜸을 들였다.

"옥이 아니라……?"

하명재는 자신도 모르는 사이 조환의 말을 되뇌며 그의 입을 주시했다.

"옥 거래입니다. 화전의 옥 상단과 고구려가 직거래할 수 있는 길을 주선해 드리지요."

"허어? 그렇게 큰 선물을 주시다니요? 두말이 필요 없게 만드시는군요. 그럼 나는 조환 대행수께 인삼 직거래로 화답을 하겠습니다."

하명재의 말에 조환은 빙그레 웃었다.

"되로 주고 말로 받는 기분입니다. 허허허!"

조환의 상거래 법칙은 먼저 주고 나중에 받는 것이었다. 당연히 하명재에게서 인삼 거래에 관한 말이 나올 것을 예상하고 있었기 때문에 옥 거래로 선수 치는 수법을 썼다.

"무슨 말씀을……. 이것으로 쌍방이 정식 거래를 텄으니, 축배를 들지 않을 수 없겠지요."

하명재는 집사를 불러 주안상을 들이게 했다.

미리 준비해 두었으므로, 곧 주안상이 들어왔다. 산해진미가 한 상 가득 넘쳤다.

"허허, 이거 너무 과분한 접대를 받습니다."

조환이 양팔을 들어 보이며 환하게 웃음을 지었다. 그때 소매 속에 숨겨져 있던 왼팔의 의수가 드러나자, 그는 순간적으로 얼른 팔을 내렸다.

하명재는 빠르게 거두어들인 조환의 왼팔에 문득 눈길을 주었다.

"허허헛! 이 의수가 자꾸 눈길에 거슬리시는 모양이군요?"

"아, 아닙니다. 그보다도 조 대행수께서 그 팔에 얽힌 남다른 사연이 있을 듯해서요. 장안과 서역을 오가는 길에 비적 떼들이 자주 출몰한다고 들었는데……."

"그렇게 알고 계셨군요? 이 팔은 비적 떼에게 준 것이 아니라 백제군과 싸울 때 다친 것입니다. 20여 년 전 수곡성 전투에서 부상을 입었지요. 실은 말입니다……."

조환은 그러면서 비로소 하명재에게 자신이 동부욕살 하대곤의 집사였다는 사실을 털어놓았다. 하대곤의 명으로 동부의 군사들을 이끌고 수곡성 전투에 참여했다가 왼팔을 잃은 일련의 이야기를 들려주었다.

"그러시군요. 어쩐지 처음 뵐 때부터 낯이 익다 했습니다."

"당시 하대곤 장군의 심부름으로 가끔 하가촌의 하대용 대인을 만나뵈러 간 적이 있었지요. 아마도 그때 한두 번 언뜻 뵈었을 것이옵니다."

"그런 것 같군요. 당시는 내가 아버님 대신 상단을 이끌고 초원로를 통해 서역을 한창 오가던 때라서 집에 머무는 경우가 많지 않았습니다. 그래서 자주 뵐 기회가 적어 첫눈에 알아보지 못했던 것 같습니다. 이거 죄송하게 됐습니다."

"아닙니다. 실은 지난번 편전에서 뵐 때 하 대인에 대해 알고 있었으면서도 짐짓 초면인 척했습니다. 오히려 죄송한 건 이쪽이지요.”

조환은 오른손으로 자신을 가리켰다.

“나는 태왕 폐하의 외숙이 됩니다만, 대행수께선 폐하와 어떤 인연으로 만나게 되었나요?”

하명재는 전부터 내심 궁금해 하던 것을 물었다.

“서역을 오가는 도중에 만났지요. ‘사기’라고 하가촌에서 말 사육사로 있던 자를 잘 아시지요? 말발굽 갈아 끼우는 데는 세상에서 그를 따를 자가 없을 정도지요. 태왕 폐하께서 왕자 시절 유랑생활을 할 때, 그 사기라는 자가 이끄는 백제 대상들의 일원으로 있었습니다.”

조환은 당시의 일들이 눈앞에 떠오르는 듯 가늘게 눈을 뜬 채 회상에 젖은 눈빛으로 말했다.

“허허, 사기라면 백제의 첩자라 들었습니다만……. 나중에서야 그 얘기를 듣고 아버님께서도 크게 진노하셨던 걸로 알고 있습니다. 헌데 어찌하여 태왕 폐하께서 왕자 시절에 그 사기라는 자가 있는 백제 상단을 따라 서역까지 갔었나요?”

“그 이야기를 하자면 깁니다. 아무튼 당시 담덕 왕자께선 백제 출신이라고 신분을 속이고 사기가 이끄는 상단을 따라 말을 사러 서역에 갔던 모양입니다. 돌아오는 길에 비적 떼를 만나 곤란을 겪고 있을 때 우리 상단이 도와주어 백제 상단은 위기에서 벗어날 수 있었지요. 그런데 하필이면 백제 상단을 이

*끄*는 대행수가 사기였습니다. 사실 나는 사기에게 속아 수곡성 전투에서 왼쪽 팔을 잃었거든요. 원수는 외나무다리에서 만난다더니, 철천지원수를 서역의 고비사막에서 맞닥뜨린 셈이지요. 그때 나는 도망치는 사기를 쫓아가 단칼에 그의 목을 베어버렸습니다. 당시 나는 백제 상단을 모두 포로로 삼으려 했으나, 담덕 왕자께서 몸소 나서서 그들을 풀어주는 대신 포로가 되겠다고 하여 호위무사인 마동과 함께 우리 상단과 동행하게 되었지요. 장안에 돌아왔을 때 담덕 왕자의 몸에서 삼태극 무늬가 새겨진 범상치 않은 단도가 나왔습니다."

이때 하명재가 조환의 말을 잠시 끊었다.

"삼태극 무늬가 새겨진 단도라면 나도 알고 있지요. 그것은 선왕이신 고국양대왕과 지금의 태후께서 국혼을 치를 때 제가 두 분께 선물한 것입니다. 아마도 선왕께서 아들에게 준 것이 틀림없습니다."

"오, 어쩐지! 나는 그 단도를 보는 순간 고귀한 신분이란 생각을 했습니다. 그리고 곧바로 담덕 왕자인 것을 알았고, 그때부터의 인연이 지금까지 이어져오고 있지요."

"조 대행수께선 참으로 사연이 많군요. 자아, 우리 술을 마시면서 차근차근 얘기를 나누어봅시다."

하명재가 조환에게 술을 권했다.

그때 조환이 술을 받으며 감동한 눈빛으로 하명재를 바라보왔다.

"허어? 이건 인삼주로군요. 향기가 아주 좋습니다."

조환은 술잔에 넘치는 인삼주를 들어 코로 향기부터 맡았
다.

"이제 본론으로 들어갈까요?"

마침내 하명재는 인삼 교역에 관한 본격적인 사업 이야기를
시작했다.

6

전날, 밤이 늦도록 하명재와 술을 마신 조환은 숙소로 돌아
와 다음날 정오 무렵까지 내처 잤다. 인삼주보다 더욱 그를 취
하게 한 것은 중원에서 고구려 인삼을 거래하는 판매권이 그에
게 맡겨진 일이었다.

고구려를 대표하는 대상답게 하명재는 파격적인 조건을 제
시했다. 조환 역시 그 보답으로 하 대인을 장안으로 초청했으
며, 그때 화전의 옥 대상 카라자나와의 만남도 주선하겠다고
약속했다.

산동의 해룡부를 지휘하던 일목이 국내성에 머무르게 되면
서, 해적을 퇴치하는 일에서부터 해상무역 상권까지 관리하게
된 것은 탁보였다. 원래 탁보는 하명재 상단과 함께 초원로를

통해 서역과 상거래를 하다 일목이 뗏목을 타고 산동에 목재를 실어 나를 당시 중원의 곡물을 사서 국내성으로 들여오는 역할을 하던 인물이었다. 원래 장신인데다 뚜벅뚜벅 걷는 걸음걸이가 낙타 같다 해서 이름이 '탁보驛步'였다.

"허허헛! 탁보라. 흥미로운 인물이로군! '낙타걸음'이라, 저 서역을 오가는 상단 행수에게 걸맞은 이름이 아니오?"

조환은 간밤에 하명재와 술을 마시면서 탁보 이야기가 나왔던 것을 기억했다. 그는 장안으로 돌아갈 때 국내성에서 배를 타고 산동에 닿으면 탁보를 만나 인삼거래와 관련한 제반 문제들을 논의하기로 하명재와 약속했다. 일단 중원으로 가는 인삼은 하명재 상단에서 산동의 해룡부 상단으로 넘겨지게 되고, 이때 탁보가 중개무역거래를 통해 조환 상단에게 중원 판매 전권을 맡기도록 하는 유통 체계를 갖추기로 했던 것이다.

어느 새 석양이 지는 모양인지 들창이 붉게 물들어 있었다. 그때 어디선가 심금을 파고드는 피리 소리가 들창을 넘어 흘러들어 왔다. 조환은 그 소리에 취해 다시 술기운이 올라오는 듯한 느낌을 받았다. 마치 피리 소리가 노을을 물고 들어와 그의 얼굴을 붉게 물들이고 있는 것 같았다.

'아직도 술이 덜 깼는가?'

조환은 잠시 머리를 흔들어보았다. 그다지 머리가 무겁지 않은 걸 보면 정신은 말짱한 편이었다.

"여보게!"

조환은 수하로 부리는 젊은 행수를 찾았다.

"네, 대행수님! 부르셨사옵니까?"

"저 피리 소리 말일세. 누가 부는지 나가서 알아보고 오게 나."

조환의 명을 받고 젊은 행수는 곧 물러갔다.

가슴을 저미는 듯한 피리 소리에 귀를 기울이며 조환은 스르르 눈을 감았다. 소리에 실린 음률이 담을 넘어 들창 문창호지를 뚫고 들어와 그의 가슴에 출렁이는 물결을 수놓았다. 실로 묘한 마력이 느껴지는 음악의 선율에 그는 마음까지 빼앗겨 버리고 말았다.

'사람을 사로잡는 소리라? 술에는 자주 취해 봤지만, 음악에 취해 보기는 처음이로군!'

조환은 마음속으로 그렇게 중얼거리며 벽에 비스듬히 기대어 있던 몸을 바로 세웠다.

이미 피리 소리는 뚝 끊겼는데도 조환의 가슴 언저리에는 그 음률의 여운이 감돌아 실로 미묘한 감정의 그늘을 남겨놓고 있었다. 실상 그 붉은 기운의 그늘은 들창을 뚫고 들어온 노을이 흰옷자락을 물들인 얼룩 같은 것이었는데, 그는 애써 그런 느낌으로 인식했다. 그가 아직도 취기에서 벗어나지 못했다는 증거일 수도 있었다.

그때 문밖에서 엇갈리는 발자국 소리가 들려왔다. 하나가 아니고 두 사람이 마당으로 들어서는 소리였다.

"대행수님! 피리장이를 데리고 왔습니다."

문밖에서 젊은 행수가 말했다.

"뭐? 피리장이를? 같이 들어오너라."

조환은 피리장이를 보자고까지 한 것은 아닌데, 행수가 너무 과한 충성을 보인다 싶어 실소를 머금었다.

그런데 문을 열고 들어서는 것을 보니 많이 낯이 익은 자였다. 행수가 데려온 피리장이는 다름 아닌, 어제 낮에 장터마당에서 본 엿장수였던 것이다.

"과연! 피리 소리가 그대의 것이었소? 피리까지 불다니 재주가 실로 놀랍소."

조환은 사실 엿장수와의 약속을 까맣게 잊고 있었다. 그래서 더욱 반가웠다. 그는 엿장수를 자리에 앉게 한 후 행수로 하여금 조촐한 술상을 차리게 했다. 아직 몸에 물그림자처럼 남아 있는 취기를 좀 더 연장시키고 싶은 마음이 피리 부는 엿장수로 인하여 생겼던 것이다.

훌쩍 큰 키의 엿장수는 피리를 두 손으로 받쳐 든 채 엉거주춤 서 있다가 조환의 손짓에 무르춤한 자세로 방바닥에 주저앉았다. 다리가 길어서 그럴까, 앉는 모습이 마치 공중에서 푹 꺼지는 듯한 느낌을 주었다.

"피리 소리를 들으시고 어찌 시생이 부는 것인 줄 아셨는지요?"

엿장수가 물었다.

"추동자라 했던가요? 그대가 피리 소리로 나를 부르는데, 어찌 사람을 내보내 맞이하지 않겠소?"

조환은 잠시 추동자와의 약속을 깜빡 잊고 있었지만, 그의 이름만큼은 정확하게 기억했다.

"대단하십니다. 시생이 피리 소리로 낸 질문을 곧바로 알아들으시다니요?"

"……질문이라?"

"네, 피리 소리로 대행수님께 시생이 왔으니 들어가도 되겠냐고 물었던 것이지요."

"허허헛! 그대가 나를 시험했던 것이라 이 말이오?"

조환은 짐짓 고개를 빳빳이 세우며 문책의 눈초리로 상대를 쳐다보았다.

"그것은 아니옵고……. 이 근처가 대행수님 숙소인 것은 알겠는데, 정확하게 어느 집인지 알 수 없어서 어린 시절에 배운 재주를 한 번 부려본 것뿐입니다."

추동자는 그러면서 피리를 품속에 갈무리했다.

"이제 보니 그대는 아주 타고난 재주꾼이로세!"

조환은 빙그레 웃었다.

"시생의 이름자에 오동나무 동桐 자가 들어 있지 않습니까? 어려서 살던 곳에 거문고를 잘 타던 명인이 있었지요. 그때 어깨너머로 배우다시피 거문고를 탔는데, 그 명인이 '동자桐子'라는 이름을 지어주었지요. 음악에 소질이 있었는지 거문고 타는 흉내를 내다보니, 피리도 불고 장구·북·꽹과리 등도 만질 수 있게 되더군요."

"아무튼 타고난 재주꾼이 아닌가?"

조환이 감탄하여 무릎을 칠 때 술상이 들어왔다.

젊은 행수가 물러가고 나자 추동자가 넌지시 조환에게 물었다.

"그런데 시생을 이곳으로 부르신 이유가 무엇입니까?"

그 물음에 조환이 빙그레 웃음을 머금었다.

"그대가 전국 장바닥을 두루 돌아다녔다니 묻겠소만, 혹시 기예단의 양수 단장을 아시오?"

"대행수님 말씀처럼 장바닥에서 굴러먹었는데 모를 리가 있겠습니까? 이 장터 저 장터에서 돌아다니다 자주 만나지요."

"허허허! 내 그대와 양수 단장이 한자리에서 만나면 말이 통할 것 같다는 생각을 해봤소. 언제 자리를 한 번 만들어보도록 하지요."

"천하 재인才人 중 그런 명인이 따로 없습니다. 우리 장돌뱅이들 사이에선 그를 '양재인' 또는 '양탑탑'이라 부르기도 하지요."

추동자는 양수 이야기가 나오자 갑자기 말에 생기가 도는 듯했다.

"양탑탑은 또 무엇이오?"

"양수 단장의 조상이 원래 탑탑이塔塔爾 출신이옵지요. 저 북방의 초원지대에 있는 백해(바이칼호수) 주변 산림에 살던 종족인데, 유목생활을 하면서 점차 서남방으로 흩어지게 되었지요. 그 일부가 우리 고구려 땅으로 흘러들어 와 주로 사냥이나 가죽 다루는 기술, 기예의 전통을 이어가며 살고 있습니다. 혹자는 그들을 달단韃靼이라고도 합니다. 탑탑이 종족의 일부는 저 서역까지 가서 교역을 하는 무리들도 있다고 하지요. 가죽을 많이 다루다 보니 서역의 특산물과 문피를 교역하는 데 능수능란한 재주들을 가지고 있답니다."

추동자는 신바람이 나서 떠들어댔다.

"그대는 마치 세상천지를 다 돌아다닌 사람처럼 말하는구려."

"흐흣, '엿장수 맘대로'라는 말 못 들어보셨습니까? 말만 잘 들으면 엿장수 맘대로 엿을 잘라 줄 수 있다 하여 그런 말이 생겼지요. 그러니 엿판 하나만 짊어지면 발길 닿는 대로, 저 가고 싶은 대로 엿장수 맘대로 갈 수 있는 것이지요. 원래 쏘다니기를 좋아해서 한곳에 붙어 있질 못하는 성미입니다. 고구려 땅은 물론 저 서북방의 여러 종족이 사는 곳 아니 돌아다닌 데가 없지요. 아마 10여 년 동안 열두 바퀴는 더 돌았을 겁니다. 헌데, 시생을 긴히 보자고 하신 것은……?"

"오, 그래. 우리 술이나 나누면서 천천히 그 얘길 합시다."

조환은 추동자에게 술을 따라주었다. 주거니 받거니 여러 차례 술잔이 돌았다.

그때 추동자가 먼저 입을 열었다.

"실은 시생이 양수 단장을 잘 알게 된 것은……."

추동자는 잠시 말을 끊고 조환을 넌지시 바라보았다.

"……?"

"시생 역시 오래전에 기예단 소속으로 있던 피리장이였습니다."

"오, 그래요? 헌데 어쩌다 엿장수가 되었소?"

"아까도 말씀드렸지만, 엿장수 맘대로 돌아다니고 싶어서였죠. 기예단은 단체행동을 해야 하기 때문에 개인적으로 활동하는 데 많은 제약이 따릅니다."

"그럴 테지."

"해서, 어느 날 문득 저 부여 땅을 떠돌다 이상한 엿장수를 보고 나서, 기예단에서 나와 그 사람을 따라다니기 시작했지요. 세상 도처에 도통한 사람들이 참 많더군요. 제가 세상을 좀 알고 싶어 따라다닌 그 엿장수도 바로 그런 도사 중의 한 명이라 할 수 있지요."

"허허? 어떤 면에서 그가 도사란 말이오?"

"길 도道 자가 있는 것처럼, 길에도 도가 있다고 생각하는 분이지요. 걸어 다니는 선승禪僧이랄까? 겉보기엔 반승반속半僧半俗인데, 마음속엔 가부좌를 튼 부처가 들어앉아 있었지요. 엿을 파는데, 정작은 엿이 아니라 인정人情을 팔고 다니더란 말이지요."

"인정을 팔다니?"

"엿장수이긴 한데, 엿으로 이문을 남기지 않습니다. 그저 이사람 저 사람 만나는 재미로 엿을 팔러 다니는 것이지요. 특히 아이들을 좋아해서 마음만 내키면 공짜로도 주고, 사람들이 많이 모이는 곳에선 엿 한 판을 몽땅 내놓기도 합니다. 그저 이문을 남기는 것은, 다시 엿판을 마련하고 겨우 숙식을 해결할 정도만 있으면 된다고 생각하는 엿장수였죠. 그것은 엿을 파는 것이 아니라, 실상은 인정을 팔러 다니는 것이 아니겠는지요?"

추동자의 말은 단박에 조환의 관심을 끌기에 충분했다.

"그 선승은 그럼 걸어 다니면서 도를 닦는단 말이 아니오?"

"세상천지를 돌아다니며 이 사람과 저 사람을 연결시켜 주는 일을 한답니다. 부처가 말하는 극락의 세계란 하늘에 있는 것이 아니고, 사람들끼리 마음과 마음이 통해 이 세상 모두가 한마음이 될 때 이루어진다는 것이지요. 시생 역시 반승반속이지만, 명색이 그 엿장수의 행자 노릇하면서 많은 걸 배웠습니다."

"일리 있는 얘기구먼! 그 엿장수 선승은 법명이 어떻게 되오?"

"불자도 아닌데 법명이 있겠습니까? 시생도 한 3년 행자 노릇 하며 따라다녔지만, 이름을 모릅니다. 그저 '무명'이라 부르라고 하더군요. 무명선사라고……."

"무명선사라? 그 도인과는 왜 헤어졌소?"

"엿장수 노릇도 지겨워서 약초나 캐러 산에 들어가겠다고 하더니 어느 날 홀연히 사라져버렸습니다. 엿장수 노릇을 하며 고철이 된 쇠를 모아 어느 대장간 야철장冶鐵匠에게 보검을 만들어 달라더니, 그것을 들고 깊은 산속으로 들어갔습니다."

"헤어질 때 뭔가 그대에게 남긴 말은 없었소?"

"시생에게 물구나무서기를 가르쳐준 분이 바로 그 무명선사입니다. 난세에는 거꾸로 보아야 세상이 제대로 보인다면서……. 시생이 타고나기를 건각健脚이라 나라를 위해 크게 쓰일 일이 있으니 두 다리를 아껴둬야 한다면서, 물구나무서서 걷는 재주를 익히라는 말씀을 자주 하셨습니다."

추동자의 말에 조환이 감동한 눈빛으로 그의 손을 덥석 잡았다.

"무명선사야말로 혜안을 가진 대단한 도인이 아니오? 이제부터 그대에게 크게 할 일이 생겼소."

문득 조환은 오래전 봉두난발을 한 석정을 만났을 때를 떠올렸다. 무명선사야말로 석정 이상 가는 범상치 않은 인물임에 틀림이 없어 보였다.

"네에……? 크게 할 일이라면?"

추동자는 큰 눈을 껌벅대며 그저 조환을 바라볼 뿐이었다.

"그 얘긴 차차 하기로 하고……. 그대는, 지금이라도 그 무명선사라는 인물을 찾을 수 있겠소?"

"아마도 어려울 겁니다. 연세도 많아 저세상 사람이 되었을 가능성이 크고, 살아 있다 하더라도 깊은 산속에서 도를 닦고 있다면 세상 밖으로 나오지 않으려고 할 것입니다. 그런 도인은 세상에 모습을 잘 드러내지 않는 법이니까요."

추동자의 말에 조환은 오래도록 머리를 끄덕이며 깊은 생각에 잠겼다.

7

국내성 밖 상설시장은 늘 사람들로 북적거렸다. 그 시장에도 중원의 강남을 통해 남양南洋 상품들이 들어온 것일까. 어느 때부턴가 각종 향료가 진열대 위에서 저마다의 색깔을 자랑하며 사람들의 시선을 끌고 있었다. 그래서 그 근처만 가도 독특한 향내가 코를 자극했다.

"아니 언제부터 향료가 우리나라에도 들어오고 있습니까?"

얼굴에 귀티가 흐르는 귀족 자제인 듯싶은 젊은이가 옆에 나란히 걸으며 시장을 안내하고 있는 나이든 사람에게 물었다.

"그리 오래되진 않았습니다. 백제의 관미성이 우리 고구려 영역으로 들어오면서 서해의 바닷길이 열려, 남양의 향료가 중원의 남쪽 항구인 명주明州를 통해 중개무역으로 들어옵니다. 남양은 거리가 먼 관계로, 그 덕에 명주의 호상胡商들이 향료로 큰 이문을 남겨 짭짤한 재미를 보고 있지요."

"오래전 유랑하던 시절에 명주에 가본 적이 있었습니다. 그땐 정말 상점마다 가득가득 진열된 남양의 향료들을 보고 매우 놀랐었지요."

젊은이는 바로 태왕 담덕이었고, 그 옆에서 안내를 하는 사람은 압록강 포구에서 대상단을 이끌고 있는 하명재였다. 그 뒤에 조금 거리를 두고 호위무사인 마동과 수빈이 따라붙었는데, 그들은 모두 일반 백성들처럼 변복을 하고 있었다.

"어서 가시지요. 조환 대행수가 기다리고 있을 겁니다."

하명재가 서쪽으로 기우는 해를 보더니 길을 재촉했다.

"외삼촌! 내가 간다는 사실을 조환 대행수가 알고 있단 말씀입니까?"

"아닙니다. 지난번 조환 대행수를 우리 상단으로 초대했더니, 이번에는 그 답례로 초대를 받은 것이옵니다."

"아, 그러니까 외삼촌이 상단을 대표해서 가는 것으로 되어 있단 말이군요. 그렇다면 잘된 일입니다. 조환 대행수가 큰 선물했으니 인사는 차려야 하겠고, 고민 끝에 외삼촌께 함께 가자고 한 것입니다."

담덕이 말하는 큰 선물이란, 일전에 하명재를 통해 전달받은 큰 옥 덩어리를 이르는 것이었다. 그는 이미 큰 옥으로 고구려의 옥새를 새로 만들라고 국새 담당 장인에게 명해 놓고 있었다.

네 사람은 곧 조환이 묵고 있는 객사로 들어섰다. 하명재를 발견하고 먼저 조환이 문 앞으로 달려 나오다 멈칫 서버렸다.

"아니……?"

조환은 태왕 담덕의 변복한 모습을 보고 깜짝 놀랐던 것이다.

"뭘 그리 놀라십니까?"

담덕이 빙그레 웃었다.

"태왕 폐하!"

조환은 허리를 깊이 꺾었다.

"쉬잇! 누가 듣겠습니다. 미복잠행 중이니 어느 누구도 눈치채지 못하도록 해야 하지 않겠습니까?"

담덕이 오른손 검지를 입술에 갖다 댔다.

"여긴 시생의 수하들밖에 없으니 괜찮습니다. 여봐라! 어서 폐하와 하 대인을 거실로 모셔라."

조환은 수하들에게 이르고 나서, 따로 행수 하나를 불러 시장에 가서 공연 중인 기예단장 양수와 엿장수 추동자를 데려다 일단 옆방에 대기시켜 놓으라고 귀띔을 주었다.

이미 거실에는 하명재 대인을 대접하기 위해 장안에서 가져온 산해진미로 가득한 음식상이 차려져 있었다.

"조환 대행수께서 귀한 옥을 선물해서 인사차 이렇게 왔습니다."

태왕 담덕이 좌정하며 말했다.

"폐하께서 이렇게 왕림하신다면 미리 기별을 주셔야 준비를 했을 터인데, 너무 상이 소찬이옵니다."

"무슨 과람한 말씀을…… 오래전에 장안에서 진 대인에게 접대를 받던 그 음식상 생각이 납니다."

담덕은 왕자 시절 유랑 생활을 하다 장안에서 조환을 만났을 때의 기억을 떠올렸다. 그때 고구려 왕자라는 신분이 밝혀지면서 장안의 비단 대상 진유량 대인에게 한 달 동안 극진한 대접을 받았었다.

한편 호위무사 마동과 수빈은 거실 입구에 시립侍立하고 있었다. 조환이 마동을 알아보고 함께 자리를 하면 어떻겠느냐고 했으나, 그는 자신의 역할에 충실하기 위해 애써 문 앞에 서있기를 고집했다.

요리의 종류에 따라 음식이 여러 번 바뀌어 상에 오르고, 술잔도 몇 순배 돌았을 즈음 태왕 담덕은 조환에게 답례품으로 칼자루에 삼태극이 새겨진 단도를 건넸다.

"대행수께서 전에 본 기억이 있겠지요?"

"아니, 이건 태왕 폐하께서 왕자 시절 품에 지니고 계시던……?"

조환은 바로 단도를 알아보았다.

"이 칼은 그때의 그 단도는 아닙니다. 북흉노 출신의 김슬갑이란 야철장이 있는데, 그 단도와 비슷하게 흉내를 낼 줄 알아서 여러 개 만들도록 했지요. 고구려 지역에선 그 단도를 보여주면 어디서든 대접받을 수 있을 겁니다."

담덕의 말에 하명재가 더 보태 설명을 달았다.

"태왕 폐하께서 가지고 계시던 그 단도는 원래 시생이 초원로를 통해 대상단을 이끌고 다닐 때, 알타이 산맥에서 야철장을 운영하는 명장으로부터 한 쌍을 구한 것이지요. 때마침 당시 왕자님이신 폐하의 부왕께서 국혼을 치른다 하여 부부의 연을 맺으시는 두 분께 선물로 드렸지요. 아마도 사사롭게는 시생의 누이고 태왕 폐하의 모후가 되시는 태후께서도 똑같은 단도를 가지고 계실 것이옵니다. 그러나 그 한 쌍의 단도는 다른 사람에게 줄 수 있는 것이 아닌 관계로, 태왕 폐하께서 야철장에게 특별히 부탁해 만든 것입니다. 폐하께선 삼태극 무늬가 새겨진 이 단도를 중책을 맡은 자나 귀한 손님에게 답례품으로 드리고 있습니다."

하명재의 말을 듣고 조환은 다시 한 번 태왕으로부터 건네받은 삼태극 무늬가 새겨진 단도의 자루 부분을 눈여겨 살펴보았다.

"삼태극 무늬는 태왕 폐하 직속 관할 부대인 태극군의 상징 표식입니다. 고구려에선 그 표식을 잘 알고 있으므로, 어디 가서든 단도를 보여주면 무사통과를 할 수 있을 것입니다."

문간에 시립해 있던 마동이 삼태극에 대한 보충 설명을 해주었다.

"이 단도는 앞으로 시생이 고구려를 내왕하는 데 큰 도움이 될 듯싶습니다. 이러한 과분한 선물을 받았으니, 시생 또한 답례를 하지 않을 수 없게 됐습니다."

조환이 수하의 행수에게 눈짓을 했다.

"우리 고구려의 옥새를 만들 귀한 옥을 받은 것만으로도 과분합니다. 더 이상의 답례품은 원치 않습니다."

태왕이 손을 흔들며 사양의 뜻을 표했다.

"이번에는 답례품이 아니옵니다. 물건이 아니고 사람이옵니다."

"사람이라?"

"네, 그러하옵니다."

바로 그때 조환의 수하 행수가 기예단장 양수와 엿장수 추동자를 데리고 왔다.

"두 사람은 어서 들어와 태왕 폐하께 큰절을 올리시오."

조환의 말이 끝나기 무섭게 양수와 추동자가 거실로 들어와 태왕 담덕 앞에 털썩 엎드려 일어날 줄 몰랐다. 그도 그럴 것이 저잣거리의 사람들이 태왕을 직접 만나기란 지극히 어려운 일이었다.

"대행수가 특별한 선물을 한다더니 이 두 사람을 두고 하는 얘기였소?"

담덕이 빙그레 웃으며 두 사람에게 자세를 바로 하도록 일렀다.

"황공무지로소이다. 폐하!"

"이렇게 폐하를 뵙는 것만으로도 각골난망이옵니다!"

겨우 고개를 든 양수와 추동자는 벌벌 떨면서 자세를 바로하고 태왕 담덕을 바라보았다.

"폐하! 사람이 물건처럼 선물이 될 순 없사옵니다. 특별한 선물은 다름이 아니오라 이 사람들을 활용해 앞으로 벌이게 될 사업이옵니다."

조환이 두 사람을 손으로 가리키며 말했다.

"사업이라……?"

"이 두 사람을 정보요원으로 활용하시면 고구려가 외교 전략을 펴는 데 큰 힘이 될 것이옵니다. 두 사람 다 장마당을 떠돌며 세상천지 가보지 않은 곳이 없으며, 가는 곳마다 끈끈한 관계를 맺고 있는 사람들이 많아 지리와 인맥에서는 이 두 사람을 따라올 자들이 없을 것이옵니다."

"오, 그래요?"

"이쪽은 양수라고 장터마당에서 공연을 하는 기예단장인데, 앞으로 시생의 상단과 함께 서역 여러 나라를 돌면서 활동을 하게 될 것입니다. 그리고 옆에 있는 추동자는 엿장수인데, 국내 장터는 물론 고구려와 근접한 나라를 두루 돌아다니게 될 것이옵니다."

"기예단장과 엿장수라?"

조환의 말에 태왕은 양수와 추동자를 다시 한 번 예의 주시했다.

"기예단장 양수는 서역으로 대상단을 이끌고 다닐 때 늘 시생과 같이 움직일 것이옵니다. 시생이 생각하는 상업의 길은 장사보다 먼저 문화의 길부터 닦아야 한다는 것이옵니다."

"문화의 길을 닦는다? 그것이 무슨 뜻이오?"

"이번에 이곳 국내성 장터에서 기예단장 양수의 공연을 보고 시생은 바로 우리 고구려의 문화가 매우 출중하다는 것을 느꼈사옵니다. 저 서역의 여느 나라와 비교해도 결코 뒤지지 않는다는 말씀입니다. 오히려 어떤 면에서는 서역에 전해 주어 문화를 발전시키는 데도 한몫을 할 수 있다고 판단했습니다. 문

화란 그 집단을 대표하는 통합적인 지적 능력이라 할 수 있사
옵니다. 따라서 두 집단의 문화가 교류를 통해 만날 때, 그 파
급효과는 대단한 힘을 발휘할 수 있습니다. 서로 물건을 주고받
는 상업 행위는 교역이지만, 문화의 결합은 두 집단 사이에 믿
음과 신뢰가 싹터 백성들의 삶을 더욱 풍요롭게 해주는 효과가
있지요. 그래서 시생은 문화가 먼저 들어가 정서적 교류가 이루
어진 후에 두 집단 사이의 상업적 교류가 시작되면, 교역을 하
는 데 있어서 탄탄대로가 열릴 것이라고 믿고 있사옵니다."

이와 같은 조환의 말에 태왕은 자신의 무릎을 탁 쳤다.

"조환 대행수가 말하는 상업의 길이 바로 그것입니까? 문화
의 길을 먼저 닦고 그 위에 상업이 길을 열면 교역의 탄탄대로
가 마련된다? 대단한 혜안입니다."

"앞으로 기예에 능한 양수로 하여금 서역에서 문화의 길을
닦게 하고, 발걸음이 빠른 추동자로 하여금 국내 시장을 두루
돌며 등짐장수들을 활용해 사방으로 통하는 정보의 길을 엮어
낸다면 우리 고구려의 장래 역시 탄탄대로가 열릴 것이옵니다.
그리하여 두 사람이 때때로 만나 정보를 주고받는 전달체계를
갖추게 되면, 태왕 폐하께서 국내외의 일을 궁궐 안에 앉아서
도 손금 들여다보듯 알 수 있지 않겠사옵니까?"

"조환 대행수께서 오늘 정말 큰 선물을 주셨소."

태왕 담덕은 상업을 통해서도 배울 게 많다는 사실을 새삼

깨달았다. 방금 조환은 장사의 길을 통해 나라 경영의 전략까지 넌지시 일러주고 있는 것임을 그는 모르지 않았다.

제2장

역참과 흑부상

1

　태왕 담덕은 바둑판을 뚫어지게 바라보고 있었다. 그의 눈에는 바둑판이 지도로 보였다. 고구려를 바둑판 중앙의 화점인 태극太極으로 두고, 그 주변의 나라들을 동서남북으로 나누어 그려보았다. 그 북동쪽에는 숙신이, 동남쪽에는 바다 건너 왜국이, 남쪽에는 백제와 신라가, 서쪽에는 후연과 북위가, 북쪽에는 거란과 부여가 있었다. 그리고 더 서쪽으로 가면 전진을 격파하고 일어선 후진과 고비사막을 넘어 서역으로 연결되었다. 또한 중원의 장강 이남을 차지한 동진이 사분오열된 화북을 호시탐탐 넘보고 있었다.

　'흐음, 상업의 길이라……'

　담덕은 바둑판 위에 지도를 그리다 말고, 그 위에 달포 전 장안으로 돌아간 대행수 조환의 얼굴을 떠올리고 있었다.

'문화의 길을 먼저 개척하고, 그 위에 상업의 길을 닦고, 그 길을 통해……'

여기까지 생각을 더듬고 있을 때 문득 담덕의 상념을 깨우는 목소리가 있었다.

"폐하께서 두실 차례이옵니다."

마주 앉아 대국을 하던 이정국이었다.

이정국은 담덕이 왕자 시절 산동에서 태극군을 조직할 때 고구려 유민들을 규합한 공으로 그 부대의 군사軍師가 된 인물이었다. 처음 만날 당시에는 태산에서 고구려 유민의 무리들을 이끈 산적 두목에 불과했으나, 일찍부터 익힌 학문이 있는 데다 국내성에 와서 병법서를 깊이 연구해 전략가의 길을 닦았다. 그는 담덕이 동진의 재상 사안의 서가에서 필사해 온 태공망의 『육도六韜』를 빌려 다시 옮겨 적으면서까지 자신의 병법 지식을 더욱 심화시켜 나갔다.

태왕은 가끔 한가로울 때 이정국을 불러 바둑을 두곤 했는데, 실은 대국을 하면서 그와 함께 전술을 논하고 싶었기 때문이다. 두 사람은 호적수라 할 만큼 대등한 바둑 실력을 갖추고 있었다.

"태극군이 지금 어디 있습니까?"

문득 담덕의 입에서 튀어나온 말이었다.

"……네에? 무슨 말씀이신지?"

이정국은 뜬금없는 담덕의 말에 바둑판에 박고 있던 시선을 들었다. 순간, 두 사람의 눈이 허공에서 잠시 부딪쳤다.

"바둑판의 태극은 중앙 화점이지 않습니까?"

"아하! 폐하께선 지금 바둑판이 아니라 상상으로 천하의 지리를 그리고 계시는군요?"

이정국은 태왕의 직할부대인 태극군의 군사답게 담덕의 말뜻을 곧바로 알아들었다.

"어린 시절, 을두미 사부에게서 바둑을 배울 때 생각이 납니다. 쌍방이 바둑판의 중앙 화점을 비워두고 있지만 실상은 그곳에 마음속의 복병을 숨겨두고 있는 것이라고, 사부께선 말씀하셨지요. 바둑판에서도 사실 가장 중요한 곳인데, 기사들은 가장자리에서 서로 집을 더 많이 차지하기 위해 싸우고 있습니다. 실리 바둑이지요. 하지만, 나중에는 그 변방을 차지한 세력이 중앙으로 눈길을 돌리게 되어 있지요. 복병은 적들이 모르는 곳에, 전혀 예상치 않은 요처에 숨겨두어야 합니다. 우리 고구려의 복병은 태극군입니다. 바로 이 바둑판의 중앙 화점 인근의 어느 지점에 태극군을 복병으로 숨겨두어야 할 것입니다."

"우리 고구려에서 중앙 화점이라면 어디를……?"

바둑판에 눈을 박아두고 있던 이정국이 담덕을 정면으로

바라보았다.

"물론 국내성이 우리 고구려의 중앙 화점이겠지요. 그러나 바둑판에서와 같이 겉모습으로는 일부러라도 비워두는 것이 복병을 숨겨두는 방법도 되겠지요."

"그렇다면 국내성에서 태극군 주둔지를 다른 곳으로 옮기실 작정이십니까?"

"그럴까 싶어요. 국내성은 중부의 도성 방위군이면 충분합니다. 태극군까지 국내성에 묶어둘 필요는 없다고 봅니다. 그렇다고 환도성으로 들어가는 것도 적에게 바로 노출되어 불만입니다. 국내성과 가까우면서 극비리에 군사 훈련을 할 수 있는 곳이어야만 합니다."

"그곳이 어딥니까?"

이정국은 중원에서 고구려 유민들을 이끌고 왔으므로 국내성 인근의 지리에는 그리 밝지 못한 편이었다.

"연나부 조의선인들이 비밀리에 사병 훈련을 시키던 곳, 환도성 서쪽 능선 너머에 칠성산이 있습니다. 왕당군에서 일단 태극군을 빼내고 거기에 2천5백의 군사를 더 보태 5천의 병력으로 재편성하여, 칠성산에 근거지를 마련토록 해야겠습니다. 그리고 기존 왕당군에서도 흑부군을 2천5백에서 3천으로 늘리고, 말갈군도 1천에서 2천으로 늘려 도합 5천을 만들어 별도로 특별 훈련을 시키도록 할 생각입니다."

"그러면 태왕 폐하의 직할부대가 태극군과 왕당군 도합 1만이 되는 것이로군요?"

"적들에게 알려진 왕당군은 5천입니다. 기존의 왕당군에서 몰래 태극군을 빼내어 5천 병력을 훈련시켜 일단 유사시에 복병으로 활용하자는 것이지요. 따라서 군사께서는 기존 태극군의 수장 유청하를 총대장으로 삼아 몸이 날랜 군사들로만 태극군을 조직하도록 하십시오. 이렇게 되면 왕당군 총대장은 여전히 우적 사부가, 부대장은 선재 사범이 맡게 되겠지요. 그리고 왕당군 소속의 흑부군은 연나부 수장 우형이 관미성에 파견된 이후 부대를 이끌고 있는 어연극於延克이, 말갈군은 역시 두치가 수장 노릇을 하게 될 것입니다. 이는 전과 크게 변함이 없는데, 다만 왕당군에서 태극군이 갈라져 나와 공히 5천씩 1만 병력이 되어, 기존의 두 배 병력으로 강화하게 됩니다. 기존 왕당군 소속으로 있던 태극군이 따로 떨어져 나와 적도 모르는 특전사 역할을 하도록 만들 작정입니다. 이는 올해의 목표이고, 해마다 왕당군의 군사를 늘려나가 몇 년 후에는 적어도 5만 병력의 군세를 유지할 생각입니다. 부지런히 변방의 각 성에서 지리에 밝은 날랜 군사들을 차출하고, 수시로 각 부에서 젊은 자제들을 징집해 흑부군을 키워야 하겠지요. 전국적으로 흩어져 사는 사냥에 익숙한 말갈족들 중에서도 용사들을 모아 말갈군도 전력을 강화시켜 나갈 생각입니다."

이처럼 담덕은 자신의 왕당군 재편 구상을 밝히면서도 바둑판을 뚫어지게 바라보고 있었다. 그러더니 돌을 들어 바둑판 가운데 어느 지점에 놓았다.

"아, 폐하! 이건 기습입니다."

이정국의 눈이 다시 바둑판으로 쏠렸다. 정중앙의 화점인 태극에서 조금 비켜나간 자리에 바둑의 백돌이 새롭게 놓여 있었다. 그러자 전체 바둑의 판세가 백돌 우세로 돌아섰다. 변방에서 점차 세력을 키워온 흑돌의 대마들이 그 한 수로 인해 위태로워졌던 것이다.

"바로 여기가 태극군이 주둔할 곳입니다."

"네에?"

"사방 가장자리에 어설프게 놓였던 백의 군세가 방금 놓은 백돌 하나로 탄탄하게 균형을 잡지 않았습니까? 우리 고구려군에서 태극군은 바로 그러한 역할을 한다고 보시면 됩니다."

담덕은 유랑을 하던 왕자 시절 산동에서 처음 고구려 유민들을 중심으로 하여 태극군을 조직했으므로, 왕당군의 여느 부대보다 더 애착을 갖고 있었다. 당시 5백이었던 태극군이 왕당군에서 떨어져 나와 별동대로 활동하게 되면 5천의 병력이 되므로, 무려 10배의 군사력으로 증강되는 셈이었다.

"아픈 곳을 찔렀습니다."

이정국은 흑돌을 던졌다.

"아니, 왜요? 아직은 더 둘 만한 바둑인데?"

"급소를 맞았더니 옆구리가 결립니다."

"사실, 방금 그곳에 흑이 선수를 두었다면 백도 돌을 던질 수밖에 없었을 겁니다. 결정적인 한 수, 그것이 전쟁 아니겠습니까?"

태왕은 빙그레 웃으며 이정국을 바라보았다.

두 사람은 바둑을 끝내고 나서 차를 한 잔 하며 담소를 나누었다.

"바둑으로는 도무지 태왕 폐하를 이기지 못하겠습니다."

이정국이 차를 한 모금 마시고 나서 말했다.

"이기고 지는 것은 병가지상사입니다. 문제는 어떻게 이기느냐에 있겠지요. 문득 중원 강남의 동진 승상 사안과 바둑을 두던 일이 생각납니다."

"저 비수 전투를 승리로 이끌었다는 사안과 바둑을 두었다구요?"

이정국은 놀라운 표정으로 담덕을 바라보았다.

"사안의 저택에 한 달간 머무르면서 자주 바둑을 두었고, 남는 시간에는 그의 서재에 틀어박혀 서책들을 읽었지요. 일전에 군사에게 빌려준 바 있는 태공망의 병법서 『육도』를 필사한 것도 바로 그때의 일입니다. 그의 서책 중에는 경서뿐만 아니라 병법서가 아주 많았습니다. 그러니 사안은 도성에서 조용히 앉아 바둑을 두면서, 마음속으로는 비수의 전장에 나가 전투를 치른 것 아니겠습니까?"

담덕은 잠시 동진 승상 사안의 얼굴을 떠올려보았다.

"바둑을 두면서 전쟁을 하다니요?"

"바둑판을 전쟁터로 본 것이지요. 사안은 동생·아들·조카 등을 장군으로 삼아 전쟁터에 보내놓고 치열하게 전진의 부견 군대와 바둑판 위에서 심리전을 펼치고 있었던 것입니다. 원래는 비수 전투는 8만 대 87만의 싸움이었습니다. 흔히 부견의 군대를 군량미 나르는 잡병까지 쳐서 백만 대군이라고 이야기하지요. 당시 사안이 생각할 때 10분의 1도 안 되는 군사의 수로는 도저히 이길 수 없는 싸움이었습니다. 그런데 사안은 미리 짜놓은 전략을 가지고 바둑판 앞에서 자신과의 심리적인 씨름을 하고 있었던 것입니다. 당시 비수 전투에서 부견은 자신의 백만 군대만 믿고 기고만장해 있었습니다. 장강의 서쪽에서 동쪽까지 백만 대군을 횡으로 세워 도강했는데, 그것이 부견의 패착이었지요. 사안은 직접 부견이 끌고 온 선봉대만 무찌르면 승산이 있다고 보았습니다. 당시 비수를 사이에 두고 대치한 부견의 군대는 30만이었는데, 역시 사안은 아군 8만으로는 중과부적이라 생각했지만 자신감이 있었습니다. 부견의 오만함을 부추겨 그 허를 찌르면 승산이 있다고 보았고, 특히 정예부대로 기른 북부군 5천의 실력을 믿고 있었던 것입니다."

"사안의 북부군 5천은 바로 태왕 폐하의 태극군 같은 성격을 가진 군대로군요."

"맞습니다. 사안은 일당백의 실력을 가진 북부군 5천으로 적군 30만을 기습하고, 뒤에서 아군 8만이 받쳐주면 충분히 승기를 잡을 수 있다고 판단했던 것입니다. 우리 고구려도 일당백의 실력을 갖춘 태극군을 키워야 합니다. 물론 태극군의 무술 훈련은 유청하 총대장이 맡게 될 것입니다. 이미 태극군 재편성을 위해 군사 조발을 지시해 놓았습니다. 군사께서 유청하 총대장을 도와 태극군을 일당백의 용사들로 만들어주셔야 합니다."

사실상 담덕은 태극군의 재편성을 논의하고자 군사 이정국에게 바둑을 두자고 청한 것이었다.

"네, 폐하! 분부 받잡겠나이다."

"사안과 바둑을 두면서 많은 것을 배웠습니다. 사안은 바둑을 둘 때 집을 많이 낼 생각을 하지 않았습니다. 한두 집으로 승리하는 것을 목표로 삼았지요. 전쟁도 마찬가지 아니겠습니까? 피아를 막론하고 사상자를 최대한 적게 내면서 이기는 것, 그것이 진짜 승리라는 것을 사안과 바둑을 두면서 배웠습니다."

담덕의 이 같은 말에, 순간 이정국은 새로운 혜안을 얻은 듯 눈을 빛냈다.

2

태왕 담덕은 새롭게 재편성한 태극군 5천 병력을 칠성산으로 보내놓고 나서, 왕당군의 부대장을 맡고 있는 선재를 편전으로 불렀다.

"폐하! 왕후께서 잉태하신 것을 감축드리옵니다."

편전으로 들어선 선재가 먼저 태왕을 향해 인사를 올렸다.

"벌써 처외숙께서도 알고 계셨습니까?"

담덕에게 선재는 무술사범이자 사사롭게는 처외숙이 되었다. 왕후가 된 아미령의 어머니 부여씨의 친오빠가 되기 때문이었다.

"우리 고구려의 축복인데, 이르다 뿐이겠습니까? 백성들이 그 소식을 듣고 모두들 기뻐하고 있습니다."

"허허 헛, 고맙습니다. 바로 엊그제 일인데 이미 소문이 궐 밖에까지 나간 모양이군요?"

"압록곡 친정에 소식이 바로 가서 어제 누이와 매제가 입궐했다 돌아가는 길에 겸사겸사 소신에게 잠시 들렀을 때 알려주었사옵니다. 오늘 소신도 폐하의 부름을 받고 입궐했으니, 왕후 전하께도 축하차 문안 인사를 드리고 갈 참이옵니다."

왕당군 부대장으로 있는 선재에게 왕후의 잉태 소식을 알려준 것은 바로 고추가古雛加 아진비였다. 왕후의 아버지 아진비는 고구려 왕족인 계루부에게 주는 고추가의 벼슬을 받았으나, 명예직을 자처해 부인 부여씨의 고향인 압록곡에 삶터를 마련했다. 실제로 고추가는 고구려 왕족이나 왕후의 친족에게 주는 최고의 벼슬인데, 애써 명예직을 고수한 것은 태왕 담덕이 정사를 펴는 데 깊이 관여치 않기 위해서였다.

아진비는 태왕 담덕이 태어나기 전에, 고구려 왕실의 처가와 외척 세력인 연나부가 오래도록 권력을 장악해 계루부 왕권을 뒤흔들었다는 사실을 잘 알고 있었다. 애써 담덕이 고구려 5부가 아닌 부여에서 왕후를 선택한 것도 처가와 외척 세력의 발호를 막기 위한 고육지책이었다. 그 깊은 뜻을 알았기 때문에 아진비는 과감하게 부여를 버리고 처가의 나라인 고구려로 망명할 결심까지 했던 것이다.

태왕 담덕도 사사롭게는 장인이 되는 아진비의 그와 같은 속내를 잘 알고 있었다.

"고맙습니다. 부여에서 온 왕후에겐 가까운 친척이 처외숙뿐입니다. 입궐시 왕후전에 자주 들러주시면 외로움이 덜할 겁니다."

담덕은 겸사의 말을 한 후 넌지시 선재를 건너다보았다.

"폐하께옵서 소신에게 따로……"

선재는 왕후의 잉태 소식 이외에 태왕이 자신을 보자고 한

다른 이유가 있을 것으로 짐작했다.

"왕당군에서 태극군을 빼낸 후 군세가 매우 약화되었을 터인데, 새로운 군대 편성은 어떻게 되어가고 있는지요?"

"국내성의 중부 숙위군에서도 일부 병력을 차출하고, 동서남북 각 부의 지방군 중에서도 왕당군에 들고 싶은 자들을 찾고 있습니다. 전국 지리를 확연하게 꿰고 있으려면 지방군의 지원자가 반드시 필요합니다. 그런데 지방군 중에서 왕당군에 들어오기를 원하는 자들이 많아 젊고 몸이 날랜 청장년들로 가려 뽑고 있는 중입니다."

"지방군 지원자 중에서는 특히 걸음이 빠르고 말을 잘 타는 자들 위주로 뽑도록 하십시오. 해를 거듭해 왕당군의 군세를 늘려갈 생각이니, 지방군의 차출은 지속적으로 이어져야 할 것입니다. 일단 지방군에서 선발한 군사들은 왕당군 소속으로 두되, 때에 따라 파발꾼으로도 활용할 생각입니다. 앞으로 역참驛站 제도를 강화해 정보전달의 첨병으로 삼을 방침입니다."

태왕은 장안의 대행수 조환을 만난 이후 정보의 중요성을 깊이 깨달았다. 정보는 기동성과 정확성이 관건이라고 할 수 있었다. 이웃나라의 돌아가는 상황을 거울 들여다보듯 꿰뚫고 있어야만 적의 침략에 대비하고, 선제공격으로 허를 찔러 제압할 수 있기 때문이었다.

"현재로선 남방, 즉 신라와 백제의 동향을 파악하기 위해 국내성에서 평양성까지는 역참이 잘 되어 있는 것으로 알고 있습니다. 서북방의 연나라와 거란, 부여 등에 대한 동향 파악을 위해서 역참을 더 설치할 필요가 있다는 말씀이군요?"

선재는 국내성에 들어오기 전에 수년간 서북방 지역을 떠돌아다닌 적이 있었다. 무명선사가 어느 날 갑자기 그에게 하산하라는 말을 남긴 채 자취를 감추었기 때문에 사부를 찾아 여기저기 수소문을 하고 다녔던 것이다. 그때 느낀 것은 역참이 제대로 설치되지 않아 외적이 변방을 공격해 와도 발 빠른 대처를 할 수 없다는 점이었다. 특히 비적 떼와 다름없는 거란이 서북 변방의 마을을 급습해 온갖 약탈과 인명살상을 일삼을 때도 고구려에서는 별다른 대책을 강구하지 못했다. 역참 제도가 제대로 돼 있지 않아 정보전달이 그만큼 늦었던 것이다. 사후 대책은 소 잃고 외양간 고치는 격에 다름 아니었다. 사전에 철저한 방비를 해야 하며, 사건이 발생했을 때는 즉각적인 조치가 이루어져야만 피해를 최소한으로 줄일 수 있었다. 역참 제도의 강화가 필요한 것은 바로 그런 이유 때문이었다.

"선대왕 때의 사건입니다만, 거란이 우리 고구려의 서북방 여덟 개 부락을 쳐들어와 노략질한 적이 있었지요? 그때 그 현장을 목격한 사람이 바로 수빈의 어머니 아닙니까? 당시 역참이 발달되어 거란의 동향만 미리 파악했어도 그런 사태는 막을 수 있었을 겁니다."

담덕은 유일한 여성 호위무사인 수빈이 갓난아기 때 거란의 침입으로 부모를 잃은 이야기를 여러 번 들은 기억이 있었다.

"네, 폐하! 염수에서 소금 대상을 하고 있는 우 대인과 딸 소진 처자가 생각납니다. 거란 침입 당시 소진 처자가 있었기에 오늘날 수빈이 폐하 곁에서 호위무사를 할 수 있게 된 것 아니겠습니까?"

선재 역시 그 순간 옛날 생각이 떠올랐다. 그의 눈앞에 소진의 얼굴이 아슴푸레하게 어른거렸다.

부여의 깊은 산속에서 무명선사에게 무술을 함께 배울 때 선재는 소진을 은근히 연모하고 있었다. 자신의 그러한 마음을 직접적으로 전해 보진 못했으나, 어쩌다 부딪치는 눈빛을 통하여 상대가 그 뜻을 알게 할 수는 있었다.

하지만 소진은 선재의 뜨거운 눈길을 받을 때마다 애써 피하는 눈치여서, 그로서는 자신의 마음을 전할 기회조차 갖지 못했다. 그러는 가운데 자연스럽게 소진이 오래전 이련 왕자와의 국혼이 결렬되면서 집을 떠나 무명선사의 산속 도장까지 찾게 되었다는 사실을 알았다.

담덕이 왕자 시절 도장의 사람들과 함께 염수를 찾아갔을 때, 생각 같아서는 선재도 소금 대상을 하는 우신의 저택에 그냥 머물러 있고 싶었다. 소진의 곁에 있는 것만으로도 마음의 위로가 될 것 같았던 것이다.

그러나 유명을 달리하기에 앞서 무명선사는 우적과 선재 두 제자를 앉혀 놓고 간곡하게 왕자 담덕을 곁에서 지켜주라는 신신당부를 했다. 그가 소진을 염수에 남겨두고 담덕 일행을 따라 국내성으로 올 수밖에 없었던 것은 바로 그러한 이유 때문이었다.

"사범께서도 염수의 소금 대상단 생각이 가끔 나시지요?"

태왕의 말에 선재는 자신의 마음을 들킨 듯싶어 흠칫 놀랐다.

"가끔 염수 가장자리에 하얗게 깔린 소금밭이 떠오릅니다. 언젠가는 우리 고구려가 거란을 완전히 정벌하여 소금 상권도 완전히 확보해야 된다고 생각하고 있습니다."

"실은 사범을 보자고 한 것은 그 일 때문입니다."

"네에? 그 일이라니요?"

선재는 문득 담덕이 말하는 '그 일'이 무엇인지 몰라 당황한 표정이 되었다.

바로 그때 담덕이 내관에게 명했다.

"어서 그 사람을 불러들여라."

"네, 폐하! 진작부터 대기시켜 놓고 있었사옵니다."

곧 내관은 대기하고 있던 사람을 편전으로 안내해 왔다.

선재가 바라보니 웬 민간인 복장을 한 자가 담덕 앞에 털썩 무릎을 꿇고 머리를 조아렸다.

"태왕 폐하! 소인을 부르셨나이까?"

부복을 한 사내는 담덕 앞에서 어찌할 줄 모르는 채 바닥을 짚은 두 팔까지 부들부들 떨고 있었다. 선재는 바로 옆에서 그자의 넓은 소맷자락이 유난히 떨리고 있는 것을 보았다.

"추동자라고 했지요? 떨지 말고 얼굴을 드시오."

담덕은 사내를 바라보면서 빙그레 웃었다. 그는 태왕이지만, 대신이나 일반 백성들에게도 함부로 하대를 하지 않았다. 개개인의 인격을 중요시했기 때문이다. 추동자, 그는 바로 장안의 대행수 조환이 국내성을 떠날 때 소개한 장터마당의 엿장수였다.

"네, 네! 폐, 폐하!"

추동자는 겨우 얼굴을 들고 담덕을 바라보았다.

"그래, 일전에 부탁한 일은 잘 수행하고 있습니까?"

"네, 네! 전국 장터를 돌아다니며 떠돌이 장사꾼들을 만나 단단히 약조를 받아놨습니다."

"흐음! 그대가 길 없는 산도 잘 타므로 말보다 더 빠르다 들었소. 서너 달밖에 안 됐는데, 우리 고구려의 전국 장터를 한 바퀴 돌았단 말이오?"

"네! 말은 주로 평지의 길을 따라 돌아가지만, 소인은 지름길을 잘 알고 있습니다. 고개를 넘고 길 없는 숲길을 달려 재게 발을 놀리면 말보다 빨리 목적지에 다다를 수 있습지요."

그러면서 추동자는 몇 날 몇 시에 국내성 장터마당으로 전국의 등짐장수들을 모두 모이게 했다고 덧붙였다.

"흐음, 그동안 그대가 만난 상인들이 몇 명이나 되오?"

"기백을 헤아리는데, 저희들끼리 연줄이 있어 국내성 장터로 한꺼번에 모이게 되면 줄잡아 5백은 넘을 것으로 예상되옵니다만……."

"5백이라, 그만하면 족할 듯싶소."

담덕은 그러더니 추동자를 선재에게 소개시켰다. 역참은 파발마를 이용하고, 등짐장수들은 직접 발로 뛰어 각 지역과 외방의 정보를 입수해 조직적인 체계를 구축할 생각이라는 것이었다. 그러므로 역참이 정보를 전달하는 큰 줄기라면, 등짐장수들은 그 줄기에서 사방으로 뻗은 잔가지와도 같은 역할을 하게 되므로 서로의 연계가 매우 중요함을 강조했다.

큰 나무는 뿌리에서 물을 끌어올려 몸통을 거쳐 줄기로 뻗어나가 생명을 유지하는 법이었다. 자디잔 가지 끝의 이파리에까지 미세한 생명의 줄이 연결되어 있으므로, 큰 나무는 죽지 않고 오래도록 장수할 수 있었다. 즉 나무의 몸통은 중앙 정부이고, 줄기는 역참이며, 가지와 이파리는 정보를 수집하는 장사꾼들에 다름 아니었다. 바로 담덕은 큰 나무를 예로 들어 정보전달 체계를 선재에게 설명하고 있었던 것이다.

"앞으로 추동자는 모든 지시사항을 여기 계신 왕당군 부대장인 선재 장군께 받게 될 것이오. 즉 추동자는 등짐장수의 조직을 만들어 부상負商을 이끌되, 전국 장터를 돌아다니면서 얻게 되는 정보를 빠짐없이 가까운 역참에 긴밀히 보고토록 해야 하오. 그래야만 빠르고 정확한 지역 정보가 국내성으로 전달될 수 있소."

"네, 폐하! 지엄하신 분부, 충심으로 받잡겠나이다."

이제 추동자는 떨지 않았다. 자신이 고구려를 위하여 아주 중요한 업무를 맡게 되었다는 자부심과 아울러, 등짐장수로서 어깨에 느껴지는 막중한 무게감을 느껴 자못 긴장이 고조되던 것이다.

"나중에 따로 두 사람이 더 구체적인 이야기를 해야 할 것이니, 그대는 밖에 나가 대기토록 하시오."

담덕의 말에 추동자가 편전에서 물러갔다.

그때 선재가 자못 감동 어린 목소리로 물었다.

"폐하! 언제 그런 정보전달의 체계를 구상해 놓으셨나이까?"

"오래전부터 그런 구상을 하고 있었습니다. 우적 사부께서 왕당군 총대장을 맡고 계시니, 사범께선 부대장으로서 역참과 부상 조직을 관리토록 하시는 게 좋겠습니다. 앞으로 전국 사방으로 길을 넓혀 수레가 자유자재로 다닐 수 있도록 하고, 국내외 상인들의 내왕이 활발하게 이루어지도록 할 것입니다. 그 길은 또한 역참에서도 최대한 활용토록 하여, 파발마의 기동력이 더욱 강화될 수 있도록 해야겠지요. 전국의 역참을 사방에서 정보가 모이는 곳으로 하기 위해 상인들이 묶을 숙소와 지방 상설시장도 새롭게 조성할 계획입니다. 국내 상인이건 외국 상인이건 장터마당에 모이면 누가 시키지 않아도 제 입으로 정보를 술술 내놓도록 할 생각입니다. 역참지기들은 그런 상인들의 말만 들어도 저절로 정보의 반은 접수할 수 있도록 말입니다."

이와 같은 담덕의 말에서는 남다른 자신감과 패기가 느껴졌다.

"길을 넓힌다는 것은 상인들의 내왕에 도움이 되긴 하겠지만, 외적의 침입 또한 그 길을 이용하게 될 것이므로 심히 우려되옵니다. 선대에서도 길을 넓히는 걸 꺼려한 까닭이 바로 거기에 있지 않사옵니까?"

"앞으로 우리 고구려는 폐쇄적인 것을 철폐하고 모든 것을 개방할 것입니다. 예로부터 상인들이 첩자 노릇을 한다고 해서 외국에서 들어오는 대상들을 의심하기도 했으나, 우리 고구려 대상들이 외국으로 나가게 되면 결국 피차일반이 되는 것 아니겠습니까? 우리가 자신감을 갖고 있다면 상인을 가장한 이웃나라 첩자들이 정보를 입수해 가더라도 두려울 게 전혀 없습니다. 오히려 우리 고구려가 강하다는 인상을 받게 되면 외적이 두려워하여 함부로 침입하지 못하게 되니, 역설적으로 말하면 개방이 오히려 방어의 수단도 된다고 생각합니다. 그렇지 않습니까?"

담덕의 말은 미리 준비라도 된 듯 거침없이 흘러나왔다.

"네, 폐하! 구구절절 옳으신 말씀입니다."

"해서 말인데, 서북방에서부터 우선 먼저 역참을 설치하되 거란으로 통하는 길을 먼저 개척하도록 하십시오. 염수의 소금 상권을 우리가 먼저 확보하고. 초원과 고비사막을 지나 금산 金山(알타이)까지 연결되는 길을 우리 상단들이 마음대로 오갈 수 있어야만 철의 유통도 더욱 원활해질 것 아니겠습니까? 우리 고구려엔 철이 더욱 많이 필요합니다. 앞으로 강철을 가진 나라가 세상을 지배하게 될 것입니다. 따라서 철은 많을수록 좋고, 그 철을 잘 다루어 강철로 된 다양한 무기들을 개발해 내야 합니다."

"거란의 비려를 정복하실 계획이십니까?"

선재의 말에 담덕이 오른손 검지를 입술에 대었다.

"이건 비밀입니다. 일단 역참을 활용하여 거란의 정보만 입수하고 있다가 기회가 오면 급습할 것입니다. 당분간 혼자만 알고 계십시오."

이렇게 말하는 담덕의 눈빛이 칼날처럼 번뜩이는 걸 선재는 언뜻 보았다.

3

왕당군 부대장 선재는 국내성과 가까운 압록강 중류 북편 야트막한 산자락에 자리 잡은 훈련장에서 5백여 별동대에게 특별 훈련을 가르쳤다. 이 별동대의 무리는 다름 아닌 엿장수 추동자가 고구려 전역의 장터를 돌면서 모집한 등짐장수들이었다. 이들은 검은색 천으로 머리를 완전히 싸매 뒤로 단단히 묶고 있어서 '흑부상黑負商'이라 불렸다. 등짐장수를 부상負商이라고 한 데서 따온 말이었다. 그들은 활동에 편하도록 바지 위에 바짝 조인 허리띠를 착용했는데, 기존의 부상들과 달리 왼쪽엔 숫돌을 오른쪽엔 단도를 찼다. 이 숫돌과 단도는 야철장 대장 김슬갑에게 특별히 주문해 만든 흑부상들만의 표식이었다. 숫돌도 허리에 차기 간편하게 머리 쪽에 구멍을 뚫어 끈으로 묶을 수 있도록 했으며, 가죽으로 된 단도의 칼집 역시 끈으로 묶어 허리에 매달게 했다.

흑부상들은 1차적으로 개인의 신변보호를 위하여 무술 훈련을 받았다. 왕당군 부대장 선재는 그들에게 스승 무명선사가 고구려 검술을 새롭게 정립해 만든 '무명검법'의 기본을 전수해 주었다.

"여러분들이 무명검법을 배우는 목적은 적을 죽이기 위한 것이 아니라 위급할 때 자신의 신변을 보호하기 위한 것이다. 그러므로 함부로 칼을 뽑는 것은 금물이다. 여러분들은 검객이 아니라 등짐장수임을 잊어서는 안 된다는 말이다. 또한 우리 고구려 군사들에게 첩자로 의심받을 때는 여러분의 단도 자루에 새겨진 삼태극 무늬가 신분을 보장해 줄 것이다."

선재의 말에 흑부상들은 모두 자신의 허리에 찬 단도의 자루를 들여다보았다.

흑부상들은 검술 이외에 말타기, 등짐지고 달리기, 다리에 모래주머니 차고 산 오르기 등 특수 훈련을 받았다. 특히 말타기는 필수였는데, 간혹 급할 때는 역참에서 말을 대여해 직접 파발꾼 역할을 할 수도 있기 때문이었다. 말타기 훈련은 빨리 달리는 데만 있지 않았다. 말을 타고 양손으로 큰 뿔나팔을 불며 북을 치는 재주도 배워야만 했다. 고삐를 놓고 두 손으로 악기를 든 채 자유자재로 말을 타는 연습은 등짐장수들이 장터마당에서 사람들의 이목을 끄는 데 한몫 톡톡히 할 수 있기 때문이었다.

어느 날 훈련이 끝나고 나서 추동자가 선재에게 물었다.

"부대장님! 우리가 배우고 있는 무명검법이라는 검술 말입니다. 그 검법을 무명선사가 만들었다고 들었는데, 그분에 대해서 잘 아시는지요?"

"그분은 저 부여 땅의 깊은 산속에서 내게 검법을 가르쳐준 스승이었소."

선재는 무심코 대답하며, 무명선사가 무명검법을 완성한 후 스스로 곡기를 끊고 세상을 떠나던 마지막 날을 떠올렸다.

"혹시 시생도 알 만한 분이 아닐까 해서 말씀인데요……."

추동자는 조심스럽게 선재를 바라보며 말끝을 흐렸다.

"그대가 스승님을……?"

"실은 시생이 엿장수가 된 것이 무명선사라는 분 때문이었는데……."

"무엇이라?"

"오래전의 일입니다만…… 시생은 한때 피리를 불며 장돌뱅이 기예단을 따라다닌 적이 있습지요. 그때 부여 땅에서 이상한 엿장수를 만났는데, 그분이 스스로 무명선사라고 했습니다."

"그래요? 그대가 보기에 그 무명선사가 어떤 분이던가요?"

추동자의 말에 선재는 그를 다시금 쳐다보게 되었다.

"그 무명선사라는 분이 지게에 엿판을 얹어 메고 다니긴 했지만 처음 볼 때부터 범상치가 않았습니다. 시생이 장터마당을 떠돌며 눈여겨본 바에 의하면 그분은 엿을 파는 것이 아니라 세월을 낚고 있더라, 이겁니다요."

"세월을 낚다니?"

"엿은 그저 못쓰게 된 몽당 호미나 괭이 나부랭이 등을 가지고 온 아이들에게 선심 쓰듯 팔면서 저 옛날 위수渭水 강가에서 강태공이 때를 기다리며 곧은 낚시질을 하듯, 세월을 낚고 있더란 말이지요."

추동자는 그러면서 선재를 힐끗 쳐다보았다.

"그대가 태공망의 고사를 아시오?"

"네, 전에 시생에게 처음 음악을 가르쳐준 거문고 명인에게서 들은 바 있지요."

"그래, 무명선사라는 분이 어떻게 엿을 팔았기에 그대의 눈에는 세월을 낚고 있는 것처럼 보이더란 말이오?"

선재의 눈빛은 이제 추동자의 말에 빨려 들어가고 있었다.

"엿장수는 아이들에게 인기가 있지요. 장터마당에 엿장수의 쩔렁대는 가위소리가 들리면 아이들이 금세 그 주위를 둘러쌉니다. 개중에는 집 안에 굴러다니는 못쓰게 된 농기구를 가지고 나와 엿을 바꿔가는 아이들도 있지만, 쇳덩어리가 없어 빈손으로 와서 그저 엿이 먹고 싶어 침만 꼴깍꼴깍 삼키는 아이들도 있지요. 무명선사는 얼마만큼 엿을 팔고 나면 둘러선 아이들에게 나머지 엿을 선심 쓰듯 공짜로 나눠줍니다. 그러고는 빈 엿판이 얹힌 지게를 나무 그늘에 세워 놓고 앉아 엿을 맛있게 먹는 아이들을 바라보며 흐뭇한 미소를 짓고 있는 겁니다. 강태공이 곧은 낚시를 드리우고 있는 것이나, 무명선사가 공짜로 엿을 나눠주고 행복에 겨워 아이들을 바라보는 것이나 무엇이 다르겠습니까? 분명 시생의 눈에는 그 엿장수가 범상치 않게 보이더라. 이겁니다. 그래서 기예단을 때려치우고 무명선사를 따라다니며 엿장수 노릇을 했지요."

"헌데 무명선사와는 왜 헤어지게 되었소?"

"무명선사가 엿장수 노릇을 하며 쇳덩어리를 모으는 데는 남다른 목적이 있었어요. 그 조막손의 아이들이 엿을 바꾸기 위해 가져온 못쓰게 된 농기구 쇳조각들을 가져다 어느 야철장에게 대주는 것이었습니다. 그 대신에 보검을 만들어 달라는 부탁을 했지요."

"보검을……?"

"그 야철장 또한 범상치 않았어요. 부여 토박이는 아닌 것 같고, 금산 부근 서북쪽에서 온 흉노족이란 소문이 있는데, 쇠를 다루는 명장이라고 하더군요. 무명선사는 그 야철장에게 명검을 만들어 달라고 했던 것이지요. 무명선사가 엿장수 노릇을 하며 쇠를 모아오고, 야철장이 명검을 만드는 데 3년이 걸렸다고 합니다. 드디어 명검이 완성되자 무명선사는 그것을 가지고 깊은 산속으로 들어갔습니다. 시생도 엿장수 노릇을 그만두고 그분을 따라가려 했으나, 너는 다리가 길고 튼튼하니 계속 전국 방방곡곡의 장터마당을 돌다 보면 언젠가는 그 건각健脚을 크게 써먹을 때가 있을 것이라고 하더군요. 그래도 막무가내로 따라가려 했는데, 어느 날 새벽에 무명선사가 홀연히 사라지고 말았습니다. 아마도 그분께서 시생의 튼튼한 다리를 써먹을 때가 있다고 한 것이 바로 지금이 아닌가 생각됩니다."

추동자는 미래를 내다본 무명선사의 예언이 맞아떨어졌다고 생각하는지, 저 스스로 남다른 감회에 젖어 고개를 주억거리고 있었다.

"그대가 만났다는 그 엿장수가 내게 검법을 가르쳐준 스승 무명선사 바로 그분이 맞는 것 같소!"

"아마도 그럴 것입니다. 헌데 부대장님은 어쩌다 스승님과 헤어지게 되었나요?"

"흐음⋯⋯. 그분은 조선을 세운 단군왕검처럼 깊은 산속에 들어가 산신이 되셨다오."

"산신이 되다니요? 정말 무명선사는 도가 튼 분이셨군요?"

"그런 분이셨지⋯⋯."

선재는 더 이상 추동자에게 스승 무명선사에 대해 말할 필요를 느끼지 않았다. 그 역시 무명선사의 최후에 대하여 미루어 짐작하고 있을 것이기 때문이었다.

흑부상들에게 무술을 가르치면서 선재는 틈이 날 때마다 궁궐에 들어가 태왕 담덕을 알현하고 훈련 과정을 보고했다.

"폐하! 엿장수 출신인 추동자란 자에게서 스승 무명선사의 이야기를 들었습니다."

"그래요?"

담덕이 전혀 의외라는 듯한 눈빛을 던졌다.

선재는 추동자에게서 들은 무명선사에 관한 이야기를 태왕 담덕에게 그대로 털어놓았다.

"흐음, 추동자는 조환 대행수가 보물이라며 천거하기 이전에 무명선사께서 보내신 보배로군요! 이미 엿장수를 하던 시절에 스승님께서 추동자의 인물 됨됨이를 알아보시고, 건각으로 키워주신 것 아니겠습니까? 그에게 물구나무서기를 가르쳐 세상 이치를 깨닫도록 한 것을 보면, 스승님의 예지력이 보통이 아님을 다시금 느끼게 되는군요."

담덕은 무명검법을 완성한 후 동굴 속에서 스스로 곡기를 끊고 세상을 떠난 무명선사의 마지막 장면을 떠올리며, 문득 가슴이 뜨거워지는 어떤 감회에 젖지 않을 수 없었다. 그는 스승을 다시 보고 싶은 간절한 마음에 자신도 모르는 사이 눈에 안개와 같은 뿌연 물기가 어리는 것을 어쩌지 못했다.

4

394년(영락 4년)에 태왕 담덕은 사방으로 길을 넓혀 수레가 왕래하고, 중원은 물론 서역의 상인들까지 마음대로 드나들 수 있도록 전격적으로 문호를 개방했다. 그동안 선재가 훈련시킨 흑부상들도 전국 장터는 물론 국경을 넘나드는 요처로 파견해 각종 정보를 수집, 파발마를 통해 국내성으로 보내도록 했다.

이처럼 고구려가 내부적으로 체제 안정을 이루었을 때, 태왕은 왕자를 얻었다. 삼칠일이 지나 비로소 아들을 안아본 담덕은 마음이 흡족했다. 아기가 조막손으로 아비의 옷자락을 움켜쥐는데, 제법 끌어당기는 힘이 느껴졌다.

"허허, 이 조막손 움켜쥔 것을 봐요. 이다음에 크면 제법 힘 좀 쓰겠는 걸⋯⋯."

담덕의 입이 떡 벌어졌다.

"손아귀 힘이 세어 명궁이 되었으면 좋겠습니다. 폐하, 우리 왕자 아기씨의 이름을 무어라 지으셨는지요?"

왕후가 담덕을 그윽한 눈길로 바라보았다.

"원자가 태어날 때부터 깊이 생각해 보았는데, 짐의 뒤를 이어 크게 나라를 다스려야 하니 '거련巨連'이라 부르는 것이 어떠하오? 크게 잇는다는 뜻이오."

아들의 이름자에 넣은 클 거巨 자에는 태왕 담덕의 야망이 다 들어 있었다. 크게 나라를 일으켜 아들에게 물려주겠다는 뜻이 담겨 있었던 것이다.

한편 같은 시기에 백제 대왕 아신은 장자 전지腆支를 태자로 삼고, 대사면을 단행했다. 선대왕 진사가 고구려 태왕 담덕에게 백제의 북변 여러 성을 빼앗긴 데다 해로의 관문인 관미성까지 내주고 나자 국력은 극도로 약화되었다. 대사면으로 죄수들을 석방한 것은 백성들을 위무해 나라의 힘을 하나로 결속하자는 데 목적이 있었다. 또한 아신은 이때 배다른 동생인 홍洪을 내신좌평으로 삼았다.

"아직은 태자가 어리다. 짐이 원정을 나가게 될 경우 홍, 네가 태자를 보위해 왕성을 지켜야겠다. 이것이 네게 내신좌평의 소임을 맡기는 이유다."

대왕 아신은 연전에 좌장 진무를 병마사로 삼아 관미성으로 보내 설욕전을 펴려고 시도한 바 있었다. 그러나 그렇게 믿었던 진무가 싸움 한번 제대로 해보지 못하고 회군하자, 그 이후 아신은 고구려에 대해 내심 이를 부득부득 갈아붙이고 있었다. 반드시 자신이 직접 원정군을 이끌고 가서 보복전을 펼치리라 단단히 마음을 굳혔던 것이다.

"담덕이 아들 이름을 '거련'이라 지었다고? 이름은 크게 짓는 것이 아닌데……. 어리석은 놈! 흥, 제 헛된 야망을 아들 이름에까지 담았군 그래."

아신도 고구려 태왕 담덕의 야망을 모르지 않기 때문에 '거련'이란 이름을 듣는 순간 더욱 괘씸하다는 생각이 들었다. 그래서 마음속으로 지껄인다는 것이 자신도 모르는 사이 입밖으로 튀어나오게 되었던 것이다.

다시 아신은 마음속으로 이렇게 되씹었다.

광개토태왕 담덕

'담덕아! 과연 네 뜻대로 되나 보자!'

이른 봄부터 아신은 비밀리에 군사를 징발했으며, 전국적으로 세곡을 더 많이 거두어 군량미를 한성으로 이송케 했다. 또한 한성 서쪽 야산 기슭에 서대西臺를 쌓아 군사들로 하여금 활쏘기 연습과 무술 수련을 게을리 하지 않도록 독려했다.

더위가 푹푹 찌는 한여름인 7월. 드디어 백제 대왕 아신은 1만의 원정군을 이끌고 출진할 채비를 갖추었다.

"폭염에는 원정군을 출정시키기가 어렵사옵니다. 전장으로 가는 도중에 모두 지치고 말 것입니다. 가을 추수가 끝난 다음 군사를 내는 것이 어떠하올는지요?"

원로대신인 조정좌평 사륜이 아신에게 아뢰었다.

"좌평께선 걱정하시지 않아도 됩니다. 이번 전투는 적의 급소를 쳐서 뼈아픈 상처를 주는 것이 목적입니다. 그러므로 속전속결로 전투를 끝내고 군사를 물릴 작정입니다."

아신은 자신감에 차 있었다. 일단 관미성을 탈취해 기고만장해 있는 고구려군의 기를 꺾어놓고 싶었다. 그런 다음 더욱 힘을 길러 고구려에 빼앗긴 옛 땅을 회복하겠다고 굳게 마음먹고 있었던 것이다.

"적의 급소를 친다면 어디를 말씀하시는지요?"

좌장 진무가 나섰다.

"그건 말할 수 없습니다. 장군께선 도성을 지키십시오. 이번 전투에는 사두沙豆를 선봉장으로 삼아 출전하겠습니다."

아신은 외삼촌 진무의 실력을 믿지 못했다. 지난번 보복전으로 관미성 공략을 맡겼으나 변변히 싸워보지도 못하고 군사를 물린 데 대한 서운함이 너무 컸다.

그러나 아신이 진무로 하여금 한성을 지키도록 한 것은 배다른 동생인 내신좌평 홍을 견제케 하기 위해서였다. 태자 전지가 어리다 보니 자신이 원정을 떠난 틈을 타서 홍이 반역을 꾀할까, 그것이 내심 두려웠던 것이다. 조정좌평 사륜과 좌장 진무가 태자 곁을 지켜준다면, 그만큼 믿음이 가므로 안심하고 원정에 나설 수 있었다.

아신은 1만 원정군을 이끌고 출진할 때 주로 밤길을 이용했다. 낮에는 더워서 행군하는 군사들이 쉬 지칠 뿐만 아니라, 적에게 미리 정보를 주는 꼴이 되기 십상이었다.

백제군은 사두를 선봉으로 한 5천, 대왕 아신이 이끄는 후군 5천으로 진군을 시작했다. 사두에게는 미리 세작들을 풀어 관미성을 공격하러 간다는 소문을 퍼뜨리도록 했다.

실제로 사두가 이끄는 백제의 선봉대 5천은 관미성이 있는 서쪽으로 진군해 갔다. 그러나 아신은 후군 5천으로 하여금 철저히 기밀을 유지하도록 하여 될 수 있는 한 대로를 피해 숲을 헤쳐 길을 만들어가면서 수곡성으로 향했다.

이렇게 각자 다른 길로 간 백제의 선봉대와 후군은 미리 합

광개토태왕 담덕

류하는 날짜를 정하여 고구려의 수곡성을 급습하기로 했다. 즉, 사두가 이끄는 선봉대가 관미성 쪽으로 가는 척하다 밤을 이용해 배를 타고 패하浿河(예성강)를 거슬러 올라가 대왕 아신의 후군과 합세해 수곡성을 들이치자는 전략이었다.

그러나 기밀을 요하는 전략이었음에도 불구하고, 백제군의 일거수일투족은 고구려 세작들에 의해 국내성에 보고되고 있었다. 국내성과 평양성 사이에만 해도 역참이 10여 개나 있을 정도여서 남쪽 변방에서 도성으로 올라가는 정보가 그만큼 빨랐다. 더구나 수곡성과 평양성은 지척이었다. 아무리 백제군이 야밤을 틈타 수곡성으로 이동하더라도 동태 파악이 쉬웠으며, 그것은 곧바로 역참을 통해 평양성을 거쳐 국내성으로 전해졌다.

"그들이 기습을 하면 우리도 기습작전으로 응수해야겠지……."

백제군의 이동 경로가 역참을 통해 전해지자 태왕 담덕은 혼잣소리처럼 중얼거렸다.

"기습작전이라면……?"

옆에서 듣고 있던 왕당군 총대장 우적이 담덕을 바라보았다.

"사부님! 이번에는 우리 왕당군 중에서 흑부군을 출진시키는 게 어떻겠습니까?"

담덕이 말하는 흑부군은 5부의 조의선인 출신들로 이루어진 부대였다.

"흑부군은 3천밖에 안 됩니다. 말갈군 2천까지 포함시켜야 합니다. 칠성산에 가 있는 태극군 5천을 뺀 나머지 5천의 왕당군이 다 출동해야 백제 원정군 1만을 상대할 수 있지 않겠습니까? 수곡성을 지키는 군사가 또한 1만이니 수적으로도 충분히 백제 원정군을 상대해 볼 만한 전투가 될 것입니다."

"백제 원정군을 아신왕이 이끌고 있다 들었습니다. 우리 고구려도 그에 대한 접대는 해주어야겠지요?"

젊은 군주 담덕의 얼굴에 뜻 모를 미소가 떠올랐다. 그러자 용케도 그 의미를 알아챈 왕당군 부대장 선재가 나섰다.

"폐하께서 직접 왕당군을 이끌고 가시겠단 말씀입니까?"

"아신왕 얼굴이 어떻게 생겼는지 궁금하군요. 저쪽에서 먼저 걸어오는 인사이니 답례는 제대로 해야 하지 않겠습니까?"

담덕의 결정은 빨랐다. 그대로 태왕의 직할 부대인 왕당군 5천이 원군으로 꾸려졌다.

태왕이 직접 원군을 이끌고 수곡성으로 떠나게 되면서 국내성 방위는 태대형의 직위에 오른 '일목장군' 추수가 맡게 되었다. 그는 국내성을 수비하는 중군뿐만 아니라 동·서·남·북 지방 4부까지 관장하는 고구려 군사 총책이었으므로, 태왕이 원정을 떠나게 되면 혹시 모를 변방의 움직임까지 철저하게 살펴야만 했다.

한편 수곡성은 오래전부터 성주로 있는 장군 동관이 수비를 맡고 있었다. 태왕 담덕은 국내성에서 원군을 출진시키면서 수곡성으로 파발마를 보내, 백제군의 공격에 대비하되 성문을 열고 나와 싸우지 말고 철저하게 방어에만 치중하라고 명했다. 이는 원군에게 따로 백제군을 무찌를 전략이 있음을 암시하는 것이기도 했다.

고구려 원군이 밤낮을 가리지 않고 진군해 패하 지류의 협곡에 도착한 것은 국내성 출발 이틀 후의 새벽녘이었다. 그것은 왕당군이 기마군단의 정예병들로 이루어졌기에 가능한 일이었다.

강에서 올라온 새벽안개가 고구려 원군을 온전히 가려주고 있었다. 군사들은 하무를, 말들은 재갈을 물려 부대가 이동하는데 소리가 나지 않도록 했다. 때마침 안개가 가려주어 협곡으로 들어선 원군은 자연적으로 은폐와 엄폐가 되었다. 안개는 적의 눈을 속일 수 있게 해주었고, 협곡은 적의 화살로부터 완벽한 방어가 될 수 있도록 군사들을 숨겨주었다.

태왕 담덕은 왕당군의 진군을 멈추도록 명했다. 협곡 속에서 안개가 걷히기를 기다리며 적의 동태를 살피려는 것이었다. 사실 이 협곡은 전날 백제의 근초고왕이 매복해 있다가 수곡성으로 접근하는 고구려의 고국원왕 군대를 공격해 대승을 거둔 곳이기도 했다.

전쟁터에서 지형지물이나 날씨는 피아를 가리지 않고 동등한 조건을 제공해 주고 있었다. 때마침 백제 대왕 아신은 배를 타고 패하를 거슬러 올라온 사두의 선봉대와 합류해, 안개가 자욱한 수곡성 앞 개활지로 진출할 채비를 갖추었다.

"새벽안개가 아군을 도와주는군!"

아신은 시야를 가려주는 안개를 이용해 수곡성 가까이 군사들을 접근시켜 공성전투를 벌이겠다는 전략을 짰다. 피아간 구별이 잘 안 되므로 매우 어려운 싸움이 되겠지만, 일단 사다리와 밧줄을 이용하여 군사들이 성벽을 기어오르기만 하면 충분히 성을 탈취할 수 있다고 자신했다.

백제군이 접근해 가는데도 수곡성은 잠에 취한 듯 고요하기만 했다. 아신은 좌군을, 사두는 우군을 맡아 수곡성 북문과 서문을 동시에 공격하기로 했다.

안개가 걷히기 전에 백제군은 기습작전에 돌입했다.

"공격하라!"

"성벽을 넘어라!"

수곡성의 북문과 서문 쪽에서 동시에 백제 군사의 총공격이 시작되었다.

와, 와, 와아!

백제군의 함성이 수곡성의 새벽을 깨웠다.

우, 우, 우우!

그와 동시에 숨죽이고 있던 수곡성 성루에서도 고구려군의 방어병력이 안개를 뚫고 화살을 날렸다.

피아간에 서로 보이지 않으므로 싸움은 말 그대로 오리무중, 양군의 함성소리만 어지럽게 뒤엉켜 들려왔다.

"이때다! 전군 총공격을 감행하라!"

패하 지류의 협곡에 숨어 있던 담덕이 이끄는 고구려 왕당군도 일제히 개활지로 나와 백제군의 후미를 공격해 들어갔다. 이렇게 되자 백제군은 앞뒤로 적을 맞아 졸지에 진퇴양난의 곤경에 처하고 말았다.

해가 떠오르면서 새벽안개도 씻은 듯이 걷혀, 피아를 확실하게 구분할 수 있게 해주었다. 고구려 왕당군 중 장군 두치가 이끄는 2천의 말갈군은 북문을 치고 있는 백제군을, 장군 어연극이 이끄는 2천의 흑부군은 서문 쪽을 공격하는 백제군을 각기 맡았다. 이때 태왕 담덕은 흑부군에서 1천의 병력을 중군으로 뽑아, 양측에서 벌어지는 전투양상을 지켜보면서 후방에서 작전을 지휘하기로 했다.

태백산 기슭에서 사냥으로 다진 말갈군의 무력은 그야말로 질풍노도처럼 백제 대왕 아신이 이끄는 적의 좌군을 향해 짓쳐 들어갔다. 성을 공격하다 뒤에서 갑자기 적이 나타나자 백제군은 일순 당황하지 않을 수 없었다. 고구려 흑부군 역시 도장에서 갈고닦은 무술 솜씨가 일당백 수준이었으므로, 백제의 우군을 맡은 사두 역시 마찬가지 상황에 처하였다.

"전군 후퇴하라!"

아신은 성을 공격하던 군사들을 우군 쪽으로 이동시켰다. 사두의 우군도 좌군 쪽으로 이동해 백제의 전체 군사가 합류하는 데는 그리 긴 시간이 소요되지 않았다. 미리 전투에 임하기 전에 사전 약속을 해놓았기 때문이다.

좌군과 우군이 합류해 대부대를 이룬 백제군은, 수곡성을 뒤로 한 채 두 패로 갈라진 고구려 원정군의 가운데를 뚫고 빠져나가기 시작했다. 그러나 곧 태왕 담덕이 이끄는 고구려 중군과 맞닥뜨렸다.

"백잔왕 아신은 어디 있는가?"

담덕은 백마 위에서 당당히 외쳤다.

"아앗! 가운데도 고구려 군사들이 지키고 있었구나!"

아신은 당혹스러웠다.

백제군이 후퇴를 하면서 수곡성을 지키던 군사들도 일제히 성문을 열고 나왔다. 이렇게 되자 백제군은 앞뒤좌우로 적을 맞아 졸지에 독 안에 든 쥐 꼴이 되고 말았다.

"이제 백제군은 완벽하게 포위당했다. 아신은 항복하라! 항복하면 목숨만은 살려주겠다!"

담덕이 아신의 대왕 깃발을 보고 소리쳤다.

"네가 담덕이냐? 도무지 병법도 모르는 자가 아닌가? 퇴로를 막아버리면 더욱 기가 살아 죽기로 싸우는 것을 모르느냐? 적의 가운데로 진격하라! 죽기로 싸워 포위망을 뚫어라!"

아신은 병사들을 향해 목이 쉬도록 외쳤다.

"우하 하하하! 백제왕 아신은 들어라! 도망치는 적을 애써 쫓지는 않겠다. 오늘은 그대의 얼굴을 보고 싶어 접견하러 나왔을 뿐이다."

담덕은 깃발로 신호를 보내 중군을 좌우로 갈라지게 했다.

이때 아신은 순순히 길을 열어주는 담덕을 보고 거기에 무슨 흉계가 숨어 있을지 모른다는 생각이 문득 들었으나, 너무 다급한 나머지 그것을 따질 겨를이 없었다. 유일한 길은 적의 중군 사이를 뚫고 지나가는 것뿐이었다.

고구려군이 사방에서 백제군을 포위하고 있었으므로, 백병전을 벌이면 죽기 살기로 싸우기 때문에 피아간에 피해가 클 것이 불을 보듯 뻔했다. 담덕은 전면전을 벌여 사상자가 많이 발생하는 것은 결코 이롭지 못하다고 판단, 애써 백제군의 퇴로를 열어준 것이었다.

"도망치다 넘어지거나 부상당한 적은 포로로 거두되, 백제군을 바짝 추격하지는 말아라."

담덕의 명령을 받은 고구려군은 함성만 요란하게 지를 뿐 공격의 속도를 높이지는 않았다.

정오가 지나서야 패하 중류에 정박해 놓은 군선으로 돌아온 백제군은, 기천의 군사들을 잃고 쫓겨 온, 심신이 지칠 대로 지친 패잔병 무리들로 이루어져 있었다. 고구려군의 추격이 멈춘 것을 알자, 그때서야 백제 대왕 아신은 여유를 갖고 껄껄대며 웃었다.

"담덕이 약은 척하지만, 하나는 알고 둘은 모르는 자로구나. 미리 군사를 보내 우리 군선들을 모두 불태웠다면, 백제군은 오갈 데가 없게 될 뻔하지 않았는가?"

이렇게 아신이 큰소리로 외친 것은, 휘하의 군사들에게 자신이 아직 기가 꺾이지 않았음을 보여주기 위한 일종의 임기응변에 지나지 않았다.

5

수곡성 전투에서 백제군을 물리친 후 태왕 담덕은 남쪽 변방에 7개의 성을 쌓게 했다. 수곡성 성주 동관이 그 책임을 맡았는데, 전투에서 포로가 된 백제의 병사들이 모두 동원되었다. 축성 작업은 해가 바뀔 때까지 계속되었다. 급히 서두르다 보니 포로들이 성을 쌓다 돌이 굴러 깔려죽는 자부터 허기에 지치고 병고에 시달리다 끝내 목숨 줄을 놓는 자가 속출한다는 소문이 백제의 도성 한성에까지 들려왔다.

그 소식을 전해 들은 백제 대왕 아신은 뱃속 깊은 곳에서부터 부아가 치밀어 오르는 것을 참기 어려웠다.

'재주는 곰이 부리고 돈은 되놈이 번다더니……. 담덕, 이놈이 어찌 이럴 수 있단 말인가?'

아신은 부드득 소리가 나도록 이를 갈아붙였다. 그는 수곡성 전투에서 실패하는 바람에 마음의 병까지 얻어 시름시름 앓고 있었다. 병상에 누워서 그는 백제 포로들이 고구려의 성벽을 쌓다 목숨을 잃은 자가 속출하고 있다는 소문을 들었다. 도무지 가만히 두고 볼 수가 없어, 좌장 진무를 불렀다.

"지난 수곡성 전투에서 보니 사두는 용감하기는 하나 아직 전투경험이 부족해 대군을 맡길 수 없소. 장군께서 새롭게 군사를 조발하되, 이번엔 지방 군사들까지 뽑아 올려 고구려에 대한 설욕전을 펼칠 수 있도록 철저히 훈련시키시오."

"폐하! 급히 서둘러서 될 일이 아닌 듯하옵니다. 지금은 내치에 힘써 백성들의 곤궁함을 위로해야 할 때입니다. 더구나 지난 2월에는 서북쪽에 패성孛星(혜성)이 나타나 스무 날이나 머물렀다 해서 나라 안이 뒤숭숭하다는 걸 폐하께서도 잘 아시지 않습니까? 불길한 일이오니, 지금은 참으셔야 하옵니다."

진무는 지난날 관미성 설욕전을 펼치려고 너무 서두르다 실패한 일도 있고 해서, 성정이 급한 대왕 아신을 설득시키는 일이 무엇보다 시급하다고 판단했다. 그래 혜성이 나타나면 병화兵禍가 일어날 불길한 조짐이라는 일관들의 해석을 애써 내세우기까지 했다.

"꿈보다 해몽이라고, 일관들의 말은 듣기에 따라 다를 뿐이오. 짐도 패성을 보았는데, 분명히 서북방 하늘에 떠 있었소. 서북방은 고구려 변경이오. 만약 병화가 일어난다면 우리 백제가 아닌 고구려 땅에서 그 조짐이 보일 수도 있지 않겠소?"

이와 같은 아신의 말에 진무도 더 이상은 말리지 못했다. 거듭되는 반대 의사는 자칫 대왕의 명을 어기는 일이 될 수도 있기 때문이었다.

"폐하! 지엄하신 분부 받잡겠나이다."

진무는 결국 어명에 따라 전국에 군사 징집령을 내렸다.

백제가 수곡성 전투의 설욕전을 펼치기 위해 군사 훈련에 한창 몰두하고 있을 무렵, 고구려 태왕 담덕은 한성으로 세작들을 보내 아신을 더욱 화나게 하는 전략을 구사했다. 사실 백제 포로들을 이용해 수곡성 인근에 7개의 성을 새로 쌓으면서 노예처럼 혹독하게 다룬다는 소문을 퍼뜨린 것도 고구려가 파견한 세작들의 입김에 의해서였다.

이처럼 백제 대왕 아신의 화를 돋우어 다시 군사를 일으키게 만든 것은 담덕 나름대로 깊은 생각을 갖고 있었기 때문이다. 이른바 '성동격서聲東擊西의 전략'을 구사하기 위한 것이었다. 말 그대로, 동쪽에서 시끄럽게 소리를 내면서 몰래 서쪽을 치는 수법이었다. 담덕은 고구려 남쪽 경계에서 백제군과 자주 격

돌하는 모습을 대내외에 보여주면서, 서북쪽의 거란 세력인 비려稗麗를 정복하기 위한 일종의 속임수를 쓰고자 한 것이었다.

고구려 남쪽 변경이 백제군의 침략으로 시끄럽다는 소문을 실어 나르는 것은 역시 전국에 퍼져 있는 등짐장수 세력인 흑부상들이었다. 특히 서북쪽에 나가 있는 흑부상들은 거란의 비려 지역에 그런 소문을 은근히 퍼뜨리고 다녔다.

그러는 한편 태왕 담덕은 칠성산에서 무술을 연마하고 있는 태극군을 소금이나 철을 다루는 대상단으로 위장시켜 수십 갈래의 길로, 수백 차례에 걸쳐 비려 지역에 출진시켰다. 칠성산은 환도성 서북쪽에 있는 오지이므로, 그렇게 군사들을 비밀리에 움직여도 고구려 대신들조차 그 사실을 아는 사람이 거의 없을 정도였다. 그만큼 성동격서 작전은 비밀을 요하는 것이었는데, 395년(영락 5년) 초부터 여름까지 태극군의 비려 출진은 지속적으로 이루어지고 있었다.

한창 곡식이 무르익어 추수가 가까워진 8월 초였다. 칠성산의 태극군 3천이 대상단으로 위장해 비려로 떠났을 무렵, 마침내 백제의 좌장 진무가 군사 1만 5천을 이끌고 고구려 남쪽 변경을 들이쳤다. 연전에 수곡성 전투의 패배에 대한 보복전을 감행하기 위해 백제 대왕 아신은 문무 대신들이 극구 말리는 데도 불구하고 원군을 출동시켰다. 결국 전쟁을 일으킬 때가 아님을 역설하던 진무도 끝내 대왕의 명을 거역하지 못했던 것이다.

고구려로서는 이미 예상하고 있던 일이었다. 태왕 담덕은 다시 왕당군을 출진시켰다. 수곡성 전투 때 원정을 나섰던 흑부군 3천과 말갈군 2천, 그리고 그때까지 칠성산에 남아 있던 태극군 2천까지 합세하여 태왕의 직할 부대인 왕당군 7천은 다시 패하에서 백제군을 맞아 싸웠다.

이번 백제군의 공격 목표는 수곡성이 아닌, 백제 포로들이 새롭게 쌓은 7개의 성이었다. 이른바 수곡성 전투의 패배에 대한 설욕전이었으며, 아울러 백제의 포로들을 구출해 내겠다는 목적도 갖고 있었다.

기왕에 전쟁을 벌인 마당에 백제의 좌장 진무는 이번에야말로 고구려군을 크게 무찔러 대왕 아신으로부터 확실한 신임을 얻고야 말겠다고 스스로 다짐했다. 고구려 태왕이 군사 7천을 원군으로 이끌고 온다는 정보를 접한 그는, 수적으로 백제군이 절대적으로 우세하다는 판단이 서자 내심 부쩍 자신감이 생겼다. 백제군이 1만 5천이었으므로, 고구려군 7천이면 두 사람이 한 명의 적을 상대하면 된다는 단순계산이 나왔다.

"흥, 이제 담덕의 오만이 극에 달했군!"

진무는 담덕의 왕당군 7천을 그렇게 얕잡아보고 있었다. 그래서 그는 패하를 등에 지고 너른 들판에 백제군의 진을 쳤다. 이른바 배수진背水陣이었다. 백제군은 급히 징집하여 훈련을 시킨 사졸들이 많았다. 따라서 적과의 백병전이 벌어졌을 때 도망치는 자들이 나올 것을 걱정하여, 군사들로 하여금 죽기 살기로 싸우도록 하기 위한 전략이었다. 뒤로 물러서면 물에 빠져 죽게 되므로 군사들은 무조건 적을 향해 돌진할 수밖에 없도록 한 것이, 바로 진무가 배수진을 친 목적이었다.

이렇게 백제군이 사생결단으로 배수진을 치고 나오자, 담덕도 다른 전략을 구사할 것 없이 전면전을 시도하기로 했다.

"이번 전투는 서북방의 선비나 거란족들에게까지 소문이 나도록 큰 전과를 올려야만 합니다. 적이 1만 5천인데 왕당군 7천으로 대적하려는 것은 우리 고구려군이 일당백의 강군임을 만천하에 보여주고자 하기 위함이니, 총력을 기울여 백제군을 들이쳐야 합니다."

담덕이 이처럼 비장한 각오로 나오자, 왕당군 각 부대의 장수들도 백병전 태세를 갖추고 휘하 군사들을 독려했다.

담덕은 태극군 2천을 중앙군으로 배치하고, 좌군으로 흑부군 3천과 우군으로 말갈군 2천이 나란히 양 날개처럼 진용을 갖추게 했다. 흡사 그 모습은 하늘에서 지상의 먹이를 찾아 날갯짓을 하는 독수리 같았다. 왕당군 총대장 우적과 부대장 선재는 중앙군에 배치하여 전체적으로 전황을 살펴 전투를 지휘하도록 했다.

이렇게 왕당군 전체의 배치가 끝나자, 우적은 선봉에 선 각 부대의 기병들을 향해 외쳤다.

"우리 고구려의 철갑기병은 무적의 군대다. 전투가 벌어지면 일격에 쳐들어가 적진을 혼란스럽게 만들어야 한다. 그 혼란스러운 틈을 타 보병인 우리 고구려의 정예병들이 적군과 맞서 백병전을 벌일 것이다. 적의 머리수는 문제가 되지 않는다. 백병전에서는 기가 센 군대가 이긴다."

태왕 곁에는 호위무사 마동과 수빈이 좌우에서 보좌하고 있었다. 그 뒤에도 태왕의 호위무사 30여 명이 든든하게 떠받치고 있었다.

"너희들은 폐하 곁을 절대 떠나서는 안 된다. 폐하를 위해 목숨을 바칠 각오가 되어 있는가?"

호위무사의 대장격인 마동이 뒤를 돌아보며 소리쳤다.

"넷! 명심하겠습니다."

호위무사들이 일제히 외쳤다.

이때 태왕이 백마 위에서 칼을 뽑아들고 목소리를 높였다.

"왕당군에게 후퇴란 없다. 자, 출전이다! 적을 일격에 쳐부수자!"

그러자 흑부군의 장수 어연극과 말갈군의 장수 두치도 동시에 소리를 크게 외쳤다.

"출전이다!"

"공격하라!"

이처럼 일제히 공격 명령이 떨어지자, 고구려 철갑기병의 말 머리가 용수철처럼 앞으로 튀어나가면서 백제군의 진영을 향해 전속력으로 질주했다.

양군은 패하 북편 들판 가운데서 맞붙었다. 양군의 선전을 북돋우는 북소리가 요란한 가운데, 말 울음소리와 군사들의 함성이 하늘로 가득 메아리쳤다. 먼저 양군의 기마대와 기마대가 부딪쳐 혼전 양상을 보였다.

그러나 군사와 말 모두 미늘 갑옷으로 중무장한 고구려 철갑기병의 기세가 더 날카로워 차츰 백제 기병들이 무너지기 시작했다. 말이 부상당해 무릎을 꿇게 되면 기마대는 무용지물이 되고 마는 것이었다. 고구려 군마는 머리부터 가슴과 목둘레를 미늘 갑옷으로 둘렀기 때문에 화살이나 칼, 창을 모두 방어할 수 있었다. 그러나 백제의 군마는 맨몸 그대로 노출되어 고구려 기병의 창에 찔리면 그대로 땅바닥으로 거꾸러지기 일쑤였다. 말이 쓰러지면 그 위에 탄 기병 역시 안장에서 떨어져 다리를 다치거나 말발굽 아래 깔려 온몸이 만신창이가 될 수밖에 없었다.

백제 기병들이 무너지자 그 뒤를 받치고 있던 보병 역시 우왕좌왕하다 뒤로 밀리기 시작했다. 그러나 배수진을 치고 있었으므로 뒤는 강물이라 더 이상 후퇴할 수 없었다.

"절대 후퇴하지 말라! 적은 우리보다 군사가 적으므로 밀어

붙이면 아군에게 승산이 있다."

백제의 좌장 진무는 칼로 고구려 군사들을 도륙하며, 뒤로 물러서는 자국의 군사들을 향해 호령했다.

그러나 이미 전세는 고구려군의 승리로 기울고 있었다. 고구려 철갑기병에 밀린 백제군은 강물로 뛰어들어 자멸했고, 용케 철갑기병의 말과 말 사이를 빠져나가 공격을 시도하던 백제 보병들도 고구려 보병들과 맞닥뜨려 혼전을 거듭하다 칼이나 창에 희생되어 쓰러지는 자가 속출했다. 패하의 강물은 백제군의 피로 시뻘겋게 물들었고, 둥둥 떠내려가는 죽은 시체들로 가득했다.

전세가 불리함을 느낀 백제 좌장 진무는 기수를 서남 방향으로 돌려 전군에게 후퇴하라는 명령을 내렸다. 이미 고구려군이 패하 북편에 정박해 있던 백제 군선들을 모조리 불태워버렸으므로, 후퇴하던 백제군은 배를 탈 수조차 없었다. 결국 강변을 따라 군사를 이동시키는 길을 택했는데, 고구려군은 그것까지 용납하지 않았다.

"끝까지 추격해 적을 섬멸하라!"

왕당군 장수들이 고구려군에게 명령을 내렸다.

쫓고 쫓기는 싸움이었지만, 쉽게 결판이 나지는 않았다. 그만큼 백제군의 머리수가 많았기 때문이다. 그러다 보니 일진일퇴를 거듭하면서, 후퇴하는 백제군이나 추격하는 고구려군도 모두 지쳐버렸다. 해는 이미 서산에 걸려 있었다. 백병전을 벌이느라 양군 모두 중화참도 거른 채 죽기 아니면 살기로 싸웠다.

땅에 어스름이 깔리기 시작하자, 담덕은 징을 울려 군사를 거두었다. 이날 싸움에서 백제군은 무려 8천이 목숨을 잃었다. 이렇게 하여 패하 전투는 고구려군의 대승으로 마무리되었다.

제3장

모녀 장수

1

대흥안령 동쪽 기슭에는 자작나무·낙엽송·백양목 등이 빽빽하게 우거져 거대한 숲을 이루고 있었다. 끝없이 이어지는 대흥안령의 밀림지대는 군사들을 숨기기에 최적의 조건을 갖추고 있었다. 순록·곰·담비·고라니·노루·멧돼지·토끼 등 산짐승들이 많아서 사냥으로 먹을거리를 확보하는 데도 유리했다. 또한 초지가 사방에 널려 있어 건초를 준비하지 않아도 마음대로 말을 놓아먹일 수 있었다.

만추의 계절이었다. 연노란 자작나무 이파리들이 바람에 날려 시나브로 떨어지고 있었다. 우수수 바람이 불 때면 마치 낙엽이 소낙비처럼 쏟아져 검은 땅을 순식간에 황갈색으로 덮어버렸다. 낙엽이 바람에 쓸려 내려간 골짜기는 사람의 무릎이 푹푹 빠질 정도였다.

먼저 수십 명씩 상단으로 위장해 비려 땅으로 출발한 태극군은 대흥안령 동쪽 기슭 밀림지대에서 만나 3천의 군세로 몸을 숨긴 채, 미리 약속되어 있던 대로 태왕 담덕이 나머지 2천의 태극군을 이끌고 나타나기만을 기다리고 있었다. 계곡의 무릎까지 빠지는 낙엽은 매복한 군사들에게 자연적으로 은폐 효과를 가져다 줄 뿐만 아니라 따뜻한 이불 역할까지 해주었다. 그러나 밤이 되면 기온이 급강하는 바람에 군사들의 고생이 자심했다. 그렇다고 거란의 무리들에게 발각될까 두려워 함부로 불을 피울 수도 없었다. 겨울이 닥치기 전에 비려 정벌을 끝내고 돌아가고 싶은 것이 매복한 군사들 누구나의 바람이었다.

태극군 대장 유청하와 군사 이정국은 소금상단 행수로 위장한 첩자들을 대흥안령 너머 비려 땅으로 보내 수시로 거란 무리들의 동태를 살펴 낱낱이 보고토록 했다. 또한 태왕 담덕이 태극군 2천을 이끌고 올 길목에는 흑부상들을 거점마다 배치시켜 대흥안령의 고구려군 매복 지점으로 안내해 오도록 했다.

한편, 패하 전투에서 백제군에게 대승을 거둔 태왕 담덕은 전장 현지에서 곧바로 왕당군 부대장 선재를 불렀다.

"비려 땅에서 가까운 염수까지 길을 잘 아는 사범이 먼저 소금 수레로 위장한 대상단을 이끌고 출발하십시오. 태극군이 기습을 할 경우 가장 위험한 곳이 염수의 우 대인이 경영하는 소금대상단입니다. 적어도 5백의 군사를 먼저 출발시켜 방어토록 해야 하니, 밤낮으로 길을 줄여 달려가야 할 것입니다. 가는 길에 패하 전투 이야기도 소문을 내도록 하셔야만 합니다. 백제군 1만 5천 중 8천의 군사를 패하 강물에 수장시켰다고 소문을 내되, 아직 양군의 전투가 끝난 것은 아니고 소강상태에서 서로 대립하고 있다는 거짓 정보를 은근히 흘리도록 하십시오. 이미 각 지역에 파견되어 있는 흑부상들을 이용하면 소문이 금세 비려 땅까지 전해질 것입니다."

이와 같은 태왕 담덕의 말을 선재는 곧바로 알아들었다. 패하 전투에 참여했던 태극군 2천을 몰래 빼돌려 대상단으로 위장해 비려 땅으로 보내는 것은, 고구려군들 사이에서도 일단 비밀에 붙이기로 했다. 그래서 왕당군 대장 우적이 이끄는 흑부군과 말갈군은 그대로 수곡성 인근의 새로 쌓은 각 산성에 나누어 배치해 두고 있었다. 백제와의 전투가 아직 끝나지 않았다는 것을 보여주기 위한 허장성세 전략이었다.

선재가 소금대상단으로 위장해 50명씩 10개 무리로 나누어 비려 땅으로 출발하려고 준비를 서두를 때, 태왕 담덕은 호위무사 수빈을 따로 불렀다.

"수빈아! 너도 선재 사범을 따라 먼저 출발해라. 염수에 계신 모친과 조부가 보고 싶을 것 아니냐?"

그러자 수빈이 눈을 동그랗게 뜨고 담덕을 쳐다보았다.

"호위무사는 언제 어디서든 폐하 곁을 지켜야 하옵니다. 그 명을 거두어 주시옵소서."

이미 오래전부터 수빈은 태왕 곁을 절대 떠나지 않기로 내심 다짐해 두고 있었다. 그런데 이 기회에 담덕이 자신을 영원히 염수로 돌려보내려는 것 같아 몹시 불안했던 것이다.

"허어? 잠시 떠나 있으라는 거야. 너를 보내는 것은 작전의 일환이기도 하다. 비려 땅을 차지하고 있는 무리들은 거란 여덟 부족 중 가장 세력이 크고, 무술에 능한 강병들로 이루어져 있다고 들었다. 너를 먼저 염수로 보내는 것은 혹시 비려 땅의 거란 무리들이 네 조부가 경영하는 소금대상단 '우가촌'을 선점해 인질로 삼을까 두려워서다. 선재 사부와 함께 가서 우가촌을 단단히 지키고, 우리 태극군이 비려를 기습할 때 측면공격을 해야 하는 임무를 맡기려는 것이다. 알겠느냐?"

"그럼, 비려 정복에 성공하고 나서도 소신을 태왕 폐하 곁에 있게 해주신다고 이 자리에서 약속해 주십시오."

"물론이지. 수빈아, 이번 전투는 너의 친부모 원수를 갚기 위한 것이기도 하다. 벌써 오래전의 일이지만 비려는 네가 태어난 마을을 포함한 여덟 개 부락을 습격해 온갖 약탈을 일삼고, 마을들을 초토화시켜 불바다로 만든 비적 떼들이다. 그동안 마음속으로 벼르고 또 벼르던 일이었는데, 이제야 네 부모의 원수를 갚을 수 있게 되어 미안하구나."

"폐하! 소신은 그런 줄도 모르고……."

수빈은 갑자기 울먹이는 목소리로 말끝을 흐렸다. 태왕의 입에서 자신의 부모 원수를 갚아준다는 말이 튀어나올 것이라고는 짐작조차 못하고 있었던 것이다.

"하하 핫! 그걸 가지고 울먹이기는……. 이제까지 너를 마음 약한 여자로 생각한 적이 없다. 마동과 마찬가지로 억센 사나이 같은 여장부로 알고 있지. 그러니 앞으로 눈물일랑 보이지 말거라."

담덕은 수빈의 등을 투덕거려 주었다.

'아닙니다. 폐하! 저는 여자예요. 왜 저를 여자로 생각해 주지 않으시는 거예요?'

수빈은 마음속으로 그렇게 울먹이며 여자로서의 순수한 마음을 몰라주는 담덕이 못내 야속하기만 했다. 그것이 너무 억울해서 다시 찔끔 눈물이 솟으려는 걸 억지로 참아냈다.

"벌써 천고마비의 계절이구나. 비려, 저놈들이 언제 또 우리 고구려 변방을 어지럽게 할지 모르겠구나. 한시가 급하다. 어서 서둘러 떠나도록 해라."

이러한 담덕의 말을 듣고 나서야 수빈은 마침내 선재를 따라나서기로 결심했다.

발 없는 말이 천 리를 간다고. 사람의 입에서 입으로 말言을 실어 나르는 소문은 달리는 말馬보다도 더 빨랐다. 고구려와 백제의 싸움인 패하 전투 이야기를 실어 나르는 사람들은 대상단으로 위장한 태극군과 곳곳에 포진해 있는 흑부상들이었다.

흑부상들은 선재가 왕당군의 흑부군들과 함께 훈련을 시켰기 때문에, 자연스럽게 군사 행동에 동참하는 데 길들여져 있었다. 선재는 흑부상 무리들을 이끄는 총책임을 맡고 있었고, 그런 이유 때문에 태왕 담덕은 그를 먼저 비려 땅으로 출발시켰던 것이다. 흑부상들은 일종의 선무공작 대원 역할을 한다고 볼 수 있었다.

거란은 동호東胡의 후예이자 선비鮮卑의 방계傍系로, 8개 부部로 나누어져 있었다. 고구려에 건국신화가 있는 것처럼, 거란에도 전해져 내려오는 전설 같은 이야기가 있었다. 아주 오랜 옛날 한 용감한 소년이 있었는데, 백마를 타고 토하土河(랴오허강)를 따라 동쪽으로 내려가다 황하潢河(시라무렌강)와 교차되는 지점인 목엽산木葉山에서 청우靑牛를 탄 아름다운 소녀를 만났다. 두 사람은 곧 사랑을 나누었고, 이들 부부 사이에서 태어난 후손이 거란족이 되었다고 한다.

실제로 거란 최초의 부족은 2부로 갈라져 있었는데, '백마'와 '청우'라고 불렸다. 그러다가 두 부족의 지도자인 기수奇首 가한이 아들 여덟 명을 낳았고, 그 자손들이 흥성해 8개 부를 이루었다. 비려도 그 8개 부 중의 하나로 패려稗麗 혹은 필혈부匹絜部라고도 하는데, 거란의 부족들 중 가장 세력이 큰 집단이었다.

거란 지역은 철산지여서 '철국鐵國'이라 부르기도 했다. 그리고 부락을 '철족鐵族', 군대를 '철기鐵騎'라고 칭했다. 각 부를 다스리는 추장은 대표적인 거란의 성씨인 요연遙輦 씨와 야율耶律 씨에서 배출되었다.

태왕 담덕이 오래도록 궁구하며 비려 정벌을 계획한 것은, 가을철이 되면 그들이 자주 출몰해 고구려 서북 국경을 넘어 약탈해 가는 고질적인 행태를 막기 위해서였다. 또한 천하무적의 강군을 키우기 위해 절대적으로 필요한 철을 얻으려면 비려 지역을 손에 넣을 필요가 있었다. 이와 더불어 그동안 거란의 비적들에 의해 수십 년간에 걸쳐 비려부에 끌려가 노예처럼 살고 있는 고구려 백성들을 구하고자 하는 마음도 간절했다.

선재가 대상단으로 꾸며 이끌고 간 흑부군과 흑부상들이 낸 소문은 비려 지역으로 빠르게 퍼져나가, 마침내 추장 야율 사단의 귀에까지 들어갔다. 미처 태왕 담덕의 태극군 2천 병력이 대흥안령에 도달하기도 전의 일이었다.

"올해는 비가 적게 내려 풀들이 제대로 자라지 않았다. 양 떼들의 번식이 크게 줄어 겨울날 양식이 걱정이다. 이러한 때에 고구려왕 담덕이 백제와 치열한 전투를 벌이고 있다 하니, 아직 우리는 안심해도 될 것 같다. 고구려 변경 마을을 급습해 양식을 구해 오는 길밖에 없다. 자, 백마와 청우의 피를 이어받은 군사들이여! 우리 비려의 철기군이여! 나를 따르라!"

야율사단은 비려의 군사를 출동시켰다.

거란 8부의 군사는 4만이 넘었는데, 그중 비려가 7천의 군사를 확보하고 있었다. 야율사단은 군사 5천으로 하여금 각 마을 단위의 성채를 지키게 하고, 나머지 2천 병력을 이끌고 고구려 국경을 넘어 추수가 한창인 농촌마을을 급습했다.

선재 일행이 염수 소금상단의 우가촌에 도착한 바로 다음날, 비려의 군사들이 고구려 국경 마을로 출동했다는 소식이 들려왔다.

"장군! 태왕 폐하께서 도착하기도 전에 비려가 움직였으니 이를 대체 어찌하면 좋겠소?"

소금상단의 대인 우신이 근심 어린 눈빛으로 선재를 바라보았다.

"일단 비려의 군사가 둘로 갈라진 것은 우리 고구려에 유리한 입장인데, 국경 마을 백성들이 걱정이군요. 이 기회에 비려의 성채들을 급습해 탈취하면 저들도 적이 당황하긴 할 터인데……."

선재도 너무 갑작스러운 일이라 당혹감을 감추지 못했다.

"지금 당장이라도 고구려 국경으로 출동한 비려의 비적 떼들을 소탕하러 가야 합니다. 이러고 있을 시간이 어디 있어요?"

옆에서 듣고 있던 수빈은 마음이 급했다. 고구려 국경 마을

이 또다시 거란의 비적 떼들에게 짓밟힌다면, 20여 년 전 자신의 가족이 당한 것처럼 비극이 재현될 것은 불을 보듯 뻔한 노릇이었다.

"우선 태왕 폐하께 비려의 군사가 움직였다는 사실을 전해야만 합니다."

선재는 곧 서찰을 써서 휘하의 태극군 중에서 말을 잘 타는 군사 한 명에게 주어 담덕에게 급파했다.

그러는 사이에 수빈은 자신의 갑옷을 챙겨 입고 나왔다.

"자, 빨리 출동합시다."

"수빈아! 그렇게 경거망동할 때가 아니다. 이런 때일수록 침착해야지."

우신이 무장을 하고 나서는 수빈을 나무랐다. 스무 살을 넘어섰는데도 여자로서 철모르는 선머슴처럼 구는 것이 못마땅했던 것이다.

"할아버지! 난 원수를 갚으러 가야 해요. 나를 고아로 만든 철천지원수가 바로 저 거란의 비적 떼들이잖아요?"

수빈은 우신의 말도 듣지 않고 자신의 말을 끌어내기 위해 마구간으로 달려갔다.

"아니, 저, 저 애가?"

우신은 더 이상 말도 못하고 급한 마음에 손짓으로만 만류를 하고 있었다.

"아버님! 수빈이 말이 옳아요. 저도 저 애를 따라 출동합니다."

이렇게 나선 것은 소진이었다.

"대체 너까지 왜 그러느냐?"

어이가 없어진 우신은 소리 나는 쪽으로 눈을 돌리다 딸 소진도 이미 갑옷을 차려입은 것을 보고 깜짝 놀랐다.

"수빈인 제 딸이에요. 딸이 위험한 곳으로 가는데 어미가 수수방관하고 있을 수야 없지요."

소진은 담덕의 태자 시절, 수빈이 몰래 집을 빠져나가 함께 국내성으로 간 것에 대해 서운한 생각을 지우지 못했다. 그래서 이번만큼은 수빈을 절대로 놓치지 않겠다고 굳게 마음먹고 있었다. 수빈이 갑옷을 입을 때 말려보았지만 듣지 않자, 소진도 급히 무장을 하고 따라나서게 된 것이었다.

"이거 큰일이로군! 장군, 어쩔 수 없이 우리도 장정들을 출동시켜야겠소. 우리 소금대상 행수들도 곧 무장을 시킬 터이니, 출동 준비를 서두릅시다."

우신은 집사 장쇠에게 일러 행수와 장정 들을 소집시키도록 했다.

"우 대인께선 행수들과 함께 우가촌을 지켜야 합니다. 태왕 폐하께서 소장에게 태극군 5백을 먼저 이곳으로 보내 소금대상단을 지키라고 명하셨습니다. 수빈이 때문에 어쩔 수 없이 태극군을 출동시키지만, 이곳 또한 안심할 수 없는 상황입니다."

선재는 일단 우신을 만류한 후 자신이 이끌고 온 태극군 5백에게 중무장을 시켜 우가촌을 출발했다. 먼저 떠난 수빈과 소진을 따라잡기 위해선 급히 서두르지 않으면 안 되었다.

2

하늘은 구름 한 점 없이 맑았다. 땅에서 바라본 하늘은 깊이를 알 수 없는 호수처럼 그윽하도록 푸르고 투명하기까지 했다. 마치 손으로 움켜쥐면 옥빛 물감이 주르르 흘러내릴 것만 같았다.

그런 청량한 하늘을 바라보며 말을 달리던 비려부의 추장 야율사단은, 갑자기 말을 멈추며 손을 번쩍 들어올렸다. 뒤따라오던 거란군도 일제히 고삐를 잡아당겨 말을 멈추었다.

"여기가 바로 고구려의 접경이다. 군사들이 한꺼번에 마을 하나를 덮치는 것은 낭비다. 수고를 덜기 위해서는 제장들이 자기 군사를 이끌고 흩어져 각기 마을을 하나씩 맡아 급습하라."

야율사단은 각 제장들에게 군사 5백씩을 주어 고구려 변경의 4개 마을을 동시에 약탈하도록 명령했다. 2천 병력은 곧 4개의 부대로 갈라져 먼지를 일으키며 각자 맡은 마을을 향해 흩어졌다.

야율사단은 야전에 능했다. 군사를 일으키면 언제나 앞장서서 싸웠으며, 약탈한 재물은 공평하게 나누어 주었다. 그것은 거란군이 그를 비려부 추장으로 추대한 이유이기도 했다.

한편, 바로 그 무렵 선재가 보낸 기병이 대흥안령으로 향하고 있던 태왕 담덕에게 급보를 전했다.

선재의 서찰을 읽고 난 담덕은 호위무사들에게 명령했다.

"국경 마을이 위험하다. 사태가 급박하니 곧 주변에 흩어져 있는 군사들을 집결시켜라."

담덕의 명령이 떨어지자 30여 명의 호위무사들 중 10여 명이 말을 타고 사방으로 흩어졌다. 그중 한 명은 대흥안령으로 달려가 매복해 있는 3천의 태극군으로 하여금 비려의 군사가 둘로 나뉜 틈을 타 그들의 성채를 급습하라고 지시했다.

대상단으로 위장해 각자 흩어져 대흥안령으로 향하던 태극군들은 금세 태왕 담덕이 있는 곳으로 집결했다. 급한 대로 얼추 5백 병력이 되었다.

"한시가 급하니 일단 우리 먼저 출발한다. 뒤에 병력이 모이는 대로 국경 마을을 급습한 거란족을 찾아 사정 두지 말고 토벌토록 하라."

담덕은 곧바로 태극군 5백을 이끌고 거란군을 치기 위해 고구려 국경 마을로 진격해 들어갔다. 대상단으로 위장했던 태극군들은 어느새 수레에 숨겨두었던 갑옷과 무기를 챙겨 철갑기병으로 중무장했고, 그들은 무서운 속력으로 먼지를 일으키며 거란 군대를 추격했다.

거란 군대를 찾기는 의외로 쉬웠다. 날씨가 맑았으므로 야산 너머에서 자우룩한 먼지가 구름처럼 피어오르는 곳을 향해 달려가면 거기서 거란군을 만날 수 있었다. 비려부 추장 야율사단이 군사 2천을 4개 부대로 갈라놓은 것이, 태왕 담덕이 이끄는 태극군에게는 천만다행이었다.

급히 모집한 5백의 태극군으로 2천의 거란 병력과 맞서기에는 역부족일 수밖에 없었다. 그러나 거란 병력이 5백씩 나누어 4개 마을로 흩어져 있었으므로, 먼저 만나는 거란 부대부터 차례차례 공격하면 크게 어려울 것 같지 않았다. 그러는 사이 뒤에 다시 모여 곧바로 따라올 태극군 1천 병력이 있으므로 거란군에게 군사적으로 꿀릴 것이 전혀 없었던 것이다.

담덕의 태극군 5백과 먼저 만난 것은 비려부 추장 야율사단의 처남 소불화의 군대였다. 거란 8부를 지배하게 된 야율씨는 주로 소씨와 결혼했는데, 야률사단 역시 소불화의 누이를 아내로 취했다.

정수리를 온통 밀어버리고 머리 뒤쪽 주변머리만 남겨 땋은 이른바 '변발'이 특징인 거란군들은 말을 타고 월도를 휘두르며 고구려 태극군과 맞섰다. 눈이 부리부리한 소불화는 월도를 등에 멘 채 창자루가 긴 극戦을 손아귀로 잔뜩 움켜잡고 있었다.

"이놈들! 너희들은 어디서 나타난 조무래기들이냐? 감히 우리 비려부 야율사단 대칸 군대에게 대들다니? 네놈들이 실성해서 간덩이를 집에 놔두고 온 모양이구나?"

소불화가 극을 높이 치켜들고 외쳤다.

"양젖이나 빠는 놈들 주제에 말이 많구나! 고구려 태왕 폐하의 천하무적 군대 태극군이 왔다."

담덕 옆에 서 있던 호위무사 마동이 말의 뱃구레를 걷어차며 짓쳐나갔다.

거리가 가까워지자 마동이 먼저 수리검을 날렸다. 햇빛의 반사로 번쩍 빛이 나는 순간, 소불화가 극으로 가볍게 비수를 쳐냈다.

"어린애 장난감을 가지고 감히 내게 덤비겠다는 거냐?"

소불화는 한 손으로 극을 빙글빙글 돌리며 곧바로 말을 몰아 돌진해 왔다.

"네놈 솜씨가 어떤지 시험해 본 것에 불과하다. 이번에는 돌멩이가 날아간다."

마동이 주먹돌 두 개를 연달아 날렸다.

"아앗!"

소불화는 주먹돌 한 개를 극으로 쳐냈으나, 바로 뒤에 날아온 주먹돌은 그의 왼쪽 귀를 스쳤다. 귀가 떨어져 나가지는 않았지만, 돌멩이가 툭 불거진 광대뼈를 스치며 피가 솟았다.

"그래 애들 장난 같은 돌팔매 솜씨가 어떠냐?"

마동은 소불화를 놀려대며 칼을 뽑아들었다.

사실상 마동의 수리검이나 돌멩이는 적의 기선을 제압하기 위한 작은 기술에 불과할 뿐이지 살상용 무기는 아니었다. 그는 이미 돌멩이가 날아가 상대 광대뼈를 스칠 때, 적장 소불화가 짐짓 당황하는 기색을 보았다. 상대의 기선이 제압당했다는 증거였다.

"네 이놈! 애송이가 말이 많구나?"

얼굴에 상처가 났지만, 소불화는 조금도 개의치 않고 큰소리를 지르며 극을 찔러왔다. 턱수염은 칼로 밀어버렸는지 없었으나, 뻣뻣한 팔자 콧수염이 입술 위에 붙어 있는 것이 인상적이었다.

마동은 말 위에 납작 엎드려 극을 피하면서 칼로 상대의 어깨를 베었다. 워낙 두툼한 가죽옷을 겹으로 걸쳐 입었으므로 깊은 자상을 내지는 못했으나, 그 충격으로 소불화는 극을 떨어뜨리고 말았다.

무기를 잃었으므로 소불화는 화급히 말 머리를 돌려 도망치기 시작했다.

"전원, 공격하라!"

담덕이 칼을 하늘 높이 치켜올리며 큰소리로 명령했다.

와, 와, 와아!

고구려의 태극군 철갑기병들은 소불화를 따라 도망치는 거란군을 추격하기 시작했다.

소불화의 군대가 언덕 하나를 넘어서자, 저 멀리서 먼지바람이 일어나며 한 떼의 군마들이 마주 달려왔다. 비려부 추장 야율사단의 군대였다.

"어찌 된 것이냐?"

야율사단이 소불화에게 물었다.

"고구려왕 담덕의 군대입니다."

"무엇이? 담덕은 패하에서 백제군과 싸우고 있다 하지 않았더냐?"

"소장도 도무지 영문을 모르겠습니다. 갑자기 하늘에서 떨어진 듯 나타나서 우리 부대를 공격해 왔습니다."

"병력은 얼마나 되느냐?"

"기백에 불과하나, 그 뒤에 어떤 병력을 숨겨두고 있는지는 알 수 없습니다."

"기백이라? 좋아. 일단 후퇴하고 보자."

야율사단은 급히 군사들을 돌려 후퇴하기 시작했다. 그는 기마병 둘을 먼저 보내 각기 고구려 국경 마을을 치러 간 두 부대에게 긴급 지시사항을 하달했다. 그는 고구려 국경의 지리를 잘 알고 있었다. 유인작전으로 고구려군을 구렁텅이로 몰아넣어 전멸시키겠다는 전략이었다.

'붉은여우'라는 별명을 가진 야율사단은, 담덕이 이끄는 고구려군의 병력이 기백밖에 안 된다는 말을 듣는 순간 재빠르게 머리를 돌렸다.

'헌데, 담덕은 도술을 부리는가? 소불화의 말처럼 어찌 하늘에서 떨어진 듯 갑자기 나타날 수 있단 말인가? 고구려 남쪽 변경에서 백제와 패하 전투를 치른 지 불과 10여 일밖에 안 된 것 같은데, 어떻게 그 사이에 서북 변방까지 왔는가?'

이런 생각을 하며 야율사단은 휘하 군사들을 이끌고 언덕을 넘고 하천을 건너 빙빙 돌았다. 기마병을 보내 긴급 지시사항을 하달한 두 부대가 매복을 할 시간을 주면서, 동시에 고구려군의 힘을 빼놓기 위한 전략이었다.

"폐하! 저놈들이 뭔가 수작을 부리고 있는 것 같습니다."

마동이 태왕 담덕과 말 머리를 나란히 한 채 말했다.

"아무래도 그런 것 같다. 그렇다고 추격을 늦출 수는 없다. 우리 고구려 백성들의 생명이 달려 있지 않느냐? 후발대가 빨리 도착하기만을 바랄 뿐이지."

담덕은 말에 더욱 박차를 가했다.

거란군의 말은 빨랐다. 어느 사이 언덕 너머로 사라지고 거란군의 후미가 보이지 않았다. 따라서 태극군은 언덕 너머에서 먼지가 뿌옇게 일어나는 것을 보고 전속력으로 그 뒤를 추격할 수밖에 없었다.

군사와 말 모두 지칠 때쯤 되어서였다. 그리 크지 않은 부산富山의 고개를 넘어 계곡으로 접어들었을 때, 양쪽 산등성이에서 요란한 함성이 들려왔다. 야율사단이 미리 짜고 매복해 놓은 군사들이었다. 양편에서 기마대가 달려 내려오고, 그들이 말 위에서 쏘는 화살이 허공에 새카맣게 떠서 날아왔다.

"방패로 화살을 막으면서 빨리 계곡을 벗어나라!"

담덕이 다급하게 소리쳤다.

양쪽 산등성이에 매복해 있던 거란군의 함성이 들려오자 도망치던 야율사단의 군대가 돌아섰다.

"이제 고구려군은 독 안에 든 쥐다. 총공격을 가해 씨 하나 남기지 말고 주멸하라!"

야율사단이 월도를 높이 치켜들었다.

담덕의 태극군은 앞으로 나갈 수도 뒤로 물러설 수도 없었다. 이미 산 양편에 매복해 있던 거란군들이 계곡을 틀어막아 절체절명의 위기에 처해 있었다.

바로 그때였다. 야율사단의 군대 뒤쪽에서 전속력으로 질주해 오는 두 장수가 있었다.

"게 섰거라!"

"오랑캐 놈들아! 내 칼을 받아라!"

그런데 그 음성이 여자들의 날카로운 목소리였다.

"저건 또 뭐야?"

질주해 오는 말은 두 마리밖에 안 됐고, 그 위에 탄 장수가 여자들이었으므로 야율사단은 별로 시답지 않게 생각했다.

그러나 거란군의 뒤쪽이 두 장수들에 의해 무너지기 시작했다. 거의 무인지경으로 칼을 휘두르는 두 장수는 거란군을 낫으로 풀 베듯 쓰러뜨리고 있었다. 칼이 허공을 가르는 듯싶은데 공중으로 피가 튀어 올랐고, 두 장수의 얼굴은 금세 야차처럼 피범벅으로 얼룩졌다.

"소 장군! 어서 저들을 맡으시오."

야율사단은 앞쪽의 고구려군과 대치해야 했으므로, 처남 소불화에게 뒤쪽을 맡겼다.

"대칸! 큰일났습니다. 저 뒤에서 대군이 몰려오고 있는 것 같습니다. 먼지구름이 크게 일어나고 있질 않습니까?"

소불화가 산등성이 너머를 가리키며 소리쳤다. 그가 본 먼지구름은 바로 소진과 수빈의 뒤를 따라 출격한 선재가 이끄는 태극군의 철갑기병들이었다.

소진과 수빈이 거란군의 배후를 들이쳐 어지럽게 해놓은 가운데로 곧 선재의 태극군 5백이 질주해 왔다. 졸지에 야율사단은 앞뒤로 적을 맞은 셈이었다. 앞에 있는 태왕 담덕의 군대도

겁났지만, 뒤에서 거센 물결로 들이닥친 선재의 군대도 무시할
수 없었다.

"모두 앞으로 진격하라! 출구를 확보하라!"

사태를 짐작한 태왕 담덕은 휘하의 태극군에게 명령을 내렸
다.

이렇게 되자 야율사단의 거란군은 쉽게 무너졌다. 서로 도망
치기에 바빴고, 거란군의 진영은 곧 쑥대밭이 되고 말았다.

고구려군은 담덕과 선재가 이끄는 태극군이 합세하여 1천의
병력으로 후퇴하는 야율사단의 군대를 추격했다. 둑이 한 번
무너지기 시작하면 걷잡을 수 없듯이, 혼란에 빠진 거란군을
향해 태극군은 격랑처럼 밀고 들어갔다.

바로 그때 계곡을 막고 있던 거란군도 후미에서부터 무너지
기 시작했다. 뒤늦게 군대를 모아 들이닥친 고구려 태극군 1천
이 언덕을 넘어 공격을 가해 왔던 것이다.

전화위복으로 고구려군은 대승을 거두었다.

"폐하! 안전하시군요?"

전투가 끝나고 나서 태왕 담덕 앞으로 달려온 호위무사 수빈
이 말에서 뛰어내려 군례를 올렸다.

"오! 그 용감한 장수가 수빈이었구나."

"태왕 폐하! 수빈의 어미입니다. 이런 자리에서 뵙게 되어 황
감하옵니다."

뒤미처 달려와 말에서 뛰어내린 소진이 담덕에게 예를 올렸다.

"오오! 이번 전투의 최고 장수는 수빈과 소진 아주머니입니다. 과연 여장부이십니다. 두 모녀 장수가 태극군을 위기에서 구해 냈습니다. 우리 고구려 무명검법의 실력을 저 거란군에게 유감없이 보여주었습니다."

담덕도 말에서 내려 두 모녀 장수의 무공을 칭찬해 마지않았다. 그는 문득 무명선사에게 검술을 배우던 산막 도장 시절을 떠올렸다.

3

태극군 대장 유청하와 군사 이정국은 비려부 통치세력이 주둔하고 있는 중앙 성채부터 공격하기로 했다. 대흥안령 동쪽 자락 밀림지대에 군사들을 숨기고 있던 두 사람은 태왕 담덕의 밀명을 받고 달려간 호위무사의 말을 듣고, 곧바로 군사들을 집결시켜 대흥안령을 넘었다.

"비려부는 3개 성채로 나누어져 있습니다. 군사 7천 중 2천이 고구려 국경 마을을 치기 위해 빠져 나갔다면, 현재 5천이 3개 성채에 머물러 방어를 하고 있을 것입니다. 현재 우리가 이 끄는 태극군이 3천이므로 한꺼번에 3개 성채를 들이친다는 것은 무리입니다. 일단 각 성채가 떨어져 있는 상태이므로, 중앙의 비려부 성채부터 급습하는 것이 좋겠습니다. 중앙 성채에는 적어도 2천 가까운 병력이 있을 것이므로, 저들이 성문을 굳게 닫아걸고 방어만 한다면 쉽게 성벽을 넘기 어렵습니다."

비려부의 중앙 성채가 가까워지자 태극군은 일단 숲속에 몸을 숨겼다. 그리고 군사 이정국과 대장 유청하는 머리를 맞대고 긴밀하게 작전을 짰다.

"허면 어떤 방법이 있을까요?"

유청하도 태왕 담덕이 이끌고 오는 2천의 태극군만 기다리고 있다가 돌연 작전이 변경되면서 고민에 빠져 있었다. 태극군 5천으로 급습하면 비려부 성채쯤이야 쉽게 공략할 수 있다고 생각했는데, 계산이 빗나가고 말았던 것이다.

"적들은 아직 우리가 가까이 접근하는 걸 모르고 있을 것입니다. 따라서 일단 태극군 5백만 먼저 보내 공성전투를 벌이는 척하면서 적을 성 밖으로 유인해 내는 것이 좋을 듯합니다만……."

이정국이 시선을 전방으로 향한 채 유청하에게 말했다.

"좋은 작전입니다. 그런데 유인작전에 적들이 속아 넘어갈지 모르겠습니다."

유청하가 걱정스런 눈빛으로 이정국을 바라보았다.

"일단 시도를 해봐야지요. 태극군 5백이라면 적도 가볍게 볼 것입니다. 약 1천 병력이 한꺼번에 성문을 열고 나오면 쉽게 이길 수 있다고 판단할 테니까요. 이때 태극군 5백이 후퇴를 하면서 우리가 있는 지금 이곳까지 적을 유인해 내는 데 성공하면, 적 1천 병력을 섬멸하기는 그다지 어렵지 않습니다. 그 기세를 몰아 기마대를 앞세워 짓쳐 들어가 성채를 공략하면 적을 쉽게 무너뜨릴 수 있을 것입니다."

"바로 이곳에 군사를 매복시키자는 것이로군요?"

"더 접근했다간 적에게 발각될 우려가 있습니다. 나무가 울창한 이곳이 매복하기에 최적의 장소 같습니다. 저 벌판으로 나가봐야 군사를 숨길 장소가 없지 않습니까?"

이정국의 말에 유청하는 가볍게 고개를 끄덕였다.

유청하는 먼저 성채를 공략할 태극군 5백을 가려 뽑아 출진했고, 이정국은 나머지 군사 2천 5백을 숲속에 매복시켰다.

그런데 유청하가 이끌고 간 태극군 5백과 먼저 조우한 것은 비려부 추장 야율사단의 거란군이었다. 태왕 담덕의 군사들에게 쫓겨 중앙 성채로 급히 입성하려다가 유청하의 태극군과 벌판에서 맞닥뜨린 것이었다.

"이크, 저건 또 뭐야? 도처에 고구려군이 깔려 있군!"

야율사단은 잔뜩 겁을 집어먹고 다른 성채로 가기 위해 급히 말 머리를 돌렸다.

그때 비려부 중앙 성채에서 내려다보고 있던 거란군들이 야율사단을 구하기 위해 급히 성문을 열고 달려 나왔다.

야율사단을 추격하던 태왕 담덕은 유청하의 태극군을 보자 큰소리로 외쳤다.

"유 장군! 저들의 추격은 우리 군사들에게 맡기고 성채의 거란군과 맞서 싸우시오."

그러면서 담덕은 계속해서 야율사단의 거란군을 추격했다.

유청하는 금세 사태의 추이가 어떻게 돌아가는지 짐작했다. 성채의 거란군을 유인할 필요도 없었다. 이미 거란군이 성문을 열고 쏟아져 나왔으므로, 이정국이 짠 작전을 그대로 수행하면 되었다. 따라서 유청하는 거란군을 맞아 접전을 벌이는 듯하다 후퇴하고 다시 돌아서서 접전을 벌이길 여러 차례 반복했다.

중앙 성채에서 나온 거란군은 유청하가 이끄는 태극군 5백을 향해 전속력으로 추격해 오고 있었다. 야율사단의 거란군을 협공하던 고구려군이 갑자기 쏟아져 나온 중앙 성채의 거란군을 보자 겁을 먹고 두 부대로 갈라져 도망치는 것으로 착각할 수도 있었다. 그래서 중앙 성채의 거란군은 더욱 겁도 없이 추격을 가해 왔다.

어느 사이에 유청하의 태극군 5백은 언덕을 넘어 본대 2천5백이 매복해 있는 숲을 지나쳐 그대로 후퇴하는 척했다. 전속력으로 질주하며 유청하의 군대를 추격하던 거란군은 갑자기 숲속에서 튀어나온 태극군의 함성에 깜짝 놀랐다. 함성이 뒤쪽에서 들려왔기 때문이다.

"함정이닷!"

"추격을 멈추고 이곳을 신속히 벗어나라."

거란군들 사이에서 일대 소란이 일어났다.

한편 함성 소리를 신호로 유청하는 자신이 이끄는 태극군을 향해 소리쳤다.

"돌아서서 적을 쳐라. 일제히 화살을 쏴라."

유청하는 가장 먼저 말 머리를 돌려 추격해 오는 거란군을 향해 화살을 날렸다.

졸지에 앞뒤로 태극군을 맞게 된 거란군은 주춤거리며 어디로 도망쳐야 할지 갈피를 잡지 못했다. 맨 앞에서 추격하던 거란군이 주춤거리자 영문을 모르고 뒤에서 밀려들던 기마대의 말발굽에 저희들끼리 밟고 밟혀 한 무더기로 쓰러져 죽는 자가 속출했다. 그러자 급한 나머지 군대의 대열에서 벗어나 도망치는 자들도 태반이었다.

유청하는 곧 태극군 본대와 합류, 다시 비려부의 중앙 성채를 향해 진격해 들어갔다. 성채에 남아 있는 거란군은 많지 않았으므로, 태극군 3천이 공격을 가하자 잔뜩 겁을 집어먹은 채 모두 무기를 버리고 항복했다.

항복한 거란군을 포로로 삼아 격리시킨 후, 유청하는 성채를 지키는 1천 병력을 제외한 2천의 태극군을 이끌고 나머지 이웃한 두 개의 성채를 향해 곧바로 쳐들어갔다. 추장 야율사단의 거란군이 도망친 곳은 그 두 성채 중 하나일 것이므로, 그들을 추격하는 태왕 담덕의 뒤를 따라가면 자연적으로 태극군 전체가 합류할 수 있을 것이었다.

비려부 중앙 성채를 공략하고 나자, 나머지 두 성채는 오래 버티지 못했다. 추장 야율사단이 들어간 성채에서 거란군이 끝까지 항전하려고 했으나, 담덕과 유청하의 태극군이 합류하면서 군사가 크게 늘어난 것을 보고 곧 기가 꺾이고 말았다.

"비려부 추장은 무기를 버리고 나와 항복하라. 그리하면 그대는 물론 나머지 군사들의 목숨도 살려주겠다."

태왕 담덕이 성루를 향해 소리쳤다.

잠시 생각에 잠겨 있던 비려부 추장 야율사단은 옆에 서 있는 처남 소불화와 뭔가 짤막한 대화를 나누더니 백기를 들어올렸다. 곧 성문을 연 거란군은 고구려의 태극군을 맞이했고, 그들은 일제히 태왕 담덕을 향해 무릎을 꿇고 항복의 예를 올렸다. 추장이 항복했으므로 나머지 성채의 거란군도 곧 백기를 들고 투항했다.

이렇게 하여 태왕 담덕은 비려부 3개 성채의 6백여 영螢을 쳐부수었고, 거란족은 그들이 기르던 소·말·양 등 가축 수천 마리를 바쳤다.

"우리는 가축보다 너희들이 고구려 국경 마을에서 데려간 아국의 백성들을 되돌려 받으려고 한다. 그동안 너희들이 수많은 고구려 백성들을 강제로 나포하여 노예처럼 부렸다는 사실을 알고 있다. 이 기회에 고향으로 돌아가고자 원하는 고구려 백성을 데려가도록 하겠다."

태왕 담덕의 말에 비려부 추장 야율사단은 곧 노예처럼 부리던 고구려 백성들을 풀어주었다. 이때 우가촌 소금상단 대상 우신이 나서서 행수 장쇠로 하여금 자유로운 몸이 된 고구려 백성들이 고향으로 돌아가는 안내를 맡도록 주선하였다.

다시 담덕은 비려부의 통치에 관해 고심하던 끝에, 그들을 다스리기 위해 현지에 지방관인 처려근지處閭近支를 두기로 하였다. 그는 선재에게 그 역할을 맡겼다.

그날 밤 선재가 홀로 태왕을 알현했다.

"폐하! 어찌 소장을 멀리하려고 하시나이까?"

"비려부를 관장하는 처려근지로 사범 이외에 마땅한 사람이 따로 없더이다. 군사 5백을 줄 터이니, 비려부 관리뿐만 아니라 소금상단 우가촌을 굳건히 지켜주시기 바라오. 달리 서운하게 생각하지는 마시오. 전에 산막 도장에서 무명선사에게 무술을 배울 때 느낀 바가 있어 사범을 이곳에 두고 가려는 것이오. 사범께서 수빈의 모친을 은근히 마음에 두고 있다는 걸 잘 알기 때문이오."

"폐하께서 어찌 그것을⋯⋯?"

선재는 놀라움을 금치 못했다. 이제까지 자신의 내밀한 마음을 그 누구에게도 밝힌 바 없었기 때문이다.

"이곳에서 좋은 인연을 맺어두고 있으면, 언젠가 다시 국내성으로 부를 것이오. 이곳 비려부는 우리 고구려에 아주 중요한 지역입니다. 금산으로부터 들어오는 철대상들이 반드시 이곳을 거쳐야만 우리 고구려로 입국할 수가 있소. 또 염수에서나는 소금도 우리 고구려에서 관리를 해야만 유리하므로, 사범께서 우가촌을 지켜달라는 것이오. 그동안 비려부의 거란족들이 이곳을 지나는 철대상과 소금대상들로부터 비싼 통행세를거두어들여 잇속을 챙겼소. 그것을 절반으로만 낮춰도 우리 고구려에 큰 이득이 될 것인즉, 사범을 비려부의 처려근지로 임명하는 것이오."

담덕은 덥석 상대의 손을 잡았다. 간곡한 부탁이 그의 눈빛에 서려 있음을 선재는 알았다.

"태왕 폐하! 그렇게 깊은 뜻이 숨어 있는 줄 이제야 깨달았사옵니다. 분부 받자와 충심을 다하겠나이다."

"외로움을 많이 타는 수빈의 아비 노릇도 잘해 주시기 바라오."

"어찌 소장이⋯⋯."

"지난밤에 우 대인에게 사범과 소진 아주머니의 이야기를 해놓았소. 이미 나이가 들어 두 사람 사이에 자녀를 갖기는 어렵 겠지만, 딸 수빈이 있으니 외롭지는 않을 것이오."

"나라 경영에 여념이 없으실 폐하께서 어찌 그런 사소한 일 까지……. 자기 앞가림도 못하는 소장이 부끄럽기 그지없사옵 니다."

선재는 나이답지 않게 얼굴까지 붉혔다.

"사범께 신세진 은혜를 갚는 것이오. 전에 사범이 부여 땅에 가서 왕후를 모셔오지 않았소이까."

태왕 담덕은 모처럼만에 껄껄대고 호기롭게 웃었다.

"그것이 또 그렇게 되는 건가요?"

선재도 따라 웃었다.

"이번 기회에 호위무사로 있는 수빈을 가족의 품에 안겨주려 고 합니다. 무술이 뛰어나니, 우가촌에서 할 일이 많을 것이오."

"네? 수빈을 이곳에……? 아마 수빈이 말을 듣지 않을 텐데 요? 고집이 워낙 센 아이라서 말입니다."

"사범께서 강압적으로라도 붙들어 앉혀 주세요."

선재가 태왕을 알현하고 나왔을 때, 우신이 그를 기다리고 있었다.

"장군! 잠시 나와 긴밀히 얘기 좀 나눕시다."

태왕의 이야기를 듣고 난 다음이라, 선재는 우신이 무엇 때 문에 자신을 보자고 하는지 잘 알고 있었다.

조촐한 술상을 마주하고 앉아서도 우신은 먼저 입을 떼지 않고 선재의 눈치만 살폈다.

"방금 전 폐하께 전해 들은 얘기가 있습니다. 대인께서는 주저하지 마시고 말씀해 주시지요."

선재가 먼저 입을 열 수밖에 없었다.

"우리 딸 문제요. 태왕 폐하의 말씀도 있고 해서 조용히 딸에게 의견을 타진해 보았습니다. 딸이 정확하게 자신의 의사를 밝히지는 않았지만, 가만히 보니 장군이 좋다 하면 그 의견에 따르겠다는 눈치였소. 우리 손녀 수빈의 아비가 되어주시오."

우신은 선재의 손을 잡았다.

"폐하께서 소장을 비려부 처려근지로 임명하신 데는 여러 가지 뜻이 숨어 있음을 알겠습니다. 실은 소장이 폐하를 따라 국내성에 가서 할 일이 많다고 생각했는데, 이곳 비려부의 통치도 중요한 임무라는 걸 깨달았습니다. 더구나 거란의 8개 부 중에서 나머지 7개 부의 준동을 막아야 하는 것도 막중한 일이 아닐 수 없습니다. 이미 비려부는 우리 고구려에 굴복했으므로, 당연히 통치권 아래 두는 것이 마땅할 것입니다. 그러나 나머지 7개 부는 철과 소금 등의 교류를 적극 활성화하여 물산 거래를 하면서 상부상조하는 관계로 발전시켜 나갈 필요가 있습니다. 그래서 폐하의 지엄한 명을 받들기로 했습니다. 수빈의 어머니와 소장의 문제도 그 안에 포함된다고 생각합니다. 소장으로서는 폐하의 명을 어기기 어렵습니다."

선재는 이렇게 우회적으로 우신의 딸 소진과의 결혼을 승낙했다.

"고맙소, 장군! 이제야 든든한 사위를 얻어 한시름 놓게 됐소이다."

우신은 선재에게 술을 따라주며 호쾌하게 웃었다.

"하오나……."

"하오나, 무엇이오?"

"이제 장인어른이 되셨으니 말씀을 놓으십시오. 그런데 문제는 수빈입니다. 폐하께서 이번에 수빈을 이곳 우가촌에 떼어놓고 가려 하십니다. 하지만 지금까지 지켜본 바로는 수빈이가 절대로 태왕 폐하 곁을 떠나지 않으려고 할 것입니다."

"흐음! 오래간만에 가족이 다 모이게 됐는데, 그 아이가 걱정은 걱정이로군!"

우신은 그러나 딸 소진과 선재를 맺어주게 된 것만으로도 한시름 놓게 되어 홀가분한 마음이었다.

경사는 오래 미룰 필요가 없었다. 다음날로 우가촌에서 소진과 선재의 혼례식이 치러졌다.

혼례식 다음날 소진이 태왕 담덕을 찾아와 알현을 청했다.

"폐하! 긴히 드릴 말씀이 있사옵니다."

소진이 예를 올린 후 고개를 들어 태왕을 바라보았다.

"네, 수빈 어머니! 무슨 말씀이신지?"

담덕이 물었다.

"폐하! 우리 딸을 데리고 가주십시오. 수빈은 절대로 폐하 곁을 떠나지 않겠답니다. 이곳에 있으면 그 아이가 불행해지고 말 것입니다. 딸의 소원이 제 소원이기도 하오니, 가납하여 주시기 바라옵니다."

담덕은 수빈의 어머니가 무슨 뜻으로 그런 말을 하는지 곧바로 알아들었다. 우가촌에 떼어놓고 간다면 수빈은 선머슴처럼 울면서 마구 발버둥 칠 것이 뻔했다. 십중팔구 지난번처럼 가족도 모르게 혼자 몰래 말을 타고 따라나설 것이었다. 그렇다면 애당초 수빈을 호위무사로 데려가는 것이 마땅하다고 생각했다.

4

비려부를 정복한 후 회군하려고 할 때, 염수 소금상단의 대인 우신이 화급하게 태왕 담덕의 군막을 찾아와 알현을 청했다.

"태왕 폐하! 며칠만 더 회군 날짜를 늦춰주시면 안 되겠사옵니까?"

"우 대인? 무슨 급한 일이라도?"

"이리 일찍 떠나신다니 섭섭해서 감히 청원을 드리고자 하옵니다. 우연히 지나는 길에 군사들에게 들으니, 폐하께선 원정길에서도 일반 병사와 다름없이 거친 음식과 잠자리를 마다하지 않았다 들었사옵니다. 또한 국내성에서 예까지 그 먼 길을, 하루에 천 리를 달리듯 날짜를 줄여 진군해 오셨다고 하더군요. 군사들도 심신이 지쳐 피로한 기색인데, 폐하께서 어찌 그런 험한 노정으로 옥체를 안전하게 보전할 수 있겠사옵니까? 우리 소금상단의 수하들로 하여금 야크며 말이며 양 등 가축을 잡고 술을 준비토록 하겠으니, 군사들에게 며칠간 푹 휴식을 취할 수 있게 하심이 어떠하겠사옵니까?"

우신의 말은 꽤나 설득력을 갖고 있었다.

이때 담덕은 재빠르게 머리를 돌렸다.

"우리 군사가 5천입니다. 우 대인에게 어찌 그런 과중한 부담을 안겨드릴 수 있겠습니까? 대흥안령 산림에는 조류며 야생 짐승들이 많다고 하니 군사 훈련을 겸해 사냥을 해보는 것도 나쁘지 않을 듯싶군요. 사냥해서 얻은 날짐승이며 노루와 사슴 등을 가지고 음식을 장만토록 하고, 그리하면 비려의 추장 또한 마유주 정도는 마련해 줄 것이므로 우 대인께서는 크게 염려하지 않으셔도 될 일입니다."

담덕은 이 기회에 군사 훈련도 시킬 겸 사냥을 하여 고구려의 무예 실력을 거란족에게 확실하게 보여줘 기를 꺾어놓는 것도 나쁘지 않다는 생각을 했다. 어차피 회군을 하는 마당에 군사 훈련도 하고, 고구려 서북방 산성들과 지리도 살펴보고, 겸사겸사로 전렵을 빙자한 새로운 작전이 그의 머릿속에서 빠르게 회전하고 있었다.

"폐하! 백성을 굽어 살피시는 마음이 하해와 같사옵니다."

크게 감동한 우신은 엎드려 머리를 조아렸다.

곧 담덕은 이번에 새롭게 비려의 처려근지로 임명한 선재를 불렀다.

그런데 선재는 혼자 온 것이 아니라 동행이 있었다. 바로 흑부상의 무리를 이끄는 엿장수 출신 추동자가 같이 군막으로 들어왔다.

"폐하! 찾아계시옵니까? 때마침 북위 지역을 탐문하고 돌아온 흑부상의 추동자 단장과 함께 왔사옵니다."

선재가 허리를 깊이 숙였다.

"소신이 뜻밖에 비려 땅에서 폐하를 뵈옵니다."

이제는 제법 추동자도 태왕 앞에서 예법을 갖출 줄 알았다.

"오오, 추 단장이로군! 이번에 북위 지역을 돌았다면 탁발규의 근황도 알아봤겠군요?"

담덕이 반가운 얼굴로 추동자를 바라보았다.

"국내성으로 달려가려던 길인데, 이곳 비려 땅에서 폐하를 뵈오니 더욱 황감하옵니다."

"황감까지야. 추 단장, 그대를 여기서 보다니 참으로 반갑소. 그래, 그대는 북위 지역에서 무엇을 듣고 보았소?"

담덕은 애써 부른 선재를 옆에 두고, 먼저 추동자에게 관심을 보였다.

"북위 군주 탁발규의 위세가 만만치 않사옵니다."

추동자가 먼저 꺼낸 말이었다.

"흐음, 북위가 불교를 국교로 삼고 있다는 얘긴 들었소. 그래서 우리 고구려는 선왕 때부터 사신을 보내 북위와 상호 교린 관계를 맺고 있지 않소이까?"

담덕은 부왕인 고국양왕 때 북위에 석정 대사를 사신으로 파견한 바 있다는 사실을 잘 알고 있었다. 이는 연나라 선비족을 경계하기 위한 외교 전술이었다.

"북위와 후연의 관계가 심상치 않사옵니다. 북위의 탁발규 세력이 서북 지역을 장악해 그 남쪽의 후연을 위협하자, 모용수는 위기를 느끼고 곧 군사를 일으킬 것이라는 소문이 파다하게 퍼져 있사옵니다."

추동자의 말에 담덕의 눈빛이 갓 벼린 칼날처럼 날카롭게 빛났다.

"후연의 모용수가 군사를 일으킨다……?"

이때 번개 치듯 담덕의 뇌리를 강타한 것은 고구려 서쪽 변경의 요동성이었다. 그때까지도 요동성은 후연의 지배 아래 놓여 있었다. 고국양왕 시절에 잠시 요동성을 탈환했으나, 그해 겨울에 모용수의 아들이자 후연의 장수인 모용농에게 다시 넘겨주고 말았다. 그 이후 고구려는 남방의 백제와 자주 전투를 벌이는 관계로 요동성을 회복할 기회를 끝내 찾지 못하고 말았다. 사실 따지고 보면 부왕이 지병을 얻어 훙거한 것도 불과 5개월 만에 요동성을 후연에 내준 데 대한 분함이 하나의 병인으로 작용했다고 생각하고 있었다.

'그래! 백제만 더 이상 준동하지 않는다면, 이런 좋은 기회를 이용해 요동성을 되찾을 수 있겠는데……'

담덕은 마음속으로 '요동성'을 몇 번이나 뇌까렸다. 그러나 입 밖으로 그 말을 발설하지는 않았다.

탁발규는 386년에 북위를 건국했다. 개국 당시 그 남쪽에 독고부, 북쪽에 하란부, 동쪽에 고막해, 서쪽에 철불흉노 등의 세력들에게 둘러싸여 있었다. 탁발규는 건국 초기부터 독고부를 정복하고 차례로 하란부·철불흉노·고막해를 손에 넣었다. 건국 10년이 채 안 되는 사이에 북위는 후연과 함께 화북의 맹주로 떠올랐다.

이렇게 되자 후연의 모용수는 잔뜩 긴장하지 않을 수 없었다. 북쪽의 탁발규 세력을 제거하지 않고는 한시도 다리 뻗고 잠을 자지 못할 지경에 이르렀던 것이다. 따라서 그는 모용보를 태자로 세워 후계자를 확정한 후, 일찍이 요동성을 공략해 요서왕에 봉해진 모용농을 중산으로 불러들여 태자를 보좌케 하면서 북위 토벌 준비에 박차를 가했다.

모용농이 중산으로 가면서 동생 모용륭이 용성에 주둔해 요서지역을 수비하게 되었다. 이때 모용륭은 곧 산동 동북부의 청주青州에서 할거하던 백제 출신의 장수 벽려혼의 세력을 물리치기 위해 군사를 출동시켰다. 벽려혼은 아신을 백제왕으로 추대한 진무의 대상단 휘하에 있던 무장이었다. 진무가 백제로 가고 나서 그는 남은 상단의 무리들을 이끌고 청주 광고성廣固城에 거점을 확보해 점차 세력을 키워나가고 있었다. 후연으로서는 발톱 밑의 가시 같은 존재였으므로, 모용수는 7남인 모용륭으로 하여금 벽려혼 세력을 제거토록 명했던 것이다.

이러한 정황을 추동자로부터 전해 들은 태왕 담덕은, 대흥안령의 사냥을 기회로 삼아 그 남쪽으로 전렵 행사를 이어가 요동성까지 위협하는 전략을 구사하는 것이 좋겠다고 생각했다. 그래서 일단 추동자를 내보내고 나서 그는 선재와 독대했다.

"회군하는 길에 군사 훈련을 겸해 대흥안령 산림에서 사냥을 좀 하려고 합니다. 이 기회에 비려의 족장과 그 자식들을 비롯한 휘하 장수들에게 알려 사냥에 참여토록 하는 것이 어떻겠습니까? 장군의 의견을 듣고 싶어 신혼임에도 불구하고 이렇게 불렀습니다."

담덕은 만면에 가득 웃음을 머금었다.

"다 늙어서 신혼이라니요? 폐하께서는 어찌 소장을 면구스럽게 만드시옵니까?"

선재는 몹시 쑥스러워했다.

"하하하! 사범께서 얼굴까지 붉히시다니……."

"비려의 추장과 장수들까지 사냥에 참여시키겠다면, 혹 폐하의 신변이 위험하지 않을까 염려되옵니다만……."

선재의 말에 담덕은 웃음기를 거두지 않고 말했다.

"그런 염려는 없을 겁니다. 든든한 호위무사들이 있지 않습니까? 거란군은 대흥안령 지리를 잘 아는 군사들로 조발해 기백만 참여시키도록 할 생각입니다. 사냥으로 우리 고구려군의 무술 실력을 직접 보여줘 그들로 하여금 소문을 퍼뜨릴 수 있도록 하자는 것이지요."

"태왕 폐하! 소장은 몸 둘 바를 모르겠사옵니다. 이번 사냥이 처려근지로 이곳 비려 땅을 관리하게 된 소장의 근심을 한껏 덜어주기 위한 폐하의 배려임을 모르지 않사옵니다. 하오나 사냥으로 인하여 회군이 늦어질 경우 남방의 백제가 또한 걱정되지 않을 수 없사옵니다."

선재가 머리를 조아렸다.

"그 점은 걱정 마세요. 왕당군을 이끄는 우적 대장군이 있질 않습니까? 호위무사 하나를 보내 남쪽 변경을 단단히 경계하라 이르겠으니 장군께선 비려의 추장으로 하여금 사냥 준비를 서두르도록 해주십시오. 반드시 추장과 그 휘하 장수의 자식들을 사냥에 참여시켜야 합니다. 이 기회에 10여 세의 어린 자식들도 출동시켜 우리 고구려군의 용맹함을 두 눈으로 똑똑히 볼 수 있도록 해주십시오. 그래야 다시는 겁을 먹고 우리 고구려를 감히 얕보는 방자한 마음을 갖지 않을 것 아니겠습니까?"

"네! 소장 분부 받자와 곧바로 비려의 추장에게 폐하의 준엄한 명을 전하도록 하겠사옵니다."

선재가 물러가고 나서 담덕은 장고에 들어갔다. 그는 요동 지도를 펴놓고 전렵 행사를 할 지역들을 손으로 일일이 짚어나갔다. 대흥안령을 거쳐 태자하를 따라 남쪽으로 내려가면 양평도襄平道(요양)가 나왔다. 북남 방향으로 산맥을 따라 협곡으로 뻗어나간 물줄기를 따라가면 백암성을 지나 요동성으로 이르는 길이었다. 태자하는 동서쪽 방향으로 흘러가다가 요하와 합류해 바로 발해만으로 빠져나가는 강이었다.

'추동자의 말에 의하면 용성의 모용릉은 군사를 이끌고 산동반도 청주의 벽려혼 세력을 치러 갔다고 한다. 그렇다면 우리 군이 지금 요동성을 기습할 경우 용성에서 원군을 보낼 여력이 없을 것이다. 허나 남방의 백제가 문제야. 더 이상 백제가 준동치 못하도록 하려면, 어찌 됐든 완벽하게 제압을 해야 하는데……'

담덕은 손가락으로 지도 위에 태자하의 물줄기를 따라 선을 그어보다가 양평도 부근에 와서 문득 동작을 멈추었다. 이때 그의 머리는 비상하게 돌아갔다. 번개가 하늘을 가르듯, 번뜩이는 생각이 그의 뇌리를 스쳤던 것이다.

5

다음날 아침, 태왕 담덕은 태극군의 군사 이정국을 불렀다.

"폐하! 전렵 행사를 계획하고 계시다면서요?"

이정국은 담덕을 알현하자마자 먼저 물었다.

"어서 오세요. 군사와 머릴 맞대고 깊이 의논할 게 있어서 불렀습니다."

담덕은 이정국을 반갑게 맞았다.

두 사람이 마주 앉은 탁자 위에는 전날 담덕 혼자 장고를 거듭하며 손가락을 짚어가던 지도가 그대로 놓여 있었다.

그런데 담덕이 손을 들어 가리킨 곳은 전날과 같은 요동이 아니라 전혀 엉뚱한 지역이었다.

"그곳은 북위가 아닙니까?"

이정국이 전혀 의외라는 눈길로 담덕을 바라보았다.

"맞습니다. 이곳에서 그리 멀지 않은 서북방에 북위가 있습니다. 군사께선 북위의 군주 탁발규를 어떻게 보십니까?"

담덕의 눈빛은 날카로웠다.

간밤에 선재로부터 태왕이 전렵 행사를 계획하고 있다는 이야기를 전해 듣고, 이정국은 그에 관한 의논을 하고자 자신을 부른 것으로 알고 있었다. 그런데 뜻밖의 질문을 받자 순간적으로 당황하지 않을 수 없었다. 그는 잠시 뜸을 들였다가 입을 열었다.

"용의 발톱을 숨기고 있는 자입니다. 탁발규의 조부가 세운 대국代國이 전진의 부견에게 패망했습니다. 그 후 비수 전투로 전진이 무너지자 손자인 탁발규가 북방 지역에 북위를 건국했습니다. 탁발규는 북방에서 점차 세력을 키워가면서 그 남쪽의 모용수가 재건한 후연을 도모하고자 강력한 철기로 무장한 군사를 기르고 있습니다. 후연을 공략하려는 것은 일차적인 목적에 불과하고, 장차 화북과 강남 지역까지 도모하여 중원을 차지하겠다는 거대한 꿈을 갖고 있다고 볼 수 있습니다. 탁발규가 일찍부터 불교를 받아들여 불국정토를 꿈꾸는 것이 바로 그러한 이유 때문입니다. 전진의 부견이 건국 초기에 떨치던 기세를 연상케 합니다. 불교를 전격적으로 받아들인 것은 왕권강화의 목적과 부합하면서, 더불어 탁발규의 야심을 짐작케 해주는 대목 아니겠습니까?"

이정국은 원래 모용씨의 연나라 지배하에 있던 요서 지방 태생이므로, 선비족들의 알력 관계를 익히 잘 알고 있었다. 더구나 그의 조상은 조부 때 가세가 기울면서 중원에서 요서 지역으로 이주해 온 한족 출신이었다. 어려서부터 학문을 익히며 특히 병법서를 탐독해 중원을 둘러싼 각종 세력들의 힘겨루기를 요주의해 바라보고 있는 입장이라, 그는 누구보다 객관화된 시각을 갖고 있었다.

"북위가 후연뿐만 아니라 화북과 강남까지 노리고 있다고 보십니까?"

"강남까지는 힘에 부친다 하더라도 후연을 도모하고 나면 일단 화북의 패자로 군림하게 되지 않겠사옵니까?"

"흐음, 그 정도로 북위의 세력이 강하단 말씀이군요? 그러하면 이번에 우리 고구려가 이곳 비려부를 정복한 것에 대해 탁발규는 어떤 생각을 갖고 있을까요?"

담덕이 애써 이정국을 불러 묻고자 한 것은, 바로 탁발규의 이면에 숨겨진 진의가 무엇인지 알고자 함이었다.

이정국은 왜 태왕이 자신에게 그런 질문을 던지고 있는지 헤아려볼 시간이 필요했다. 그는 잠시 눈을 아래로 깐 채 깊은 생각에 잠겨 있다가 문득 고개를 쳐들었다.

"이건 전적으로 소신의 추측이옵니다만, 탁발규는 정중동靜中動을 유지하고 있을 것이옵니다."

"허어, 정중동이라?"

뜻밖의 말에 담덕도 입을 벌린 채 이정국을 바라보았다.

"우리 고구려가 긁어 부스럼 같은 거란족의 손발을 묶어놓았으니 북위도 한시름 놓을 수 있어 좋다는 생각을 갖는 한편, 고구려가 서북방으로 세력을 키워가는 것에 대해서는 우려하는 바 또한 없지 않을 것이옵니다. 그리고 같은 선비족 계파에서 갈라져 나왔지만 국경을 맞대고 있는 견원지간의 후연에 대해 우리 고구려가 견제 역할을 해줄 수 있다는 측면에서 다행스럽게 생각하고 있을 것이니, 꾀가 밝은 탁발규로서는 조용히 정세를 살피면서 움직이는 묘수를 두지 않을까 사료되옵니다. 선왕 때부터 우리 고구려와 북위는 외교적으로 선린관계에 있다는 것을 전제로 놓고 볼 때 그렇다는 것이옵니다. 만약 북위가 후연을 공략한 후 중원으로 진출하려면 우리 고구려와는 우호관계를 계속 유지해야 하기 때문입니다."

"군사께서는 탁발규가 중원을 노리고 있기 때문에 앞으로도 지속적으로 우리 고구려와 선린 외교를 펼칠 것이라 생각한단 말씀이로군요."

"그렇습니다."

"옳으신 생각입니다. 우리 고구려의 숙적은 모용씨의 후연입니다. 이번에 우리가 거란의 비려부를 친 것은 북위와 고구려의 중간 지점에 있는 장벽을 허물어 양국의 정치적·문화적 유통을 좀 더 활달하게 하고자 함입니다. 자칫 우리가 북위까지 노릴 수 있다고 오해할 수도 있으니, 이번에 그러한 인식을 탁발규에게 확실하게 심어줄 필요가 있습니다."

담덕은 다시 손가락으로 지도를 짚었다.

"그곳은 요동이 아닙니까?"

"맞습니다. 아까 전렵 행사 계획에 대해 물으셨는데, 이번에 내친김에 이곳에서 전렵 행사를 치르고 나면 곧바로 요동으로 군사를 진군시킬까 합니다."

"요동으로 군사를……?"

"이번에 일종의 전렵 행사로 시위를 벌일 참입니다."

담덕은 간밤에 장고를 거듭하며 생각해 두었던 작전을 털어 놓았다.

"시위를 벌이다니요?"

이정국이 짐짓 눈을 크게 뜨고 담덕을 바라보았다.

"이를테면 사냥놀이라 할 수 있지요."

"사냥놀이라 하시면?"

"이곳 대흥안령에서 사냥을 시작해 태자하의 물줄기를 따라 산맥을 타고 요동성까지 내려가면서 대대적으로 전렵행사를 벌일 생각입니다. 군사 훈련도 겸해서 말입니다."

담덕은 신바람이 나 있었다.

"요동성이 이번 사냥놀이의 최종 목표로군요?"

"맞습니다. 역시 군사께선 짐작을 하고 있었군요?"

이때 이정국에게는 문득 뇌리에 스치듯 떠오르는 것이 있었다.

"태자하를 따라가다 보면 그 주변에 고구려성들이 많습니다. 사냥놀이에 고구려 변경을 지키는 군사들을 은근슬쩍 참여시키면 적들이 눈치채지 못하게 군세를 늘릴 수 있을 것이옵니다."

"군사께서는 요동성을 치는데 우리 태극군만으로는 역부족이라 생각하시는군요?"

담덕의 눈이 이정국을 직시했다.

"아닙니다. 우리 원정군은 요동 지역의 지리에 밝지 못하므로, 현지의 군사들을 길잡이로 삼자는 것입니다. 전렵 행사를 빌미로 하여 숲속으로 군사를 이동시키게 되므로, 적들도 군세를 짐작키 어려울 것입니다. 더구나 군사 이동을 전렵 행사로 둔갑시켰으니, 요동성의 후연군도 적잖이 혼란스러울 것입니다. 전렵 행사는 적의 눈을 속이는 일종의 교란 작전 아니겠습니까?"

"고구려 변경을 지키는 군사들을 많이 참여시킬 생각은 없습니다. 군사께서 말씀하셨듯이, 적에게 작전을 들킬 염려가 없도록 길잡이 역할을 맡길 정도면 충분하겠지요. 지금 용성의 후연군은 산동반도 청주로 벽려혼을 치러 갔으므로, 요동성에 원군을 보내기가 어려울 것입니다. 따라서 우리 태극군이 기습을 한다면 크게 힘들이지 않고 요동성을 손에 넣을 수 있을 것입니다."

"벽려혼이라면 아직도 요서 지역에 남아 있는 백제의 잔존 세력을 이끄는 장수가 아닙니까? 그러고 보니 백제의 세력이 우리 고구려를 도와줄 때도 있군요. 그러면 이제부터는 요동성을 어떻게 기습할 것인가 작전을 짜는 일만 남았군요."

이정국은 담덕을 마주 바라보며 천천히 고개를 끄덕거렸다.

"이렇게 군사를 부른 것은 요동성 기습 작전 때문이 아닙니다. 그보다 더 중요한 일이 있습니다."

담덕이 정색을 하고 이정국에게 말했다.

"그것이 무엇인지요?"

"이번에 군사를 북위로 가는 사신으로 파견할까 합니다만……."

"소신을 북위로 말씀이옵니까?"

이정국은 너무 뜻밖의 말이라 다시금 되묻지 않을 수 없었다.

"지난밤에 곰곰이 생각해 봤는데, 이곳에서 급히 사신으로 갈 인물은 군사밖에 없습니다. 우리 태극군이 요동성을 기습 공략하기 전에 북위에 긴급히 전달할 밀서가 있습니다. 그것을 외부로 새어나가지 않게 탁발규에게 직접 전달해야 합니다."

담덕의 말에 이정국은 당혹스러웠으나, 곧 거절할 수 없는 명령임을 알고 말없이 고개를 주억거렸다.

그러자 담덕은 수하로 하여금 추동자를 불러오게 했다.

미리 대기하고 있던 추동자가 군막으로 들어서자, 담덕은 군사 이정국과 인사를 시켰다.

"이번에 군사께서 사신으로 갈 때 여기 흑부상의 추동자 단장을 대동하도록 하십시오. 추 단장을 인삼 대상으로 꾸미며, 소금상단과 함께 떠나도록 할 것입니다. 그러므로 겉모습은 우리 고구려와 북위 사이에 교역을 하기 위한 목적으로 가는 것으로 위장을 해야겠지요."

"그러니까 대상단을 가장한 밀사 파견이로군요?"

"그렇습니다. 그렇다고 대상단을 그냥 보내는 것은 아닙니다. 우리 고구려의 인삼과 이곳 염수의 소금을 가져가서 북위의 철과 바꾸어 오는 교역 또한 이번 사신단이 반드시 성사시켜야 할 일입니다. 이번 행보가 일회성에 그치지 않고 지속적으로 이루어져, 이곳 비려부가 북위와 고구려 교역의 중간 거점이 될 수 있도록 길을 닦아야만 합니다."

담덕은 이정국과 추동자를 번갈아 바라보았다.

"네, 폐하! 분부대로 거행하겠나이다."

추동자가 허리를 깊이 꺾으며 머리를 조아렸다.

"앞으로 추 단장은 할 일이 많을 것이오. 고구려와 북위의 무역로를 그대가 발이 닳도록 닦아야만 하오. 우리는 철이, 저들은 인삼과 소금이 필요합니다. 그동안 금산 지역의 철이 고구려까지 직접 반입되지 않은 것은 이곳 비려부의 거란족들이 길을 막고 너무 과한 통행세를 받아냈기 때문이오. 때로 저들은 비적 떼로 둔갑해 대상들을 공격하기까지 하는 방해 공작을 놓지 않았습니까? 그러나 앞으로는 선재 장군이 비려부를 관리하는 처려근지로 임명되었으니, 그러한 일이 절대 없을 것이오. 통행세를 절반 이상 줄이면 비려부로선 불만이 많겠지만, 고구려와 북위의 대상단이 자주 오가면서 무역이 활성화되어 전보다 더 많은 세수를 창출할 수 있을 것이라 생각합니다. 우리 고구려와 북위, 거란 모두에게 이득이 되는 셈이니 따지고 보면 3자 모두 불만이 없을 것 아니겠소?"

담덕은 호쾌하게 웃으면서 이정국과 추동자로 하여금 곧 사신단과 대상단을 꾸려 북위로 출발하도록 명령을 내렸다. 시각을 다툰다는 소식을 듣고, 소금상단 대인 우신도 급히 북위로 보낼 대상단을 꾸려 사신단과 함께 떠나도록 조처했다.

제4장

양수겸장

1

하늘은 눈이 시릴 정도로 투명하게 맑았고, 대흥안령 삼림의 나무들은 시나브로 낙엽을 지우고 있었다. 나뭇가지들은 앙상해 하늘에 거미줄을 친 듯했다. 여름철 삼림은 나뭇잎이 하늘을 가려 짙은 그늘이 지므로 시야가 불량해 사냥하기 쉽지 않지만, 겨울철이 되면 낙엽이 떨어져 멀리까지 볼 수 있으므로 사냥감을 찾기에 아주 용이했다.

거란 비려부 추장 야율사단과 처남 소불화, 그리고 그들의 자식들도 고구려군의 전렵 행사에 참여했다. 물론 처려근지 선재도 비려에 남게 된 휘하 군사 5백을 동원해 그들과 함께 행동을 같이했다. 길안내를 맡은 비려군에게도 사냥에 필요한 창이나 활 등 무기를 휴대하게 했으므로, 그는 자신이 이끄는 군사들과 함께 태왕 담덕을 비호하기 위한 감시 역할까지 맡기로 했다.

사냥은 두 부대로 나누어 시작되었다. 먼저 삼림지대에서 몰이꾼이 된 군사들이 짐승들을 초원지대로 몰아오면, 가려 뽑은 무술의 명수들이 활을 쏘거나 창을 던져 멀고 가까운 사냥감을 포획하기로 했다.

짐승들은 낮에 대부분 삼림지대에 몸을 숨기고 있었으므로, 몰이꾼들이 꽹과리나 징 등을 두드리는 소리에 놀라 반대편으로 도망치기에 바빴다. 삼림 속에는 순록을 비롯하여 노루·곰·담비·멧돼지 등 다양한 종류의 야생동물들이 서식하고 있었다. 하늘에는 먹잇감을 구하기 위해 날갯짓을 하며 빙빙 도는 매와 맹수들이 먹다 버린 짐승의 시체를 노리는 독수리도 있었다.

태왕 담덕은 유난히 털빛깔이 흰 명마 위에 높게 올라앉아 있었다. 그 곁을 호위무사 마동과 수빈이 지켰고, 그 밖의 호위무사들도 불과 십여 걸음 안팎에서 사주경계를 하며 따랐다. 모두 말을 타고 갈색 초원을 누비는데, 그 무리지은 말들의 행렬은 마치 출렁이는 물결처럼 유연한 동선의 흐름을 그리며 달려가고 있었다.

마동은 어린 시절로 돌아간 듯 어깨에 신바람이 실려 있었다. 그는 문득 개마고원에서 부친 추수에게 말타기를 배우던 기억을 떠올렸다. 당시 그는 말타기뿐만 아니라 사냥할 때 부친의 장기인 올가미도 잘 던져 피 흘리지 않고 짐승을 낚아채는 데 일가견을 갖고 있었다.

갈색으로 물든 초원을 보자 마동은 자신도 모르는 사이에 양발로 말의 뱃구레를 걷어차 비호처럼 들판을 달려 나갔다. 말 등에서 밧줄로 만든 올가미를 휘휘 돌리는데, 대흥안령에서 말을 사육하는 유목민들 뺨치는 재주를 보여주고 있었다.

"가뭄에 물 만난 고기 같구먼!"

순식간에 들판을 한 바퀴 빙 휘돌아 제자리로 돌아온 마동을 보며, 태왕 담덕은 빙그레 미소를 머금었다.

"폐하! 물 만난 고기보다 경둥거리는 꼴이 고삐 풀린 망아지 같지 않사옵니까?"

유일한 여자 호위무사 수빈이 입술을 묘하게 비틀었다.

"뭐라구? 망아지? 수빈아! 이 오라비에게 그런 막말을 해도 되니? 감히 폐하 앞에서 못하는 말이 없구나? 츳츳, 언제쯤 철이 들래?"

마동은 화가 난 듯 얼굴까지 붉혔다.

"오라버니! 폐하께서 왜 이름을 '마동'이라 지어줬는지 알겠어요. 오늘 보니까 철들지 않은 만년 동자 같지 뭐예요? 폐하! '말 타는 동자'라서 '마동'이라 지어주었다고 하셨죠?"

수빈의 말에 담덕은 문득 옛날 사부 을두미에게 무술을 배우던 하가촌 도장을 떠올렸다. 그때 담덕은 어린 시절부터 '업복'이라 불리던 그에게 '마동'이란 새로운 이름을 지어주었던 것이다.

"어린 시절 하가촌 무술 도장에서 그대하고 말 타며 놀던 때가 새삼 떠오르는구나! 이름이 마동인 것처럼, 언제나 늙지 않고 이렇게 가까이에서 함께 어울려 지냈으면 좋겠다."

담덕은 신분 관계를 떠나 마동을 친동기간처럼 생각했다. 그와 함께 유랑 생활을 할 때는 주변 사람들을 속이기 위해 친형처럼 대했던 적도 있었기 때문이다.

"폐하! 마동 오라버니만 챙기지 마세요. 이 수빈이도 언제나 폐하 곁을 지킬 거예요."

수빈이가 끼어들었다.

"수빈인 이미 짝을 찾을 나이도 지나지 않았느냐? 어서 좋은 남자를 만나 결혼해야지."

"흥! 수빈인 결혼 안 해요. 영원히 폐하 곁을 떠나지 않을 거란 말예요."

수빈은 금세 토라져서 눈물을 글썽거렸다.

"수빈아! 폐하의 말씀처럼 좋은 남자 만나 결혼했으면, 벌써 애를 낳아도 서넛은 됐을 나이가 아니냐?"

마동이 핀잔을 주었다.

"뭐라구? 마동 오라버니, 지금 말 다했어? 내가 왜 저 망아지 같은 마동에게 오라버니, 오라버니, 하고 깍듯하게 대우를 해주었는지 몰라? 앞으로 더 놀리면 오라버니란 말 빼고 그냥 '마동'이라 부를 거야."

수빈이 지지 않고 대들었다.

"감히 폐하 앞에서 못하는 말이 없구나?"

마동도 이제는 정말 얼굴에 노기를 띠고 수빈을 노려보았다.

"그만들 두어라! 두 사람이 마치 사랑싸움을 하는 것 같구나."

담덕은 무심코 그렇게 말을 해놓고 나서, 정말 마동과 수빈이 짝이 되었으면 좋겠다는 생각을 했다.

"폐하! 사랑싸움이라니요? 저 선머슴 같은 여자를 좋아할 사내가 누가 있어요?"

마동은 질색을 하며 고개를 절레절레 흔들었다.

아까보다 더 꽹과리 소리, 징 소리가 가까워지고 있었다. 그때 마치 장마철 둑이 터지듯 짐승들이 떼를 지어 자작나무 숲을 빠져나와 초원으로 줄달음질쳤다.

"자, 이제부터 사냥놀이를 마음껏 즐겨라!"

태왕 담덕이 소리쳤고, 초원 들판을 빙 둘러선 고구려군에서 가려 뽑은 무술 명수들이 일제히 짐승들을 향해 화살을 날리고 창을 던졌다. 기병들은 말을 타고 도망치는 짐승들을 쫓기에 바빴다.

고구려군의 사냥놀이는 군사훈련을 겸한 것이기도 했다. 사냥감을 많이 포획한 자에게는 큰 상이 주어지므로, 군사들은 서로 경쟁하듯 다투어 활을 쏘고 창을 던져 공훈을 세우려고 들었다.

고구려군의 상무정신尙武精神은 바로 이와 같은 사냥놀이에서 비롯되었다고 해도 과언이 아니었다. 건국시조인 추모대왕이 활을 잘 쏘아 청소년기 부여에서 백발백중의 사냥꾼으로 이름이 났으며, 전쟁터에서도 가장 앞서 싸우는 최고 무장의 실력을 과시하였다. 고구려군도 그 기질을 이어받아 무술을 숭상하는 전통으로 굳어져 이른바 '상무정신'을 군사기강의 토대로 삼았다.

이러한 고구려군의 용감무쌍한 무술 실력을 보고 비려부의 추장 야율사단을 비롯한 그의 졸개들은, 제대로 무기 한 번 사용하지 못하고 그저 얼빠진 얼굴로 구경만 할 뿐이었다. 거란군의 기를 죽게 만들겠다는 태왕 담덕의 전략이 제대로 적중했던 것이다.

바로 그때였다. 자작나무 숲의 비탈길로 데굴데굴 바위가 구르듯 달려 내려오는 짐승이 한 마리 있었다. 갈색털이 곤두선 채 질풍처럼 내닫는 것이 꼭 장마철 산사태로 바윗덩어리가 굴러내리는 듯했는데, 다름 아닌 불곰이었다. 활을 든 군사들이 일제히 화살을 날렸지만, 불곰은 아랑곳하지 않고 네 발로 땅을 걷어찼다. 그때마다 쿵쿵 소리와 함께 사방으로 흙덩어리가 튀어 올랐다. 큰 깍짓동만한 몸체였지만 달리는 속도는 느린 듯 빨라서 활의 명수들도 좀처럼 명중시키지 못했다. 겨울잠을 자려다 꽹과리와 징 소리에 깜짝 놀라 동굴에서 튀어나왔는지, 구르듯 달리는 불곰이 네 발을 재게 놀릴 때마다 살집 뭉친 등허리의 근육이 육감 좋게 꿈틀거렸다.

공훈을 세우는 데 욕심이 생긴 군사들 중 몇몇은 말을 타고 불곰에게 달려가기도 했으나, 대가리를 곧추들고 대드는 무지막지한 속력 앞에 그만 말고삐를 잡아채 길을 비켜 도망치기에 바빴다. 그래도 쉬지 않고 다른 군사들이 불곰에게로 달려들었다.

이때 불곰이 갑자기 방향을 틀었다. 놈은 눈 깜작할 사이에 태왕 담덕 일행 앞으로 곧장 달려왔다. 놈의 식식대는 거친 숨소리와 흙먼지를 일으키며 땅을 차는 발소리가 바로 가까이에서 들려왔다.

"앗, 태왕 폐하! 위험합니다."

때마침 곁에 있던 선재가 말을 달리며 불곰을 향해 창을 던졌다. 태왕 담덕도 어느 사이 강궁의 시위를 당겼고, 마동의 손에서는 수리검이 날아갔다. 그러한 세 사람의 동작은 누가 먼저랄 것도 없이 거의 동시에 이루어졌다.

불곰은 뒤뚱거리며 달려오다 담덕의 너덧 걸음 앞에까지 와서 털썩 주저앉았다. 어깨를 심하게 들먹이고 뱃구레가 벌떡거리던 불곰은 마침내 땅바닥에 네 다리를 쭉 뻗고 늘어졌다. 아직 콧김이 새어나오고 있었으나 거대한 덩치의 불곰은 다시 일어나지 못했다.

군사들이 가까이 다가가 살펴보니 불곰의 몸에는 고슴도치처럼 화살들이 수없이 박혀 있었다. 그중에서 불곰의 이마에 정통으로 틀어박힌 것은 태왕 담덕의 화살이었고, 두 눈을 명중시켜 앞을 못 보게 만든 것은 마동의 수리검이었으며, 목덜미에 깊숙이 꽂혀 숨통을 끊어놓은 것은 선재의 창이었다.

불곰의 숨통이 끊어지고 나서 군사들은 고슴도치처럼 된 몸통에서 화살들을 뽑았다. 그런데 다른 것들은 가죽을 겨우 뚫어 쉽게 제거됐으나, 이마에 정통으로 꽂힌 담덕의 화살은 너무 깊이 박혀 뽑히지 않았다.

그때 담덕이 빙그레 웃으며 마동을 바라보았다.

"마동아! 옛날 너와 함께 개마고원 사냥꾼 마을에 갔다가 장정들과 호랑이사냥을 하던 기억이 나는구나."

마동도 그때의 기억을 잊지 않고 있었다.

"이 불곰도 그때 호랑이 사냥을 할 때와 거의 비슷한 위치에 화살을 맞고 죽었네요. 폐하의 화살이나, 제 수리검이 꽂힌 자리도. 그리고 옛날 호랑이 사냥을 할 때는 두치 형의 창이 꽂혔지만, 지금은 선재 장군의 창이 꽂힌 것만 다를 뿐······."

"대흥안령의 불곰이 이렇게 큰 줄 몰랐네. 대단하구먼!"

담덕은 땅에 널브러진 불곰의 주위를 한 바퀴 돌아보다, 이마에 꽂힌 자신의 화살을 잡고 불끈 힘을 주어 단번에 쑥 뽑았다. 군사들이 여러 차례 뽑으려다 실패한 그 화살을 뽑아내자, 주위에서 박수 소리가 요란하게 쏟아졌다.

"과연 명궁이십니다. 완력 또한 대단하십니다."

이렇게 말한 것은 비려부 추장 야율사단이었다.

"화살도 주인을 알아보는 모양이군!"

담덕은 겸연쩍게 웃으며 손에 들고 있던 화살을 자신의 전통에 천천히 갈무리했다.

2

"왓, 핫, 하하! 고구려왕이 머리를 아주 잘 굴리는구먼. 마음에 들어. 그래, 그래! 모용씨를 겁주는 일인데, 우리가 손해 볼 것은 없지. 전렵 시위라? 그거 해볼 만한 놀이야. 모용씨를 가운데 두고 우리와 고구려가 겁박하여 기죽게 만들자는 것 아닌가?"

이정국이 가져간 고구려 태왕 담덕의 밀서를 받아 본 북위의 군주 탁발규는 매우 유쾌한 듯 껄껄대고 웃었다. 그러면서 양편 귀로 걸린 듯 날카롭게 째진 눈이 고구려 사신을 힐끔힐

끔 곁눈질하고 있었다.

탁발규의 귀는 보통 사람보다 커서 눈꼬리 부분 조금 위에서부터 입 근처까지 내려와 있었다. 사각턱인데다 이마까지 넓어 머리통이 직육면체를 이루고 있는 듯했는데, 특히 귀 아랫부분의 귓밥이 두터워 '부처님 귀'라는 별호가 붙었다. 그런 연유로 해서 스스로 일컬어 '살아 있는 부처'라고 했다. 이것은 그가 불교를 받아들여 '불국정토의 세상'을 꿈꾸는 것과도 무관하지 않았다. 어려서부터 야망이 컸던 그는 북위를 건국해 주변 세력을 차례로 정복하면서 이제 '북방의 아육왕'으로까지 자처하고 있었다.

사실 태왕 담덕의 밀서는 비밀을 요하기 위해 밀봉된 것이라, 사신으로 파견된 이정국조차도 그 내용을 잘 모르고 있었다. 그러나 밀서를 읽고 난 탁발규의 입에서 호탕한 웃음소리와 함께 발설된 이야기를 듣고 나서, 이정국은 그 내용을 충분히 미루어 짐작할 수 있었다.

이정국이 생각하기에 밀서에 담긴 담덕의 전략은 대흥안령에서부터 요하의 지류를 타고 뻗어 있는 산줄기를 따라 전렵행사를 하며 태극군을 양평도까지 진군시킨 후, 요동성을 기습적으로 공격해 후연을 압박하겠다는 내용 같았다. 그러한 고구려군의 전렵 행위가 일종의 시위이듯이, 동시에 북위에서도 후연의 모용수에게 겁을 줄 수 있는 시위를 벌여달라는 요청임에 틀림없어 보였다. 즉, 북위에서 군사를 동원해 후연을 치려는 움직임을 보여줄 경우 미처 요동성에까지 신경 쓸 겨를이 없기 때문에, 고구려군은 그 틈을 노려 기습공격을 하겠다는 내용이 그 밀서에는 담겨 있었을 것이다.

이러한 이정국의 판단은 사신단을 꾸려 떠나기 전에 태왕 담덕에게서 들은 말과 방금 북위의 탁발규가 너털웃음을 연발하며 털어놓은 말을 비교할 때 명약관화하게 뇌리에 각인될 수 있었다. 그는 병법서에 통달한 태극군의 군사로서 그만한 짐작을 할 수 있는 능력을 충분히 갖추고 있었다.

북위는 고구려의 요동성 공격을 전략적 기회로 삼을 수도 있으므로, 탁발규로서도 담덕의 기발한 작전을 하등 반대할 이유가 없었다. 오히려 고구려의 서진 전략이 후연을 압박하게 되면, 그 틈새를 이용해 북위가 남진할 수 있는 기회로 만들겠다는 판단이 섰기 때문이다.

"여기餘技로 두는 '장기'라는 것을 알고 계시지요? '바둑'처럼 판에 돌을 놓아 양군이 전쟁을 벌이는 놀이 말입니다. 궁궐 안에 왕이 있고, 그 양편에 수레車와 말馬과 코끼리象가 버티고 있지요. 또한 포包가 사졸 뒤에 포진되어 있어, 아군이고 적군이고 뛰어넘어 가 적진을 어지럽히기도 합니다. 장기에는 양수겸장兩手兼將이라는 묘수가 있는데, 궁 안의 왕을 겨냥해 두 개의 돌이 양쪽에서 동시에 의표를 찌르는 것이지요. 이렇게 되면 적은 어떤 수도 통하지 않고 두 손을 들게 마련입니다. 이번 고구려의 전략은 바로 그와 같은 것이옵니다."

이미 작전을 간파한 이정국이 '장기'를 예로 들어 쉽게 설명을 했다.

"흐음, 양수겸장이라? 저 옛날 한나라와 초나라의 전쟁을 놀이로 꾸민 것이 장기 아니오? 참으로 재미있구먼! 우리 탁발씨와 고씨가 동시에 모용씨의 옆구리를 찔러보자는 얘긴데, 야비한 생각이 들긴 하지만 과히 나쁜 전략 같지는 않구먼……."

탁발규는 크게 고개를 끄덕이더니 회심의 미소를 지었다.

"전쟁에서 야비한 것은 없다고 생각합니다. 허허실실의 전법도 있질 않사옵니까? 저 중원의 전국시대 때는 6국이 합종연횡으로 오만한 진나라와 대결하기 위해 공수동맹攻守同盟을 맺지 않았사옵니까? 이번 작전은 양국이 공수동맹을 맺어 저 오만한 모용씨를 겁박할 수 있는 좋은 기회라 판단되옵니다."

"공수동맹? 그거 좋은 전략이오. 이번에 사자로 온 목적은 그것뿐이오?"

탁발규가 문득 이정국을 직시했다. 짐짓 노려보는 듯했으나, 눈을 찌푸려 깜빡이는 것이 은근히 상대의 심중을 떠보자는 의도로 보였다.

"양국이 동맹을 맺는데 오가는 정표가 없을 수 없습니다."

이정국은 옆에 있는 추동자에게 손짓을 했다.

곧 추동자가 탁발규의 내관에게 비단 보자기에 싼 상자를 전했다.

"그것이 무엇이오?"

"이것은 고구려의 인삼입니다. 캐낸 지 오래되지 않은 수삼은 썩을 염려가 있어. 오래도록 저장할 수 있도록 햇빛에 말려 건삼을 만들었사옵니다. 우리 고구려에서는 보양식으로 닭의 뱃속에 이 건삼과 각종 약재를 넣어 푹 고아 먹습니다. 그것을 삼계탕이라 합니다. 여름철 보양식으로 삼계탕을 드시면 더욱 혈기가 왕성해지실 것이옵니다."

"여름철 보양식이라? 그러나 이미 초겨울이 닥쳐왔는데 삼계탕이라는 것이 과연 약효가 있겠소?"

탁발규는 고개를 갸웃거리며 이정국이 어찌 나오나 보려는 듯 눈을 가늘게 뜬 채 비릿한 웃음을 머금었다.

"여름철에는 더위로 지치고 늘어지는 몸에 기를 불어넣어 정력이 강해지도록 하는 것이고, 겨울철에는 찬바람을 맞아 몸이 움츠러들 때 불같은 기운을 집어넣어 혈기를 왕성케 함으로써 추위조차 잊게 해주는 것이 바로 삼계탕이라는 보양식이옵니다."

"호오, 허면 그 건삼을 넣고 삶아낸 삼계탕이라는 것이 철을 가리지 않고 몸을 보하는 효과가 있다 그 말이오?"

"네, 그러하옵니다."

"그러하다면 남자의 정력에도 효과가 있다는 얘기요?"

탁발규는 언제 어느 때 먹어도 삼계탕의 효과를 볼 수 있다는 이정국의 말에 몸을 앞으로 당길 정도로 비상한 관심을 나타냈다.

"물론이옵니다. 정력 강장제라 할 수 있습지요. 사철 장복을 하셔도 좋을 만큼 충분한 건삼을 가져왔으니, 기가 허할 때 즐겨 드시기 바라옵니다."

"좋아, 아주 좋아요! 삼계탕이라. 고구려 사신은 그 요리법을 전수해 주도록 하시오. 고구려왕의 선물이니 자주 삼계탕을 장복해 정력을 키워야겠군. 허, 허흠!"

탁발규는 손으로 점잖게 턱수염을 쓰다듬으며 곧 고구려 사신단을 물러가게 했다.

'흐음, 삼계탕이 정력에 좋다?'

저절로 입이 찢어진 탁발규는 회심의 미소를 지었다. 그는 특히 여자를 좋아했는데, 정실인 모용씨와 그 밖에 후궁이 5명이나 있었다. 후궁 중 하나는 하씨로 어머니의 친동생, 즉 이모였다. 그가 외가에 속하는 하란부를 점령했을 때 이모는 이미 결혼한 상태였는데, 그 미모에 반해 이모부를 죽이고 자신이 데리고 살았다. 어머니가 인륜에 어긋나는 일이라고 극구 반대했지만, 그는 끝내 듣지 않고 이모를 후궁으로 들어앉혀 그 사이에서 아들 탁발소를 낳기까지 했다.

탁발규는 삼계탕을 먹고 효력을 본다면 앞으로 사신단을 통한 공무역으로 고구려의 인삼을 많이 들여와야겠다고 생각했다. 북방 유목민족은 손이 귀한 편이라 근친끼리의 결혼 풍습도 있는 판이니, 남자들에게 삼계탕을 장복하도록 하여 아들을 많이 낳게 한다면 군사력도 그만큼 강해질 것이 아니냐는 계산을 머릿속으로 굴리고 있었던 것이다.

이처럼 탁발규는 머리를 잘도 굴렸다. 벌써 그가 연결고리로 이어 늘이는 생각의 실타래는 군사전략 쪽으로 선회하고 있었다.

'흐음, 고구려왕 담덕이 전렵 시위를 해서 모용씨의 군사들을 농락하려 든다 이 말이렷다? 우리보고도 군사들을 동원해 시위를 벌여 겁을 주라는 것인데……. 담덕, 그 젊은 군주의 꾀가 참으로 가상하구먼. 우리도 손해 볼 것 없는 전략이니 모용수의 의중을 떠볼 겸 군사를 일으켜봐?'

탁발규는 일단 결심이 서면 곧바로 행동에 옮기는 성격이었다. 결단은 행동으로 보여주지 않으면 망상에 불과한 것임을 그는 잘 알았다. 그는 어떤 일을 결정할 때 주저하지 않았고, 그만큼 판단력이 빨랐기 때문에 기동력 강한 군사를 진군시켜 주변의 이민족을 병합할 수 있었다.

사실상 탁발규에게 있어서 후연의 모용수는 철천지원수였다.

북위가 건국 초기 북방에서 세력을 점차 확장해 나갈 때 모용수는 탁발규를 지원하여 선비족이 아닌 주변의 이민족들을 견제하고자 했다. 즉 후연과 북위는 같은 목적을 갖고 연합전선을 펼쳐 이민족을 제압하는 소기의 목적을 달성했다.

　그러나 북위의 탁발규가 주변 이민족을 정복해 점차 세력을 확장해 나가자, 후연의 모용수는 은근히 그를 견제하기 시작했다. 아직 모용수는 서쪽 경계의 서연을 정복하지 못한 상태라, 군사력을 강화한 탁발규가 어떤 속셈을 가지고 있는지 궁금해서 견딜 수가 없었다. 더 강한 세력으로 부상하여 강적으로 돌변하기 전에 길부터 들여놓을 필요가 있다고 판단했던 것이다.

　그런 생각으로 모용수는 은근히 탁발규를 시험해 보고 싶었다. 때마침 탁발규가 동생 탁발고를 사신으로 보냈을 때였다. 후연이 곧 서연을 칠 계획임을 내세워, 모용수는 북위로 하여금 대량의 마필을 보내라고 요구했다. 북위가 드넓은 초원지대를 갖고 있어, 대대적으로 말 사육을 하고 있는 것은 사실이었다. 그러나 후연은 외교적으로 볼 때 상식을 뛰어넘는 엄청난 수의 말을 지원하라고, 거의 명령에 가까운 강압적인 요청을 해왔던 것이다.

　사신으로 간 탁발고는 후연의 요구를 들어줄 수 없다고 단호하게 거절했다. 귀국해 형 탁발규와 논의를 해볼 수도 있으나, 북위의 사신으로 간 입장에서 판단해 볼 때 후연의 요구는 가당치도 않은 억지에 불과했다. 형에게 가서 상의를 해봤자 벌컥 화부터 낼 것임에 틀림없는 일이었다.

이렇게 되자 모용수는 사신 탁발고를 억류한 채 북위로 돌려보내지 않았다. 작은아들이 후연에 볼모로 잡혀 있다는 소식을 듣고 생모인 태후 하란씨는 몸이 달아 큰아들 탁발규에게로 달려갔다.

"우리 고가 후연에 잡혀 있는데 어찌 이러고만 있나? 당장 군사를 일으켜 후연을 제압하고 네 동생 고를 구해 와야 하지 않겠느냐?"

태후 하씨는 장자인 탁발규에게 애원을 하다시피 했다.

그러나 탁발규는 아직 북위가 후연의 군사를 꺾을 실력이 안 된다고 판단했다. 또한 모용수가 얕은꾀를 써서 자신을 시험해 보기 위해 사신으로 간 동생 탁발고를 억류하고 있는 것이라면, 함부로 군사를 움직일 수 없는 일이었다.

태후 하란씨는 장자인 탁발규가 자신의 요청을 들어주지 않자 너무 야속한 나머지 울화병으로 자리에 눕고 말았다. 그러고 나서 얼마 안 돼 세상을 하직했으니, 탁발규로서는 실로 허망하기 이를 데 없었다.

이로 인하여 북위와 후연의 우호관계는 둘도 없는 원수지간으로 돌변하고 말았다. 그런데 이번에 때마침 고구려에서 북위에 밀사를 파견해, 양군이 군사 시위를 벌여 후연을 압박하자는 제의를 해온 것이었다.

'고구려가 요동성을 공략해 후연의 옆구리를 아프게 찌른다면, 이번 기회에 후연의 북방 경계를 들쑤셔 모용수가 어찌 나오는지 시험해 봐야겠다. 제아무리 군사력이 강한 모용수라도 양수겸장으로 겁박하면 정신을 차리지 못할 것이다. 겁을 먹으면 실수를 하게 되고, 그렇게 한 번 무너지기 시작하면 후연은 기사회생하기 어렵게 되지. 흐음, 고구려의 젊은 군주 담덕이 제법 전쟁의 판도를 읽을 줄 아는군.'

이처럼 탁발규는 마음속으로 결단을 하고 나서, 곧 휘하 장수로 하여금 군사들을 모아 출동준비를 서두르도록 했다.

그러는 한편, 탁발규는 고구려 사신단에게 인삼을 받은 답례로 철괴를 수레에 가득 실어 보내기로 했다. 그리고 동시에 고구려와 북위 간의 교역 활성화를 위하여 인삼과 철을 교류하는 협정을 체결했다. 이번에 고구려가 비려부를 정복해 중간에 거란이 막고 있던 교역로가 확보되면서 북위의 대상들과 자유로운 내왕이 보장되었다. 더불어서 중간에 통행세를 과중하게 물지 않아도 된다는 점과 시시때때로 출몰하던 비적 떼들을 양국 군사들이 막아준다는 약조까지도 맺을 수 있었다.

고구려 사신단이 귀로에 오를 즈음, 탁발규는 군사를 일으켜 참합피參合陂로 진군했다. 참합피는 북위와 후연의 접경 지역으로, 두 나라의 남북을 연결하는 인후부 같은 곳이었다. 즉 후연이 북방으로 진출하거나 북위가 남방으로 진격하려면, 반드시 이곳을 거쳐야 하는 남북 교통로의 관문이었던 것이다.

그러나 무엇보다도 탁발규 개인에게 있어서 참합피는 더욱 특별한 곳이기도 했다. 바로 그가 태어나 어린 시절을 보낸 고향이었던 것이다. 대국代國을 세운 탁발십익건에게는 아들 탁발식이 있어 태자로 삼았으나, 반란이 일어났을 때 맨손으로 부왕을 구하려다 가슴을 찔려 죽고 말았다. 그때 태자비 하란씨에게는 이제 겨우 아장아장 걷는 큰아들 탁발규가 있었고, 뱃속에 둘째 아이가 들어 있었다. 그렇게 유복자로 태어난 아이가 둘째 아들 탁발고였다.

376년에 대국이 화북의 최강자 전진의 부견에게 크게 패했다. 그 직후 호시탐탐 왕위를 엿보던 탁발식군이 난을 일으켜 부왕 탁발십익건을 제거했다. 탁발식군과 이복형제로 당시 나이 여섯 살이었던 탁발규와 세 살 난 탁발고 형제는 의지할 데가 없어졌다. 생모 하란씨는 아들 탁발규와 탁발고를 데리고 독고부의 수장 유고인을 찾아가 의탁했다. 유고인은 탁발십익건의 생질이었다. 몇 년 후 유고인이 죽고 나서 동생 유권이 독고부의 수장이 되었다. 이때 유고인의 아들 유현은 자신의 자리를 빼앗은 삼촌에게 앙심을 품고 유권과 함께 탁발규 형제까지 죽이려는 음모를 꾸몄다. 사전에 그러한 유현의 속셈을 알아챈 탁발규는 생모와 함께 몰래 독고부를 도망쳐 외삼촌 하란

눌에게 가서 의탁했다.

하란부에서 옛날 대국의 부활을 꿈꾸던 탁발규는 마침내 나이 열여섯 살 때 서요하 유역의 우천牛川에서 탁발선비들을 규합해 북위를 건국했다. 건국 후 가장 먼저 자신을 죽이려 했던 독고부의 유현을 토벌했으며, 고막해를 비롯한 주변 이민족을 차례차례 정복해 나갔다.

그 무렵에는 탁발규가 태어난 참합피가 이미 후연을 일으킨 모용수의 지배하에 놓여 있었다. 그동안 모용수의 군사력이 강해 도발하지 못했지만, 탁발규는 언제고 반드시 자신이 태어난 고향 참합피를 손아귀에 넣고 말겠다며 내심 벼르고 있었다. 그러던 차에 고구려 태왕 담덕의 밀서를 받고 난 그는 새롭게 용기를 낼 수 있었다. 후연이 강하기는 하지만, 북위와 고구려가 양쪽에서 위협을 가한다면 충분히 모용씨 세력을 약화시킬 묘안이 된다고 판단했던 것이다.

싸락눈이 가루를 흩뿌리던 날, 탁발규는 북위의 군사 요충지 평성平城(대동)에서 2만을 조발해 참합피로 진군했다. 기습 작전이 아니라 후연의 모용수에게 겁박을 주기 위한 것이므로 나팔과 피리를 불고, 북과 징 등을 요란하게 치면서 점차 진군의 속도를 높였다.

3

날씨는 이미 초겨울로 접어들고 있었다. 밤에는 골짜기마다 흘러내리는 물이 살얼음으로 변했으며, 옷깃 사이로 파고드는 냉기가 바늘 끝으로 찌르는 것처럼 매서웠다.

대흥안령 중남부 골짜기에서 발원한 서요하는 동쪽 방향으로 물줄기를 굽이돌며 흘러내렸다. 북쪽에서 남쪽을 따라 등고선이 형성된 완만한 능선과 그 양편으로 굴곡진 비탈을 이루며 뻗어내린 산세는 거대한 동물의 늑골을 연상시켰다. 굵직한 등뼈가 산맥의 구불구불한 능선을 이루고 있었고, 그 양쪽으로 갈라지며 갈비뼈처럼 휘어져 내린 초원과 밀림이 짐승의 털가죽을 뒤집어쓰고 있는 형국이었다. 그래서 마치 서편은 초원지대라서 양가죽처럼 부드러운 털로 넘실거렸고, 동편은 침엽수림지대로 멧돼지 가죽처럼 거친 털로 한껏 성깔을 부리고 있는 듯했다.

태왕 담덕이 이끄는 태극군은 대흥안령 남부 능선의 좌우 양편으로 군사들을 나누어, 일단 북쪽에서 남쪽을 향해 전렵 행렬을 이동시켰다. 주로 초원지대인 서편은 말을 탄 기마대가 밋밋한 경사로 펼쳐진 산야를 누볐다. 그리고 동편의 거친 침엽수림지대로는 보병들을 침투시켜 사냥감들을 몰아 능선 너머

서편의 초원지대로 보내도록 했다. 보병은 몰이꾼, 기마병은 저격조로 역할 분담을 시켰던 것이다.

담덕도 백마를 타고 호위무사들과 함께 기마대를 이끌었다. 고구려의 철갑기병들은 무술 실력이 뛰어나 활과 창을 잘 다루었고, 보병들이 몰아오는 사냥감을 놓치지 않고 명중시켰다.

"기마대 병사들에게 이르도록 하라! 사냥감을 다 잡을 필요는 없다. 군사들이 먹을 만큼만 잡고 나머지는 길을 터서 살려주도록 하라!"

담덕은 곁에 있는 호위무사들에게 명령했다.

호위무사들은 각 방향으로 흩어져 기마대에게 태왕의 명을 전했다.

"폐하! 낮과 밤의 기온 차가 심합니다. 낮에는 사냥을 하며 땀을 흘리므로 초겨울 날씨라도 크게 염려할 바 아니나, 밤에 기온이 내려가면 병사들이 견디기 쉽지 않습니다. 벌써 저녁이 되면 된서리가 내리고, 밤엔 살얼음이 얼어 병사들이 어려움을 겪고 있습니다."

때마침 태왕 곁에 있던 태극군 대장군 유청하가 말했다.

"알고 있습니다. 앞으로는 겨울에도 서북방으로 원정을 나가야 할 때가 종종 있을 것입니다. 추위를 견디는 법도 훈련의 하나 아니겠습니까?"

담덕이 유청하를 바라보며 여유 있게 웃었다.

"이번 전렵 행사가 병사들의 훈련에 목적을 두고 있다는 것은 알겠습니다만, 이곳 추위가 예상했던 것보다 제법 매섭습니다."

"이곳 서북 변경에 비하면 국내성은 남쪽에 있지요. 우리 태극군은 국내성에서 그리 멀지 않은 환도성 너머 칠성산에서 훈련을 했기 때문에 북쪽의 혹한 추위에는 적응이 덜 되어 있습니다. 이번 기회에 군사들에게 추위를 견디는 훈련으로 체력을 단련시키는 것도 좋지 않겠습니까?"

"맞는 말씀이긴 합니다만, 아무래도 남쪽 변경의 백제가 걱정됩니다. 폐하께서도 잘 아시는 것처럼 백제왕 아신은 자만심 강한 자라서 지난여름 패전에 앙심을 품고 있을 것이옵니다. 아무래도 폐하께서 우리 태극군을 이끌고 거란 원정을 온 틈을 노려 남쪽 변방을 급습할 우려가 있습니다. 병사들에게 혹한 훈련을 시키는 것도 좋지만, 날씨가 더 추워지기 전에 회군하는 것이 어떻겠습니까?"

유청하는 조심스럽게 그동안 자신이 품고 있던 생각을 내놓았다. 그는 태왕 담덕이 거란을 정복한 후 곧바로 회군할 줄 알았다. 그런데 갑자기 계획을 변경해 대흥안령에서 요하의 물줄기를 타고 양평도까지 긴 구간에 걸쳐 전렵 행사를 한다고 하자, 그때부터 은근히 백제의 준동이 염려되어 노심초사하고 있었던 것이다.

"대장군의 염려는 잘 알고 있습니다. 며칠 전 사신단을 북위에 파견할 때 군사께서도 대장군처럼 백제의 준동을 염려하고 있었습니다. 하지만 지난여름 패하 전투에서 백제군의 전력을 진단해 보니, 국내성에 주둔하고 있는 왕당군 병력만으로도 충분히 막을 수 있을 것이라 판단되었습니다. 만약 백제의 아신이 공격해 올 경우 흑부군과 말갈군으로 편성된 왕당군 5천이 보름만 버텨준다면, 우리 태극군이 달려가 합세할 수 있을 것입니다. 또한 국내성을 방위하는 1만 5천의 병력 중에서 추수 장군이 적어도 5천의 지원군을 보낼 터이니, 백제군의 준동에 대해서는 그다지 염려할 필요가 없습니다. 백제와 인접한 남쪽 변경에는 평양성과 수곡성의 전투 병력도 있지 않습니까?"

태왕은 눈길을 초원 저쪽으로 주면서, 말은 태극군 대장군 유청하에게 하고 있었다. 그는 막 말을 끝내면서 동시에 능선 너머로부터 비탈길을 달려 내려오는 사향노루 한 마리를 향해 활을 쏘았다. 화살에 정통으로 맞은 사향노루는 공중제비를 하듯 빙글 돌더니 풀밭으로 데굴데굴 나뒹굴었다.

"과연 명궁이십니다."

유청하는 감탄해 마지않았다.

"사범님!"

담덕은 어린 시절부터 무술 사범이었던 유청하에게 남달리 친근감이 느껴질 때면 '대장군'이 아닌 '사범'이란 호칭을 즐겨 사용했다. 특히 주위에 호위무사들이 보이지 않고 단둘이 있을 때면 그렇게 불렀다.

"네, 태왕 폐하!"

유청하도 그렇게 자신을 불러주는 담덕에게 더욱 도타운 정을 느꼈다.

"이번에 전렵 행사를 계획한 데는 혹한을 견디는 병사들의 훈련 이외에 또 다른 이유가 있습니다."

주위에 있던 호위무사들이 방금 담덕이 쏘아 거꾸러뜨린 사향노루를 향해 달려간 사이, 유청하에게만 조용히 말했다.

"폐하! 또 다른 이유라면……?"

유청하의 눈빛이 담덕을 향했다.

"그동안 이곳 서북 변방을 지키는 성주들과 대면할 기회가 없었지 않습니까? 또한 변방 군사들의 전력이 어떠한지도 모르구요."

"하긴 폐하께서 등극하신 후 그럴 만한 기회가 거의 없었습니다. 관미성을 비롯하여 백제와 계속 전투를 치렀으니 말입니다."

"물론 그동안 서북방 변경의 성주들이 방어에 힘써온 것은 사실입니다. 그러나 거란이 호시탐탐 변경 마을을 침투하는 것을 봉쇄하지 못한 잘못이 변방을 지키는 성주들에게도 없지 않습니다. 이번 거란 정벌은 서북방 성주들의 게으름을 간접적으로 꾸짖고자 한 것입니다. 그런데도 변방 성주들은 자기 성을 지키는 데는 임무를 다하는 것 같지만, 원정시에 자발적으로 지원군을 보내는 데는 인색한 편이었습니다. 이는 좌시할 수 없는 문제입니다. 중앙과 지방의 군사 체제가 일사불란하게 움직이지 않고 있다는 증거 아니겠습니까? 중앙에서 명령을 내려야만 움직이는 지방군은 말 그대로 '죽은 군대'입니다. 움직이지 않는 군대를 어찌 살아 있는 군대라고 할 수 있겠습니까? 변방을 지키는 군대일수록 늘 함성 소리가 요란하고 북소리가 성 밖으로 울려 퍼져야 적들이 겁을 집어먹고 침공할 생각을 못할 것 아니겠습니까? 거란군이 우리 고구려군을 만만하게 보고 호시탐탐 변경 마을을 노려온 것도 그동안 변방의 성들이 그저 자기들의 성만 지키며 무사안일주의로 나갔기 때문입니다. 큰 혼란 없이 안주하면 일단 현상유지는 한다고 생각하는 것이야말로 일종의 나태가 아니겠습니까? 세월은 물처럼 유장하게 흘러가는데 사람 하는 일이 제자리걸음이라면, 그건 퇴보를 의미합니다. 군사들이 안심을 하고 있다는 것은 그때부터 정신이 썩어가고 있다는 증좌 아니겠습니까? 절치부심하는 노력이 없다면 국가의 발전을 기약하기 어렵습니다. 더구나 군대라는 조직은 늘 일사불란하게 움직여야 합니다. 움직이지 않는 군대는 다리 근육이 물러터지고 팔다리 골절이 삭아 힘을 쓰지 못하게 되지 않겠습니까? 안정적이고 평화스러운 때일수록 근육을 기르고 골절을 튼튼히 해야 적이 준동할 때 힘을 제대로 발휘할 수 있는 것입니다. 물오리가 수면 위에 조용히 떠 있는 것 같지만, 물속에 잠긴 발을 열심히 놀려 물갈퀴로 제 몸을 떠받치지 않으면 가라앉습니다. 나라의 미래가 그렇습니다. 저 물줄기를 보십시오."

담덕은 서요하의 물줄기를 손으로 가리켰다.

"흐르는 물은 썩지 않는다, 그 말씀을 하시는 거로군요."

유청하가 감탄한 표정으로 담덕을 응시했다.

태왕 담덕이 제위에 오른 지 5년, 이제 그의 나이 스물 둘이었다. 패기만만하고 자신감에 넘치는 젊은 군주의 모습을 바라보며, 유청하는 어떤 감동으로 가슴이 뻐근해 오는 것을 느꼈다. 담덕이 왕손이던 어린 시절부터 곁에서 무술 사범 노릇을 해왔지만, 이제는 자신이 그에게서 배워야 할 처지라는 생각이 들면서 문득 부끄러운 마음까지 앞섰던 것이다.

"저 유장한 흐름이 지도를 바꿔놓습니다. 물줄기를 따라 좌우에 형성되는 하구와 하상의 모양은 단 한시도 같은 적이 없습니다. 조금씩 보이지 않게 그 형상을 바꿔가는데, 오랜 세월이 흐른 뒤에 보면 지형이 전혀 다른 모양으로 변하게 됩니다. 특히 장마가 져 거센 물결이 일어나면 눈에 보이게 다른 지형으로 바뀝니다. 부왕 시절에 우리 고구려가 잠깐 점령했던 요동성을 보십시오. 불과 다섯 달도 지키지 못한 채 후연의 모용농 군대에게 빼앗기지 않았습니까? 그 이후 우리 고구려는 요동성을 재탈환하지 못했습니다. 당시 산동에 있던 우리 태극군도 요하 전투에 지원군으로 참여했었습니다만, 그렇게 어렵게 차지한 요동성을 모용농에게 쉽게 내준 것은 참으로 안타까운 일이 아닐 수 없습니다. 그로부터 무려 10여 년의 세월이 흘렀습니다. 그런데 아직까지도 요동성을 후연의 군사들이 지키고 있습니다. 만약 우리 고구려 변방의 군사들이 저 요하의 물결처럼 늘 움직였다면, 요동성은 일찌감치 우리의 영역으로 들어왔을 것입니다."

"그러면 이번 기회에 요동성을……?"

유청하는 놀라움과 동시에 걱정이 앞서 애매한 표정을 지었다. 담덕이 그 심사를 모를 리 없었다. 요동성 공략이 결코 만만치 않음을 그 역시 잘 알고 있었기 때문이다.

"그렇지 않습니다. 이정국 군사를 북위의 탁발규에게 사신으로 보낸 것은 후연의 모용수를 떠보기 위한 계책에 불과할 뿐입니다. 이번에 북위와 우리 고구려는 소리만 요란할 뿐 공격은 하지 않는 교란 작전을 펼칠 것입니다. 그러다 혹여 적이 겁을 집어먹고 우왕좌왕하게 되면 공격할 절호의 기회가 올 수도 있겠지요. 그때는 가차 없이 들이칠 생각입니다."

"모용수가 늙긴 했으나, 몇 년 전 태자로 세운 모용보와 그의 형제들이 모두 용장들입니다. 모용수는 부인이 넷인데, 그 사이에서 얻은 아들만 적어도 열 명을 헤아린다고 들었습니다. 그 아들들이 모두 용맹하고 무술에 뛰어나다면 후연의 군세를 결코 가볍게 볼 수 없습니다. 다만 정비의 아들인 4남 모용보가 태자에 책봉될 때 형제들 사이에 심각한 암투가 벌어졌다 하니, 모용수가 죽고 나면 후연도 내분이 일어날 가능성이 큽니다."

이렇게 말하는 유청하는 조심스러웠다. 태왕 담덕이 어떤 반응을 보일지 두려웠던 것이다.

"그러면 사부께선 모용수가 죽을 때까지 후연을 지켜보자는 말씀입니까?"

젊은 군주 담덕의 반응은 역시 유청하가 짐작한 대로였다.

"아닙니다. 그런 만큼 결코 후연을 얕잡아보아서는 안 된다는 말씀이옵니다. 더구나 모용수는 재작년에 적위翟魏를, 올해 초에는 서연을 공략해 화북 일대를 평정했습니다. 그런 연후 북위의 팽창을 좌시할 수 없다고 판단, 탁발규를 공략하기 위하여 태자 모용보를 비롯한 아들들에게 철저하게 준비를 하라는 지시를 해놓았다고 합니다."

유청하가 말하는 후연의 화북 평정은 이미 태왕 담덕도 잘 알고 있는 정황이었다.

적위는 북방 돌궐계의 정령족으로, 한때 전진의 부건에게 지배를 받다가 비수 전투 이후 독립해 새롭게 세운 나라였다. 그 수장은 적빈이었는데, 화북 지역 일부를 근거지로 하여 점차 세력을 키워나갔다. 그 뒤를 이은 적요가 여양까지 차지하면서 위魏를 건국했는데, 이를 그 전의 조조가 세운 위나라나 탁발 규의 북위와 구분하기 위해 '적위'라고 불렀다. 이때 모용수는 더 이상 적위가 세력을 키우기 전에 392년 그들을 공격해 멸망 시켰다.

한편 비수전투 이후 전진에 반기를 든 모용홍과 모용충 형제가 관중지방에서 선비 세력을 규합해 서연을 세웠다. 그 이후 모용홍의 휘하 장수로 있던 모용영이 그 뒤를 이어 서연의 군주가 되었다. 관중 지방의 모용씨를 끌어 모아 새롭게 세력을 형성한 모용영은, 스스로 칭제稱帝를 하지 않고 대도독·대장군·대선우 등으로 자처했다. 그리고 연나라 모용씨를 대표하여 칭제를 한 후연의 모용수에게 사신을 보내 서연에 복속할 것을 권유하기까지 했다. 모용씨는 하나여야 하지 둘이 되어서는 중원을 통일시킬 수 없다는 것이 모용영의 서찰 내용이었다.

후연의 모용수 역시 모용 선비를 하나로 규합해 중원을 도모할 욕심을 갖고 있었다. 그런데 감히 서연의 모용영이 복속을 권유해 오자, 화가 머리끝까지 솟은 모용수는 393년 12월에 군사를 일으켰다. 이에 대항해 모용영은 군사 5만 병력을 동원해 수개월간 대치상태에 있었으나, 결국 394년 4월에 모용수의 전략에 넘어가 대패하고 말았다.

이처럼 적위와 서연을 공략한 모용수는 후연 북방에 자리
잡은 북위를 정복할 기회를 호시탐탐 노리고 있었다. 원래 모
용씨와 탁발씨는 오래전부터 선린관계를 유지하고 있었다. 전
연의 모용황은 북방의 탁발 세력을 끌어안기 위해 탁발십익건
에게 누이와 딸을 아내로 맞게 했다. 또한 탁발십익건은 사촌형
인 탁발예괴의 딸을 모용황에게 시집보냈다. 이와 같은 정략결
혼을 통해 모용씨와 탁발씨는 오래도록 우호관계를 유지하고
있었다. 그러나 탁발십익건의 손자 탁발규가 북위를 건국해 세
력을 키워나가자, 후연을 세운 모용황의 아들 모용수는 은근히
근심거리가 되기 시작했다. 문제는 북위를 칠 합당한 명분이
없었다. 선대에서부터 우호관계를 유지하고 있었는데 갑자기
적대관계로 돌아설 수는 없는 노릇이었다. 모용수는 한때 북위
의 탁발규가 독고부를 칠 때 군사를 지원한 적도 있었다. 고민
끝에 모용수는 북위의 사신 탁발고를 억류해 과연 탁발규가
어떤 행동으로 나오는지 두고 보기로 했던 것이다.

"지금 모용수가 북위와의 선린관계를 깨기 위해 사신으로
간 탁발규의 동생 탁발고를 억류하고 있다는 것은 잘 알고 있
습니다. 그래서 이번에 이정국 군사를 북위에 사신으로 파견했
습니다. 탁발규는 분명 군사를 일으켜 후연을 위협할 것이고,
동시에 우리 태극군이 요동성을 겁박하면 후연의 모용수도 잔
뜩 긴장하지 않을 수 없을 것입니다. 두 나라가 양수겸장을 부

를 때 과연 모용수가 어떤 묘수로 위기를 모면하려고 들지 두고
볼 심산입니다."

담덕의 얼굴에 미미한 웃음이 감돌다 사라졌다. 그것은 바
로 여유로움이자 어떤 기대감의 표정이라고 해도 좋았다.

그러한 담덕의 여유 만만한 태도를 접하고서야, 유청하는 비
로소 오래된 체증이 가시듯 근심이 확 풀렸다. 태왕은 세상을
꿰뚫어보는 안목과 주변국 군주들의 인물 됨됨이를 보는 판단
력이 그 누구보다 뛰어나다고 생각했던 것이다.

4

참합피 북쪽은 침엽수림지대로 군사들을 숨기기에 적당했
다. 또한 밀림이 끝나는 곳에서부터는 낮게 굽이치는 물결처럼
구릉과 계곡이 숨바꼭질하듯 숨었다 나타나기를 반복하고 있
는데다, 그 일대가 거의 초원지대여서 말이며 양 등을 방목하
기에 좋았다.

밀림지대의 골짜기 지형은 생선 비늘처럼 겹쳐져 있어 겉에
서는 속속들이 그 깊이를 헤아리기 어려웠다. 피리를 불고 북
과 징을 울리고 시끌벅적 요란을 떨면서 2만의 북위군을 이끌
고 참합피 가까이 접근한 탁발규는, 1만 5천의 군사를 침엽수
가 울창한 계곡에 숨겨두었다. 그리고 나머지 5천의 군사로 하

여금 참합피의 성곽이 잘 바라다보이는 능선으로 올라가 갖은 야유를 퍼부으며 함성을 지르게 했다.

참합피성과 능선 사이에는 개천이 흘렀는데, 자연적으로 생긴 긴 방죽이 둘러싸고 있어 그것이 해자 역할을 하였다. 말을 타고 방죽을 넘어 개천을 무사히 건너가야만 성을 공격할 수 있는 지형이었다.

탁발규는 처음 군사를 일으킬 때 후연군에게 겁만 줄 작정이었다. 그런데 참합피가 가까워지면서 생각이 조금 바뀌었다.

참합피의 성주는 난한蘭汗이었다. 그는 모용황의 후궁인 숙의淑儀 난씨와 친남매 사이였다. 뿐만 아니라 난한은 모용수가 전진의 부견 밑에서 장수로 있을 때 부관 역할을 맡았었다. 그리고 모용수가 후연을 건국했을 때, 난한은 자신의 딸을 후비로 바쳐 두터운 신임까지 얻고 있었다. 거기에다 다른 딸 둘을 모용황의 넷째아들 모용각의 장남 모용해와 모용보의 서장자 모용성에게 시집보내, 모용씨 집안과 겹으로 엮어진 사돈관계를 맺었다.

'참합피의 성주 난한이 모용씨와 아주 가까운 인척 관계라고 했으렸다? 내 반드시 저 참합피의 성주놈을 사로잡아 모용수에게 억류당해 있는 아우 고와 교환해야겠다.'

탁발규는 아우 탁발고를 후연에 사신으로 보냈다 억류되는 바람에, 그 충격으로 모친 하란씨까지 세상을 떠난 사실을 떠올릴 때마다 모용수에게 이를 갈았다. 당시 어서 빨리 동생을 구해 오라는 모친의 하소연을 들어주지 못한 것이 끝내 가슴에 한으로 응어리지고 말았던 것이다.

만약 후연의 모용수가 요구하는 말을 보내주었다면 아우를 구해 올 수도 있었을 것이다. 하지만 수천 필의 말을 지원하라는 것은 너무나 지나친 요구였다. 그만한 수의 말을 보낸다면 북위의 군사력은 크게 위축될 수밖에 없었다. 모용수가 억지를 써서 양국의 선린관계를 깨려는 것이란 생각이 들었으므로, 그는 아우를 적지에서 살려 돌아오게 할 방도가 없음을 깨달았다.

'어머니, 반드시 동생 고를 살려내겠습니다.'

탁발규는 두 주먹을 불끈 쥐며 이를 악물었다.

"성안에서 군사들이 나올 때까지 이 언덕에서 목이 터져라 외치도록 하라! 적들이 성문을 열고 공격해 오면 후퇴를 하다 공격하고, 공격을 하다 다시 후퇴를 하면서 아군이 매복해 있는 곳까지 유인해야 한다!"

탁발규는 휘하 장수들에게 작전을 설명했다.

한편 성안에서 멀리 언덕 위의 북위군을 살펴보던 성주 난한은 실소를 머금었다.

"탁발규, 이놈이 전쟁을 무슨 장난으로 아는 모양이구나."

난한은 많은 전쟁을 겪었다. 이미 그는 적들이 공성전을 벌일 생각도 없이 그저 시위만 하는 것을 보고, 저러다 제풀에 지치면 돌아갈 것이려니 짐작하고 있었다.

그러나 난한의 휘하에는 형 난제蘭堤와 난가난蘭加難이 있었다. 쌍둥이인 두 사람은 성주 난한의 형들로, 우애가 매우 깊었다. 모용수는 이러한 난씨 삼형제에게 후연 북방 경계인 참합피성을 맡겨놓고 있었던 것이다.

"저 자식들이 우릴 놀리고 있네? 당장 달려가 요절을 내야겠다."

성질이 좀 급한 큰형 난제는 말고삐를 잡아당기며 당장이라도 성문을 열고 달려 나갈 기세였다. 그의 동생인 성주 난한이 말렸다.

"형님, 안 됩니다. 북방으로 보낸 첩자들에 의하면 탁발규가 군사 2만을 이끌고 온갖 피리를 불고 징을 치며 진군해 왔다고 들었습니다. 탁발규가 요란을 떠는 것은 싸울 의지가 없기 때문입니다. 그저 우리를 놀려주겠다는 속임수입니다. 그러니 우리는 굳건하게 성을 지키면서 저들이 하는 양이나 구경하면 됩니다."

"아우! 우리 군사들의 사기도 생각해 봐야지. 저렇게 놀려대는데 가만히 있으면 졸개들이 우리 장수들을 겁쟁이로 알 것 아닌가? 소문엔 적들이 2만이라 하지만, 요란을 떨며 진군해 온 것을 보면 우리를 속이기 위한 전략임이 분명하다. 지금 보니 기천에 불과해. 군사 5천만 내주면 당장 성문을 열고 달려나가 일격에 적들을 격퇴하고 탁발규를 산 채로 묶어 오겠다."

이렇게 나선 것은 성주의 둘째형 난가난이었다.

쌍둥이 형제는 둘 다 욕심이 많아 전투에서 먼저 공을 세우려고 용맹을 다투었다. 그보다 두 살 어린 성주 난한이 오히려 어른스러울 정도로 침착한 편이었다. 전진의 부견 휘하 장수로 있을 때 모용수는 삼형제 모두 수하로 두고 있었는데, 오래도록 두고 본 결과 동생인 난한의 성격이 무난하고 지혜로운 머리도 갖고 있어 참합피의 성주로 삼은 것이었다.

"탁발규를 너무 얕잡아보아선 안 됩니다. 지금 북위는 북방의 잔존 세력들을 모두 제압한 후 우리 연나라까지 넘보려 하고 있질 않습니까? 지금까지 북위는 우리와 우호관계를 맺고 있었습니다. 그런데 이번에 처음으로 탁발규가 반기를 들고 공격을 해온 것입니다. 아마도 중산에 볼모로 잡혀 있는 동생 탁발고 때문에 군사를 일으킨 것 같습니다. 저렇게 적들이 요란을 떨면서도 성을 공격하지 않는 것은 우리의 군세를 떠보기위한 속임수입니다."

"아우, 탁발규가 우리 군세를 떠보는데 가만두고 있으면 앞으로 더욱 얕잡아볼 것 아닌가? 자라나는 나무는 여린 싹이 올라올 때 아예 발뒤꿈치로 짓뭉개버려야만 해. 그놈이 팔뚝 굵기로 자라면 칼이 있어야 하고, 몸통만큼 자라면 도끼로 찍어내야 한다. 그런 수고로움을 덜려면 이번 기회에 저놈들을 초전에 박살내 다시는 우리 성을 넘보지 못하게 해야지."

다시 난제가 나섰다.

"적은 저 뒤 산림지대에 복병을 숨겨두고 있을지도 모릅니다. 2만이란 첩보가 정확하다면, 틀림없이 저들 기천의 병력 뒤에 1만 5천 이상의 복병이 대기하고 있을 것입니다."

"성주! 내게 군사 2천만 주면 일단 적들이 어떻게 나오는지 시험을 해보겠다. 치고 빠지는 전략으로 나가면서 적들의 행동을 살펴보면, 과연 뒤에 복병을 숨겨두었는지 그렇지 않은지 금세 알 수 있을 것 아닌가? 만약 적들이 쳐들어왔는데도 아무런 대거리를 하지 않았다는 것이 중산 도성에 알려지게 되면 크게 문책을 당할까 그것이 염려되기 때문이다."

큰형 난제의 말을 듣고 나자 성주 난한도 일리가 있다고 생각했다.

후연의 도성 중산에 있는 모용수는, 북위의 탁발규 세력이 점차 커지면서 바짝 북방 변경에 신경을 곤두세우고 있었다. 더구나 북위의 사신 탁발고를 도성에 인질로 잡아두고 있는 이상, 탁발규가 어떻게 나올지 예의 주시하고 있을 것이 틀림없었다.

"하긴 형님 말에도 일리가 있습니다. 군사 2천을 이끌고 나가 싸우되, 될 수 있으면 접근전은 피하면서 적들이 어떻게 나오는지 동태파악만 해보십시오. 만약 적들이 공격해 올 경우 반드시 군사를 거두어 성안으로 들어와야 합니다. 뒤쫓아 오는 적들은 성안에서 화살을 쏘아 더 이상 접근하지 못하도록 지원을 하겠습니다."

난한은 큰형 난제에게 단단히 이른 후 군사 2천을 내주었다.

"아우, 나도 출전케 해주게."

난가난이 벌겋게 달아오른 얼굴로 소리쳤다.

"둘째형님은 여기서 양군의 싸움을 보고 있다가 큰형님이 후퇴하여 성으로 들어올 때 군사들로 하여금 화살을 쏘아 회군 시간을 벌도록 해주어야 합니다. 그 임무 또한 막중하니, 그리 알고 궁수들을 쇠뇌로 무장시켜 장거리까지 화살을 쏠 수 있게 준비해 두도록 하십시오."

성주 난한의 말에 난가난도 더 이상 떼를 쓸 수 없었다.

마침내 난제가 군사 2천을 이끌고 성문을 나서자, 탁발규가 언덕 위에서 소리쳤다.

"네가 성주 난한이란 놈이냐? 네놈의 모가지를 가지러 나 탁발규가 왔다."

탁발규는 휘하 장수들이 먼저 나가겠다고 하는데도, 애써 자신이 직접 나서려고 칼을 빼어들었다.

"난씨 형제들을 잡는데, 폐하가 직접 나설 것까지 없습니다. 소자가 저놈의 목을 따오겠습니다."

탁발규 옆에 서 있던 장자 탁발사가 먼저 말에 채찍을 가하며 달려 나갔다. 젊은 아들의 혈기가 염려스럽긴 했지만, 일단 한 발 앞질러 나갔으므로 탁발규도 주춤한 채 사태의 추이를 두고 보기로 했다.

양군이 들판에서 맞선 가운데, 난제가 언월도를 들고 앞으로 나서면서 대거리를 했다.

"네놈이 못난 난씨 형제들 중 하나렷다. 나는 성주 난한을 상대하러 왔다. 네놈이 난한이 아니라면 어서 돌아가 성주를 불러내거라."

탁발사는 일단 상대가 어찌 나오나 보려고 시비를 걸고 나섰다.

"감히 우리 난씨 형제들을 모욕하다니? 하룻강아지 범 무서운 줄 모르는 놈이로구나. 이제 보니 아직 머리에 피도 안 마른 어린놈이 아니더냐? 애송이는 물러가고 탁발규보고 직접 나서라고 해라."

난제도 응수를 해왔다.

"주제에 흰 수염을 달았다고 말이 많구나. 전투를 말로 하자는 것이냐? 자, 덤벼라!"

탁발사는 구겸창으로 난제의 가슴을 겨냥하며 달려들었다.

"어린놈이 제법이군! 나는 성주 난한의 큰형 난제다. 이 언월도로 단칼에 네놈의 목을 잘라주마."

난제가 소리쳤다.

"난제야, 이놈아! 너희 난씨 삼형제가 한꺼번에 덤벼도 무서워할 내가 아니다. 이 탁발사의 창으로 네놈의 몸을 양고기 산적처럼 만들어주마."

탁발사도 맞받아쳤다.

"탁발사? 그럼 네놈이 바로 탁발규의 아들이로구나. 어린놈하고 장난하기 싫으니, 네놈의 아비를 나오라 일러라."

난제가 탁발사의 구겸창을 언월도로 가볍게 막으며 대거리했다.

언월도와 구겸창이 허공에서 부딪치자 햇빛에 번뜩이며 날카로운 쇳소리가 났다. 양군이 함성을 지르는 가운데 두 장수는 한데 어우러져 여러 합을 다투었다. 그러나 실력이 비등해 누구도 꿀리지 않았다.

난제의 언월도는 상대의 목을 치기 위해 허공을 갈랐고, 그때마다 탁발사는 구겸창으로 막거나 말 등에 납작 엎드려 아슬아슬하게 피해 나갔다. 또한 탁발사는 구겸창으로 상대의 목을 걸어 말에서 떨어뜨리려고 했으나, 난제 역시 언월도로 막거나 허리를 좌우상하로 꺾어 위기를 모면했다.

10여 합을 싸웠을 때, 탁발사는 숨을 헐떡거리며 말을 돌려 달아나기 시작했다. 아무래도 실력 면에서 탁발사는 노련한 난제를 당할 수 없었던 것이다. 그래서 회유책을 쓰기로 했다.

실전 경험이 많은 장수는 몇 번 접전을 해보면 상대의 실력을 꿰뚫어볼 수 있었다. 금세 상대의 허점을 발견한 난제는, 그 기회를 놓치지 않고 탁발사를 사로잡기 위해 추격했다. 서너 발자국만 쫓아가면 따라잡을 것 같은데, 상대는 용케도 좌우로 말을 몰며 빠져나갔다.

이때 북위의 군사들이 한꺼번에 달려 나와 난제와 후연군 사이를 파고들었다. 양군은 들판에서 맞붙었고, 뒤늦게 사태를 파악하고 후퇴를 하려던 난제는 북위군에게 막혀 돌아갈 길을 잃었다. 자신의 군사들과 동떨어지게 되자 그는 내친김에 끝까지 탁발사의 뒤를 추격하는 길밖에 없었다. 조금만 더 달리면 상대를 사로잡을 수 있다는 욕심이 앞서 난제는 자신의 말을 멈추게 하지 못했다.

들판을 지나 언덕을 하나 넘어섰을 때였다. 산자락에 숨어 있던 북위의 군사들이 한꺼번에 쏟아져 나와 난제를 포위했다. 속았다고 느낀 그가 급히 말을 멈추었을 때였다. 바로 그 순간 말 머리를 돌린 탁발사가 구겸창을 뻗어와 갈고리 부분으로 그의 어깨를 걸었다. 졸지에 난제는 말 아래로 떨어져 땅바닥에 데굴데굴 굴렀다. 다시 일어서려는데, 탁발사의 구겸창 끝이 그의 목을 겨누고 있었다.

난제는 결국 탁발사의 유인 작전에 속아 포로 신세가 되고 말았다.

장수를 잃은 후연의 참합피 군사들은 급히 후퇴하여 성안으로 들어가거나, 뒤처진 군사들은 오합지졸이 되어 들판으로 뿔뿔이 흩어져 달아났다. 성안에서 후연군의 화살이 날아오자, 북위군은 추격을 멈추고 곧바로 후퇴했다.

"인질을 확보했으니 소기의 성과는 거두었다."

탁발규는 장자 탁발사가 인질로 잡은 난제를 꽁꽁 묶어 말 위에 태우고 보무도 당당하게 회군했다. 다만 성주 난한이 아닌 큰형 난제를 사로잡은 것이 조금 아쉬웠지만, 탁발고와 난제를 교환하자고 제의하면 난한이 큰형을 구하기 위해 적극 나설 것이라고 탁발규는 생각했다.

평성으로 회군한 뒤 탁발규는 참합피 성주 난한에게 사신을 보내 중산에 억류돼 있는 동생 탁발고와 인질로 잡은 난제를 교환하자고 제의했다. 큰형 난제가 사로잡힌 것을 분통해 하던 난한은 다급한 나머지 곧바로 탁발규의 서찰을 중산의 모용수에게 보냈다.

탁발규의 서찰을 받아본 모용수는 입술을 비틀며 웃었다.

'작전대로 되었군!'

모용수는 성주 난한은 신뢰하지만 그의 큰형 난제에 대해서는 전부터 썩 마음 내켜하지 않는 편이었다. 성질만 급해 전장에서 사고를 자주 쳤는데, 미루어 짐작하기에 이번에도 아마 그랬을 것이라고 판단했다. 따라서 북위의 사신 탁발고와 인질 교환을 할 만큼 중요한 인물로 여기지도 않았다. 어차피 탁발규가 화를 참지 못해 군사를 일으키도록 하기 위한 전략이므로. 애초부터 무슨 핑계를 대서라도 탁발고를 죽일 생각이었다.

"여봐라! 북위 사신 탁발고를 당장 끌어내 효수토록 하라!"

모용수의 명이 떨어지기 무섭게 졸개들은 탁발고의 목을 베어 도성 밖 장대에 높이 내걸었다. 북위의 첩자들이 그것을 보고 곧바로 탁발규에게 전하도록 하기 위해서였다.

5

대흥안령산맥을 타고 남쪽으로 내려오던 고구려 태왕 담덕의 전렵 행렬은 동쪽으로 방향을 트는 서요하의 물줄기를 따라 마침내 산을 버리고 들판으로 나섰다. 물줄기는 낮은 방향으로 흐르되 앞에 가로막는 둔덕이 있으면 휘돌아나가면서 흙을 깎아내 충암절벽을, 지대가 낮은 곳에는 흙과 모래를 쌓아 삼각주 같은 기름진 옥토를 만들어주었다. 그런 흐름의 곡선을 따라 강둑이 형성되고 자연스레 그 위로 길 또한 끝없이 이어져, 태극군의 행렬은 길게 사행蛇行을 그리며 나아갔다.

담덕은 서요하를 거쳐 동요하와 만나는 합수지점에서 본격적인 요하의 큰 물줄기를 따라 남진하기로 마음먹었다. 요하 주변에는 크고 작은 산들도 많아서 곳곳에 군사적 요충지가 산재해 있었다.

고구려 서북 변방의 주요 성곽으로는 요하 물줄기를 따라 북쪽에서부터 용수산성龍首山城(요원), 신성新城(무순), 개모성蓋牟城(심양), 백암성白巖城(등탑), 안시성安市城(해성), 건안성建安城(개평), 비사성卑沙城(대련만 북안) 등이 조성되어 있었다. 그리고 그 중간 백암성과 안시성 사이의 교통 요지에 요동성遼東城(요양)이 위치해 있었다.

이러한 성들 중에서도 요하 지역에서 너른 들판을 차지한 가장 중요한 성이 바로 요동성이었다. 그런데 고구려는 그 성을 10여 년간 후연에 넘겨준 채 되찾지 못하고 있었다. 양평도 지역 관할의 요동성은 요하 동편에서 서쪽의 중원 땅을 바라보고 그 좌우에 각기 요새로 이루어진 산성들을 날개처럼 펼치고 있었다. 독수리로 말하면 요동성은 몸통에 속했는데, 고구려는 좌우 날개만 가졌지 몸통을 후연에 내주고 있는 꼴이었다.

고구려로서는 부쩍 자존심 상하는 일이 아닐 수 없었다. 태왕 담덕이 즉위 직후부터 남쪽의 백제와 끊임없이 전쟁을 벌이는 바람에 미처 요동에 대해 신경을 쓰지 못한 탓도 있었다. 이번에 서북 변경의 비려부를 정벌하고 나서 대흥안령산맥을 따라 남쪽으로 태극군을 진군시킨 것은, 단순한 전렵 행사가 아니라 요하 일대의 각 성들에 대한 군기점검을 하겠다는 목적도 갖고 있었다.

대흥안령 남쪽 서요하의 물줄기가 동쪽으로 들판을 가로지르고 흐르면서부터 구릉 사이로 난 길은 대체로 평탄했다. 태극군이 서요하와 동요하의 합수지점에 도달했을 때, 가장 먼저 군사를 이끌고 달려온 것은 신성의 성주 연포였다. 오래도록 신성을 지키던 성주 연수는 이미 노환으로 세상을 떠났고, 그의 아들 연포가 대를 이어 성주 자리를 지키고 있었다.

"신성의 성주 연포가 태왕 폐하를 뵈옵니다."

서요하와 동요하 사이의 너른 들판에 군사를 집결시킨 연포가 태왕 담덕에게 군례를 올렸다.

담덕은 10여 년 전 부왕인 고국양왕이 요동성에서 후연군을 몰아내고, 요하를 건너 현도성을 공격할 때의 기억을 떠올렸다. 그때 담덕은 왕자의 신분으로 전투에 참가해 연포와 함께 양동작전을 펴서 기습으로 현도성을 점령한 바 있었다.

"연포 장군! 오랜만이오. 옛날 현도성 전투가 생각납니다."

"폐하! 지난 관미성 전투에 소장이 참여하지 못한 것을 용서해 주십시오. 당시엔 성주이신 아버님의 병환이 위독하여……."

연포가 담덕 앞에 머리를 조아렸다.

"알고 있었소. 그때 1천의 군사를 보내주지 않았습니까?"

"군사를 지원하는 것이야 당연한 일이옵고……."

"헌데, 장군! 이 많은 군사를 사열시킨 이유가 무엇이오?"

담덕이 물었다. 사열하고 있는 군사는 1천이 넘어 보였다.

"폐하께서 태극군을 이끌고 대흥안령산맥을 따라 전렵 행사를 진행하고 계신다는 소문을 진작부터 들었사옵니다. 저희 신성의 군사들도 참여케 해주십시오. 기꺼이 길안내를 맡겠사옵니다."

연포는 태극군의 전렵 행렬 최종 목적지가 요동성임을 간파하고 있었고, 그것은 전렵을 빙자한 요동 공격의 전략이라 판단하고 지원을 나온 것이었다.

담덕은 빙그레 미소를 지었다. 연포와 눈빛을 나누면서 두 사람의 마음은 곧바로 통했던 것이다. 그래서 거부감 없이 연포의 신성 군대를 전렵 행렬에 참여시켜 길잡이로 삼았다.

태극군의 전렵 행렬은 요하 본류를 따라 계속 이어졌다. 신성을 거쳐 건안성·개모성·백암성에 이르기까지 각 성에서 몰이꾼으로 참여한 군사들이 늘어나 전렵 행렬의 규모는 어느 사이 1만 가까이 되었다. 미리 전령을 보내지도 않았는데, 각 성의 성주들은 신성의 연포처럼 군사들을 이끌고 나와 태왕 담덕의 사열을 받았던 것이다.

사기충천한 군사들을 보고 담덕은 마음이 든든했다. 그래서 이번에는 백암성에 들어가 하루를 편히 묵기로 했다.

백암성은 동북서 삼면을 거대한 성벽이 높다랗게 둘러싸고 있으며, 태자하가 흐르는 남쪽은 백 길이 넘는 깎아지른 절벽을 그대로 활용한 천연의 요새였다. 돌로 성을 쌓았다 해서 달리 석성산石城山이란 이름이 붙었으나, 산이라기보다는 들판에서 조금 경사진 언덕을 오르는 정도라고 해야 옳았다. 그래서 멀리 들판 끝에서 바라보면 흰색 화강암으로 쌓은 성벽이 사람의 키로 다섯 배 이상 높아 보여 철옹성의 위용을 갖추고 있었다.

태극군과 각 성에서 차출된 군사들은 백암성 앞 들판에 영채를 세운 채 야영을 하고, 담덕은 백암성 젊은 성주의 안내를 받아 모처럼만에 성안의 관저에서 편안한 하루를 보내게 되었다. 고국양왕이 요동성을 공략할 때 버드나무 부채 전략으로 큰 전공을 세운 바 있는 백암성 성주 설지후는 이미 세상을 떠났고, 그의 아들 설기정이 대를 이었다. 신성이나 백암성이나 이젠 그 아들 세대가 변방을 지키는 장수가 되어 있었다. 고국양왕의 대를 이어 담덕이 태왕으로 등극한 것과 다르지 않았다. 이미 고구려는 정치적 군사적으로 세대교체가 이루어져 젊음의 패기를 갖춘 인물들로 재정립되고 있음을 알 수 있었다.

태왕 담덕은 백암성 관저의 뜨듯한 구들장에 등을 대자 오히려 잠자리가 불편한 느낌조차 들었다. 아니 불편하다기보다 종전까지의 야전생활과 너무 환경이 달라 생소한 기분을 쉽게 떨쳐버리기 어려웠던 것이다. 그는 비려부를 떠나 오래도록 전렵 행사를 하면서 줄곧 태극군과 함께 야영을 해왔다. 군사들과 숙식을 같이했던 것이다. 사냥한 사슴이나 꿩을 식량 삼아 날것과 구운 것 가리지 않고 고기를 뜯었고, 야기夜氣가 찬 천막에서 덜덜 떨며 잠을 잤다. 바닥에 짐승의 털가죽을 깔았지만, 땅에서 올라오는 냉기를 막기에는 역부족이었다. 더구나 천막 사이로 들이치는 찬바람은 두꺼운 가죽옷을 뚫고 여지없이 바늘 끝처럼 살갗으로 파고들었다. 그러나 그 모두가 따지고 보면 야생 적응 훈련이었던 것이다.

그렇게 야생의 잠을 자다 백암성 성주의 극진한 접대를 받고 편안한 잠자리에 들자, 담덕은 곧바로 꿈의 나락으로 떨어졌다. 꿈속에서도 그는 사냥을 하고 있었다. 초원에서 말을 달려 흰 사슴을 쫓고 있었다. 유난히 털이 희고 머리 위의 관이 매우 아름다운 백록白鹿이었다. 그 사슴은 숲이나 바위 뒤로 숨었다 나타났다 하면서 그를 어디론가 유도해 가고 있었다. 화살을 날려 잡고 싶었으나 참았다. 어쩐지 흰 사슴의 피를 보고 싶지 않았던 것이다. 언덕 위의 평평한 지역에 다다랐을 때, 주위로 일순 오색구름이 몰려들었다. 한동안 흰 사슴을 찾아 헤매는데, 어느덧 구름이 걷히고 그 자리에는 회색 가사를 걸친 노승이 지팡이를 짚고 서 있었다. 노승은 아무 소리도 없이 지팡이로 땅 위의 어느 한 곳을 가리키더니, 불현듯 사라져버렸다. 갑자기 어디로 숨을 곳도 없는데, 물처럼 땅속으로 스며들듯 자취를 감추고 말았다.

잠에서 깨어난 담덕은, 방금 꿈에서 본 흰 사슴이 마치 눈앞에 있는 듯 선연하게 떠올랐다. 대개 잠에서 깨어나면 방금 무슨 꿈을 꾸었는지 기억이 희미하거나 생각이 잘 나지 않는데, 백록에 대한 꿈은 생시처럼 너무 또렷하게 그의 머릿속에 각인되어 있었다.

다음날 태극군의 전렵 행렬은 백암성을 떠나 양평도로 향했다. 태자하는 요하의 지류이므로 그 물줄기를 따라 형성된 야트막한 산들을 여러 개 넘으면 마침내 요동성이 보이는 언덕에 도달하게 되어 있었다. 무려 1만이 넘는 군사가 이동하면 요동성의 후연군도 겁을 잔뜩 집어먹을 수밖에 없을 것이었다. 그 언덕에서 함성만 질러도 기가 죽게 되어 있었다.

마침내 요동성이 잘 바라다보이는 언덕에 도달했는데, 거기서 담덕은 깜짝 놀랐다. 지난밤 꿈속에 본 곳과 그 지형이 너무도 똑같았던 것이다. 바로 서쪽 계곡 아래로 유유히 요하의 물줄기가 흘러가고 있었고, 강 건너에 끝없이 펼쳐진 요서 지역의 평원이 한눈에 들어왔다.

담덕은 주위를 살피다가, 문득 옆에 있는 호위무사 마동에게 눈에 익은 장소를 지적했다. 꿈에 본 흰 사슴이 노승으로 변했다가 물처럼 스며든 바로 그곳이었다.

"마동아! 수하들을 시켜 이곳을 파보게 하라!"

태왕의 명을 받은 마동은 병사들에게 곧 땅을 파도록 했다.

서너 명의 병사들이 땅을 파기 시작했다. 한 길쯤 팠을 때 가마솥을 엎어놓은 것 같은 바위가 나왔고, 그것을 들치자 그 안에서 지팡이와 신이 발견되었다. 바로 담덕이 꿈속에서 보았던 노승의 지팡이와 신이 분명했다. 조금 더 아래로 파고 내려가니 석편이 하나 보였다. 자연석이 아니라 사람이 깎아 만든 돌조각이었는데, 그 석면에 이상한 글자가 새겨져 있었다.

담덕은 문득 천축승 순도와 아도의 얼굴이 떠올랐다. 순도는 이미 나이가 들어 입적入寂했고, 아도는 석정과 함께 범어로 된 불경을 번역하는 일에 몰두하고 있었다. 그러고 보니 간밤에 보았던 노승은 순도를 닮은 것 같기도 했는데, 그런 생각이 드는 순간 그는 문득 석편에 암각된 글씨가 범어일지도 모른다는 느낌을 강하게 받았다.

'그래! 이건 천축의 글자인 범어가 틀림없어.'

담덕은 어린 시절 스승이었던 석정이 아도에게 범어를 배우겠다며 이상한 글자로 된 책을 자주 들여다보던 기억을 떠올렸다.

"여봐라! 이건 귀중한 보물이다. 깨끗이 물에 씻어 잘 보관했다가 국내성으로 가지고 가자."

담덕은 이상하게 기분이 좋았다.

"태왕 폐하! 어찌하시겠습니까? 우리 군사들이 타고 온 산

능선이 양평도의 경계이고, 저 아래 보이는 성곽이 바로 요동성입니다."

신성의 성주 연포가 말했다.

능선에서 내려다본 요동성의 성곽은 매우 견고해 보였고, 바람에 펄럭이는 황색 기치들이 하늘을 찌를 듯한 위용을 보여주고 있었다. 성벽을 지키는 군사들의 창칼도 강한 햇살에 반사되어 그 날카로운 빛이 공중으로 튀었다. 그 예기銳氣가 자못 살벌해 보였다.

"후연 군사들이 매우 긴장해 있는 것 같군!"

담덕이 혼잣소리처럼 말했다.

"적들은 진작부터 우리 고구려 군사들이 양평도를 향해 진군해 오는 줄 알고 있었을 것이고, 그에 대한 대비책을 철저히 강구해 놓았겠지요. 더구나 양평도에 가까워지면서 점차 군사들의 수가 늘어나고 있는 걸 저들도 모르지 않았을 겁니다."

연포의 말에 담덕은 잠시 생각을 가다듬었다. 애초에 전렵 행렬을 이끌고 올 때 여차하면 요동성까지 들이칠 각오를 하고 있었다. 그런데 간밤의 꿈 때문인지 이상하게도 피를 보고 싶지 않았다.

"그렇다면 겁을 주기로 했으니, 우리 한번 함성을 질러봅시다. 우리 고구려 군사들의 기를 모아 저들의 오금을 저리도록 해줍시다."

"하오면, 요동성 공략은 하지 않으시겠다는 말씀이옵니까?"

연포가 고개를 갸우뚱거렸다. 상황이 묘하게도 짐작과 다르게 돌아가고 있다고 판단했던 것이다. 그는 담덕이 겉으로는 전렵 행사를 내세웠지만, 내심으론 분명 요동성을 공격하리라고 판단하고 있었던 것이다.

"오늘 아주 귀중한 보물을 얻었습니다. 저 석편에 새겨진 글자는 범어일 것인데, 부처님께서 우리 고구려에 좋은 선물을 하신 것 아니겠습니까? 이런 좋은 날 전투를 해서 군사들의 피를 흘리게 할 수는 없습니다. 그러니 각 성에서 온 군사들은 돌아가도록 하십시오."

"폐하께선 이제 국내성으로 회군하실 계획이십니까?"

"기왕에 나선 길입니다. 일단 요동성을 우회하되, 다시 요하의 물줄기를 따라 안시성과 비사성을 거쳐 발해만까지 갈 것입니다. 거기서 다시 배를 타고 항해하여 발해를 거쳐 압록강으로 거슬러 올라가면 국내성에 다다르게 됩니다. 산동성에 있는 해룡부의 탁보 장군에게 연락해 군선을 보내라고 하면 육로보다 해로가 더 편안한 길이 되겠지요."

담덕이 이렇게 계획을 세운 것은 어차피 군사 훈련을 겸해 전렵 행사를 하는 바에야 태극군의 모든 군사들로 하여금 체력 단련도 시키면서 더불어 서북 변방의 지형지물도 익히게 할 셈이었다. 지금은 요동성을 놔두고 가지만 몇 년 후면 원정군을 이끌고 반드시 다시 와야만 할 곳이었다.

"자, 요동성이 떠나갈 정도로 함성을 지른다. 목이 터져라 외쳐라. 그래도 목이 쉬지 않는 자는 엄벌에 처할 것이다. 함성 시작!"

신성의 성주 연포가 목소리를 높이자, 고구려 군사들은 일제히 함성을 지르기 시작했다.

우, 우, 우!

와, 와, 와!

고구려 군사들의 함성이 우레처럼 쏟아지자, 갑자기 요동성 안의 후연 군사들 움직임이 바빠졌다. 곧 전투가 시작되는 줄로 알았던 것이다. 눈사태처럼 언덕 위의 고구려 군사들이 쏟아져 내려올 것에 대비해 잔뜩 긴장해 있음에 틀림없었다. 하늘을 찌를 듯한 창칼의 예리함이 그러했다.

바로 그때였다. 언덕길을 숨차게 헐떡이며 달려오는 기병이 있었다. 붉은 깃발이 말 등짝에 꽂혀 있는 것을 보면 급한 임무를 띠고 달려오는 사령임을 짐작하기 어렵지 않았다. 삼족오가 그려진 그 붉은 깃발은 곧바로 역참의 사령이란 걸 알려주고 있었다.

"태왕 폐하! 백제군이 부소갑을 공격하기 위해 한수를 건넜다 하옵니다."

사령병은 곧 품속에서 왕당군 대장군 우적의 서찰을 꺼내 태왕 담덕에게 전했다. 국내성에서 보낸 그 서찰은 요동성까지 몇 차례에 걸친 역참을 통과해 전달된 것이었다. 역참마다 사령병이 대기하고 있다가 서찰을 건네받아 전속력으로 말을 달려 목적지에 도달하는 연락체계를 갖추고 있었다. 그만큼 역참 제도가 잘 정비되어 있어서, 거란을 정벌한 태극군이 대흥안령산맥을 따라 요동성까지 진군한 것을 국내성에서도 잘 알고 있었던 것이다.

"흐음! 아신이 결국 군사를 일으켰구나. 전렵 행사는 여기서 끝을 내야겠다."

담덕은 계획을 바꾸어 곧 태극군을 이끌고 국내성으로 회군했다.

그런데 급히 서둘러 국내성에 당도했을 때, 태왕 담덕에게 희소식이 들어와 있었다. 백제왕 아신이 군사 7천을 이끌고 부소갑 북편 청목령 아래에 이르렀으나, 갑자기 대설을 만나 동사하는 군사들이 많아지자 미처 싸워보지도 못하고 회군했다는 것이다.

그 소식을 접하고 나서, 담덕은 마음속으로 중얼거렸다.

'요동성 언덕에서 값진 보물을 얻었더니, 하늘이 우리 고구려를 도와주는구나.'

제5장

백제 한성 공략

1

396년(영락 6년) 정월 초, 태왕 담덕은 노승 석정과 이불란사의 주지 아도를 왕궁으로 청했다. 평양성에 아홉 개 절을 창건한 석정은 순도가 입적하고 나서 초문사로 와서 주석했다. 가까운 거리에 있는 이불란사의 주지 아도는 석정과 함께 불경을 번역하느라 자주 만났다.

석정과 아도는 이미 백발이라 깎은 머리이긴 하지만 살짝 싸락눈이 내린 듯 정수리가 서늘해 보였다. 그러나 두 노승의 형형한 눈빛만은 한겨울에도 뜨거운 잉걸불처럼 이글이글 타오르고 있었다. 그들이 편전으로 들어서자, 용상에 높이 앉아 깊은 상념에 잠겨 있던 담덕이 벌떡 일어나 탁자 쪽으로 걸어 나오며 말했다.

"날씨가 꽤나 추운데, 오시라 했나 봅니다."

"오랜만에 폐하를 뵙습니다. 지난 연말 거란군을 물리치고 개선하셨다고 들었습니다만, 게으른 빈도가 해를 넘겨서야 문안을 드리게 되었습니다. 승전을 감축드리옵니다."

석정이 걸걸한 목소리로 대답했다.

"새해를 맞아 폐하의 용안을 뵈니, 우리 고구려의 기상이 느껴집니다."

천축승 아도는 이제 고구려인처럼 말도 아주 자연스러웠다.

"새해 벽두부터 큰 스승님들의 과분한 상찬을 들으니 몸 둘 바를 모르겠습니다. 어서들 앉으시지요."

담덕은 두 노승에게 탁자 앞의 의자를 가리켰다. 붉은 융단이 깔린 탁자 위에 다과가 준비되어 있었다.

"밖이 매우 춥지요? 방금 끓인 차입니다. 어서 드시지요."

담덕이 차를 먼저 권했다.

"춥다니요? 아직 기운이 펄펄 납니다. 폐하께서 원정하신 서북 변방의 맹추위에 비하면 이곳 국내성은 봄 날씨와 다름없지요."

석정이 너털웃음을 웃었다.

"천축의 날씨는 매우 덥다고 들었는데, 아도 스님께선 이곳에서 겨울나기가 매우 힘드시겠습니다."

담덕은 석정에게 던져두었던 시선을 아도에게로 옮겼다.

"폐하! 소승은 이미 고구려인이 다 되었습니다. 천축의 날씨를 잊은 지 오래이옵니다."

"하하하! 아도 스님도 이제 고구려 말에 아주 능숙해지셨습니다. 고구려인이 맞습니다."

담덕이 웃자 두 노승도 따라서 껄껄대고 파안대소를 했다.

차를 마시고 다과를 들면서 서로 덕담을 나누다가, 문득 담덕이 내관에게 명했다.

"요동에서 가져온 보물을 두 스님께 보여드리도록 하라."

담덕이 석정과 아도를 부른 것은 요동성 언덕에서 캐낸 석편에 새겨진 글자가 궁금해서였다.

석편은 그리 크지 않아서 솜씨 좋은 목수가 정성을 기울여 짠 오동나무 상자에 들어 있었다. 내관이 나무 상자를 열자 황금빛 부드러운 천에 감싸인 석편이 나왔다.

담덕은 꿈에 흰 사슴을 본 이야기에서부터 요동성이 잘 내려다보이는 언덕에서 석편을 발견하게 된 경위를 자세히 설명했다. 그리고 그 석편에 새겨진 글자가 범어가 아닌지 물었다.

석편의 명문銘文을 본 두 노승은 벌떡 일어나더니 급히 두 손을 모았다.

"나무관세음보살!"

두 노승의 입에서 동시에 흘러나온 소리였다.

"폐하께서 말씀하신 대로 이 글자는 범어가 맞습니다. 부처님이 귀중한 보물을 우리 고구려에 보내셨군요."

석정이 먼저 말했다.

"석편에 새겨진 글씨는 무슨 내용인지요?"

담덕이 아도를 바라보았다.

"이것은 아육왕 비문의 일부입니다. 천축 말로 '아소카왕'이라고 하는데, 저 중원에선 한자로 음사音寫를 하여 '아육왕'이라고 부르지요. 아육왕은 천축의 여러 나라를 통일시키는 큰 업적을 남겼지만, 많은 전쟁을 치르면서 무수한 사람이 희생당하는 것을 보았습니다. 어느 전투에선가는 무려 적군 10만, 아군 1만이 죽었습니다. 전쟁이 나면 직접 전투에 나선 군사들만 희생당하는 게 아니지요. 그 나라 백성들도 많이 죽습니다. 남편을 잃은 여인, 아버지를 잃은 자식, 아이를 잃은 부모 등……. 전쟁으로 인한 피비린내 나는 참상을 두 눈으로 목격하고 나서, 아소카왕은 전격적으로 불교를 받아들이게 되었습니다. 그는 천축을 완전히 통일하지 못했지만, 전쟁을 종식시키고 자신이 정복 전쟁을 치르면서 많은 사람을 희생시킨 곳곳의 지역에 비석과 돌기둥을 세웠습니다. 그리고 그 석판에 부처의 가르침을 아로새겨 만인이 보고 실천하도록 힘썼습니다. 이 석편의 글자는 그런 비석이나 돌기둥에 새겨진 석판의 내용 중 일부입니다. 천축에서부터 요동까지 누가 어떤 목적으로 이 석편을 옮겨왔는지는 알 수 없습니다. 아마도 소승처럼 중원에 불교를 전파하기 위해 온 천축승 가운데 한 명이 아닐까 짐작은 됩니다 만⋯⋯."

아도는 말을 끝내며 다시 석편을 향해 두 손을 모았다.

"아육왕에 대해서는 전부터 순도 대사나 여기 계신 두 분 대사님으로부터 익히 들어온 바입니다. 헌데 이 명문의 뜻은 무엇인지요?"

담덕이 석편의 명문을 유심히 들여다보며 물었다.

"아도 대사의 말씀처럼 아육왕의 비석이나 돌기둥이 부서져 떨어져 나간 조각이라 글이 잘 연결되지는 않사옵니다. 하오나 부처님의 설법을 새긴 것이므로, 그 내용은 모든 이에게 귀감이 되리라 사료되옵니다. 몇 개의 단어를 통해 유추해 볼 때, 육식과 살생을 금하라는 내용 같습니다. 흰개미, 앵무새, 돌고래까지 거론되는 것을 보면 작은 생명이든 큰 생명이든 모두 소중한 존재이므로 함부로 죽이지 말라는 뜻이 생략되어 있는 듯하옵니다."

석정의 명문 해석에 담덕은 한참 동안 머리를 끄덕거렸다. 그러다가 문득 그는 태극군을 이끌고 대흥안령에서 전렵 행사를 하며 요하의 물줄기를 따라 내려올 때 군사들과 함께 사냥감으로 잡은 사슴 고기를 날로 먹었던 기억을 떠올리지 않을 수 없었다. 그 때문에 마음이 조금 찜찜했다.

"아육왕의 비문 중에는 법률에 관한 것도 있습니다. 즉, '사형수는 바로 죽이면 안 되고, 감옥에서 사흘 이상 머무르도록 해야 한다. 이 기간에 사형수가 무죄로 밝혀질 수도 있고, 가족들이 감형의 자비를 호소할 수 있기 때문이다.' 이런 내용을 보고 많은 사람들이 공감을 했다고 들었습니다."

아도의 말에 담덕은 다소 마음이 불편한 가운데도 한동안 얼굴에서 감동한 표정을 지우지 못했다.

"요동에서 이 석편을 얻으셨다면, 이는 어떤 예시를 해주는 것이라 생각하옵니다."

석정이 담덕을 향해 뜻깊은 눈길을 보냈다.

"예시라 하시면……?"

"요동은 우리 고구려 땅입니다. 아직 후연에 빼앗긴 요동성을 되찾지 못하고 있긴 하나, 아마도 불원간 그 땅을 고구려가 회복한다는 예시가 아닐까 사료되옵니다."

"오호! 불원간이라……."

담덕은 그 불원간이 언제일지 마음속으로 헤아려보고 있었다.

"요동을 공략하려면 준비를 할 기간도 필요하니, 아마도 남쪽의 백제군을 더 이상 도발하지 못하도록 한 뒤의 일이 되지 않을까 싶사옵니다. 폐하의 꿈에 흰 사슴이 나타나 저 석편이 있는 곳을 알려주었다는 것은 예지몽이 분명하옵니다. 흰 사슴은 희망과 마음속의 기원이 이루어짐을 상징합니다. 소승은 부처님께옵서 그 땅에 불탑을 세워달라는 염원을 담고 있는 것이 아닐까 하는 생각을 잠깐 해보았습니다."

"불탑이라……?"

담덕은 석정과 아도를 번갈아 바라보았다.

"탑을 세우려면 석탑이든 목탑이든 땅 아래를 파고 심주석心柱石을 묻어야 합니다. 즉 탑의 가운데 기둥을 받치는 주춧돌 말입니다. 만약 태왕 폐하께서 요동성을 회복한 후 석편이 출토된 곳에 탑을 세우신다면, 이것을 심주석 아래 묻으십시오."

한동안 석편의 글씨를 살피던 아도가 고개를 들어 담덕을 바라보았다.

"음, 요동에 탑을 세운다? 두 분 모두 옳으신 말씀을 해주셨습니다. 석정 대사 말씀대로 백제를 평정한 후에 반드시 요동성을 회복하겠습니다. 그리고 아도 대사님 말씀처럼 원정을 나갈 때 이 석편을 가져가서 요동성이 바라다보이는 언덕에 묻고, 반드시 그 자리에 탑을 세우도록 하겠습니다."

담덕은 두 노승 앞에서 단단히 약속을 했다.

"석탑보다는 목탑을 세우도록 하시는 게 좋을 듯싶사옵니다. 이 석편이 나온 곳이 요서 지역을 굽어보고 있는 높은 언덕이라면, 탑을 높다랗게 세워 저 중원의 적들이 감히 무서워 더 이상 요하를 건너오지 못하게 해야 할 것이옵니다. 석탑은 높이 세우기 어려우나 목탑은 하늘을 찌를 듯이 높게 층을 올릴 수 있사옵니다. 9층까지 목탑을 높이 올려, 요서 들판의 까마득히 먼 곳에서도 잘 보이도록 하는 것이 좋겠습니다. 평양에 아홉 개의 사찰을 세운 것처럼, 고구려 변방의 모든 적들을 굴복시키겠다는 의지를 담은 9층 목탑을 세우도록 하십시오. 기왕이면 목탑에 소용될 목재로 태백산의 적송을 가져다 쓰는 것도 의미가 있을 듯싶습니다."

이렇게 말하는 석정은 마치 청년으로 돌아간 듯 어깨에까지 신바람이 얹혀 있었다.

"태백산의 정기를 받고 자란 소나무로 목탑을 세운다? 매우 의미 있는 말씀이십니다. 반드시 그렇게 하도록 하겠습니다. 오늘 두 분 말씀, 너무 고마웠습니다."

담덕은 석정과 아도가 물러가고 나서도 한동안 흥분된 감정에 휩싸여 있었다. 가슴에 올라오는 듯한 어떤 열정이 그의 얼굴로 번져 잉걸불과도 같은 붉은 기운이 감돌았다.

그 후 며칠 동안 담덕은 장고를 거듭했다. 요동성 공격은 많은 군사를 동원해야 하는 큰 전투가 될 것이었다. 그렇다면 남쪽의 백제가 준동하지 못하도록 단단히 방비를 한 후 요동으로 원정을 나가야만 한다고 생각했다.

'그래, 먼저 백제를 제압해야 후환이 없을 것이다.'

태왕 담덕은 이렇게 단안을 내리고 나서, 곧 태대형 추수를 편전으로 불렀다.

"폐하, 불러계시옵니까?"

추수가 편전에 들어와 예를 올렸다.

"오, 장군! 어서 오세요. 긴히 부탁할 일이 있어 장군을 불렀습니다."

담덕은 추수를 남다르게 생각하고 있었다. 모친인 태후와 오래전부터 특별한 친분 관계에 있다는 것을 알고 있었으므로 더욱 도타운 정이 쌓였다. 더구나 을두미 사부가 평소 아끼던 수제자였고, 호위무사 마동의 부친이 되므로 그 인연의 끈이 여러 갈래로 얽혀 있었다.

"군신 사이에 부탁이라니 당치 않사옵니다. 오직 군신은 명령이 있고 복종이 있는 엄격한 관계일 따름이옵니다. 그저 명령만 하달해 주시면 곧 따르겠사옵니다."

"군신 관계라도 장유長幼가 있질 않습니까?"

담덕은 추수와 단지 두 사람이 있을 경우 군신을 따지고 싶지 않았다. 부왕이 유명을 달리한 후 태후가 애써 추수를 국내성으로 불러들인 것은, 담덕이 아직 젊은 군주이므로 곁에서 조언을 해줄 어른이 필요하다고 느꼈기 때문일 것이다.

"장유라니요? 당치도 않은 말씀, 거두어 주시옵소서."

추수가 정좌한 자세로 허리를 꺾었다.

"우리 고구려가 영락이란 연호를 쓰고, 일개 왕보다는 천하를 다스리는 태왕으로 격상시키면서 대신들이 '짐'이란 칭호를 쓰라 하였습니다. 만 백관이 모인 조회와 같은 자리에서 어쩔 수 없을 때 그런 호칭을 쓰기는 하나, 아직 젊은 군주이므로 격에 어울리지 않는 것 같아 애써 꺼릴 때가 많습니다."

담덕의 솔직한 마음이 그러했다. 사실상 중원에서는 황제가 스스로를 '짐'이라 칭하고, 제후들에게는 '과인'이라 쓰도록 하는 것이 관행이었다. 고구려의 경우 중원과는 다른 천하관을 가지고 있으므로, 황제와 그 격을 같이하는 태왕으로 승격해 부르면서 반드시 '짐'이라 쓰는 것이 옳다고 문무백관들은 한목소리로 주장하였다. 이는 또한 고구려 건국 이후 왕들이 써오던 것이고, 신라나 백제도 사용해 오고 있었으므로 당연한 호칭이라 할 수 있었다.

"태왕은 권위의 상징이고, 마땅히 그에 걸맞게 '짐'이란 호칭을 사용하셔야 하옵니다. 천하를 호령하는 군주에게는 장유를 따질 수가 없습니다. 오직 그 아래 신하와 백성들 사이에서만 나이를 가려 우대를 할 뿐, 군주는 그들의 위에 군림하는 존재이므로 달리 '짐'이라 이르는 것이옵니다."

추수는 여전히 정좌한 자세를 풀지 않고 말했다.

"허허, 헛! 마음 편하게 의논하려다 그리되고 말았습니다. 편안한 자세로 들어주세요. 이건 당분간 비밀로 해주셔야 합니다."

담덕의 말에 그때서야 추수는 긴장을 풀고 경청하는 자세로 임했다.

"네, 말씀하시지요."

"이른 봄, 압록강의 얼음이 녹는 즉시 백제의 국도인 한성을 치러 갈 것입니다. 산동에 있는 해룡부대를 다시 출동시켜 주십시오. 관미성 전투 때처럼 군선에 우리 군사들을 태우고 한수를 거슬러 올라가 곧바로 한성을 들이칠 것입니다."

담덕은 며칠간 장고를 거듭한 끝에 내린 결론대로, 그 작전 내용을 추수에게 털어놓았다.

"그럼 곧 믿을 만한 자를 물색해 산동 해룡부대를 지휘하고 있는 탁보 장군에게 파발을 띄우도록 하지요."

"그건 염려 마세요. 지난번 관미성 전투 때처럼 마동을 보내기로 하겠습니다. 탁보 장군에게 보낼 서찰만 부탁드립니다."

담덕의 말에 추수는 조용히 고개를 끄덕거렸다.

2

'그놈의 폭설 때문에……'

백제 대왕 아신은 이를 부드득, 갈아붙였다. 바로 한 해 전 동짓달, 청목령 아래까지 원군을 이끌고 갔다가 대설이 내려 군사를 되돌린 분함을 겨우내 참을 길이 없었다. 그가 겨울임에도 불구하고 출진을 한 것은, 고구려 태왕 담덕이 거란의 비려부를 치러 간 틈새를 노린 결정이었다. 청목령에서 관성關城과 팔곤성八坤城을 거쳐 서쪽 바다에 이르는 지역을 탈취, 부소갑의 인삼재배단지를 되찾겠다는 욕심이 앞섰던 것이다.

그런데 청목령 산자락 아래 진을 치고 다음날부터 고구려군을 공격하기로 계획을 세웠는데, 그날 밤부터 폭설이 내리기 시작했다. 낮에도 한 치 앞을 내다볼 수 없을 정도로 북풍한설이 몰아쳐, 군막까지도 눈의 무게를 견디지 못해 주저앉고 말았다. 눈보라가 어찌나 센지 군사들이 잠자는 사이에 천막을 날려버린 경우도 있었다. 졸지에 추위와 바람을 가릴 천막을 잃어버린 군사들은 동상에 걸리거나 얼어 죽는 자들이 속출했다. 뿐만이 아니었다. 청목령의 성벽을 방비하던 고구려군이 돌멩이에 눈을 뭉쳐 산비탈로 굴려 내리면서 눈사태가 일어나 여기저기서 군사들이 아우성치다 눈 속에 매몰되어 졸지에 백제군의 숙영지가 아수라장으로 변해 버렸다.

'아아, 천신까지도 짐을 돕지 않는구나!'

아신은 어린 시절부터 그토록 굳건하게 믿었던 천신까지 저주하면서 군사를 되돌렸다.

침류왕의 맏아들인 아신은 한성 별궁에서 태어났다. 당시 태자비였던 모친 진씨(아이부인)는 아들을 낳던 날 밤, 방이 환하도록 들창을 비추는 신광神光을 보았다고 했다. 근구수왕 시절이었으므로, 아신은 백제의 왕손王孫으로 어려서부터 과도한 보호를 받으며 자라났다.

"너는 천신의 축복을 받고 태어났다. 우리 백제를 빛내줄 큰 인물이 되어야 한다."

아이를 낳을 때 두 눈으로 직접 신광을 본 아이부인은 장남 아신에게 거는 기대가 그만큼 컸던 것이다. 그래서 아신을 증조부 근초고왕 못지않은 군주로 키우리라 마음먹었다.

그런 보호 속에서 자라나면서 아신은 점차 호탕한 기개를 보였다. 특히 사냥과 말타기를 좋아해, 왕이나 대신들 사이에서도 아신이 군주로서의 덕목을 제대로 갖추었다고 칭찬을 아끼지 않았다.

그러나 근구수왕의 대를 이어 왕위에 오른 침류왕은 채 2년을 채우지 못한 19개월 만에 훙서薨逝했다. 그때까지도 아신은 아직 나이가 어려서 태자 책봉을 받지 못한 상태였다. 결국 삼촌인 진사가 조카 아신의 자리를 가로채 왕위에 올랐다.

당시 10여 세에 불과한 아신이었지만, 그는 부왕이 갑자기 붕어했다는 사실을 믿지 못했다. 삼촌의 장인 진고도와 처남 진가모가 모반을 일으켜 부왕을 척살했다는 소문이 은연중에 그의 귀에까지 들려왔던 것이다. 뿐만 아니라 진씨 부자의 죄를 묻기 위해 위사좌평 목만치가 나섰다가 실패해 왜국으로 망명했다는 이야기도 모친 아이부인이 비밀리에 전해 주는 말을 통해 알 수 있었다.

침류왕의 왕후인 아이부인도 진사가 왕위에 오르면서 별궁에 유폐되어 아들 아신조차 만나기 힘든 신세가 되었다. 어느 날 진사왕이 감시를 붙인 졸개들의 눈을 피해, 아신은 비밀리에 별궁을 찾아갔다. 그때 아이부인은 눈물을 머금은 얼굴로 아들에게 말했다.

"부왕을 죽인 자가 누군지 똑똑히 알아두어라. 너를 낳을 때는 한밤중이었는데, 신광이 들창에 비쳐들어 대낮보다 더 방 안이 환했다. 그건 천신이 너를 보호해 주고 있다는 뜻이다. 비록 지금 진사의 핍박을 받는 신세가 되었지만, 반드시 너는 전화위복의 기회를 잡을 수 있을 것이다. 그때까지 죽은 듯이 참고 기다려야 한다. 이 어미가 볼 때 너를 도와줄 사람은, 지금 고구려 땅이 돼 있는 발해만에서 대상단을 이끌고 있는 외숙 진무다. 무술이 뛰어난 진무는 이 어미의 친동생이니, 아무도 모르게 내가 도움을 청하면 반드시 너를 구하러 올 것이다. 그리고 비록 멀리 있지만 반란의 역도들을 처단하려고 휘하 무사들을 이끌고 도성에 들어왔다 실패해 왜국으로 망명한 목만치 장군이 너를 도와줄 수도 있다. 반드시 너는 백제의 대왕이 될 것이고, 나라를 경영하다가 위급에 처할 때는 왜국에 사신을 보내 목만치 장군에게 도움을 요청하도록 해라."

아이부인은 곧 침류왕의 내신으로 충성을 다하던 신하에게 밀서를 주어 발해만으로 보냈다. 그 신하는 몰래 어부로 변장해 배를 타고 한수를 따라 서해로 빠져나갔으며, 마침내 발해만의 진무 대상단을 만나 밀서를 전했다.

때마침 고구려 태왕 담덕이 관미성을 공격하자, 진무는 대량의 군량미를 실은 선단과 무술에 능한 졸개들을 이끌고 서해를 건넜다. 그는 관미성의 백제군을 돕는 척하면서 끝내 한성에서 원군을 이끌고 온 진사왕을 패퇴시키는 데 일조했다. 그리고 활의 명수인 수하들을 보내 사냥터 구원에서 진사왕을 죽이게 하고, 그는 배를 타고 한성으로 직행해 진고도와 진가모 부자 일당을 척살한 후 아신을 새로운 왕으로 추대했다.

"어머님 말씀이 맞아. 지금 내 곁에는 믿을 사람이 오직 외숙뿐이지."

아신은 옥좌에 깊이 파묻혀 홀로 되뇌었다. 그는 외로웠다. 정사를 같이 논할 수 있는 믿을 만한 신하가 좌장 진무밖에 없었다.

이미 아신은 깊은 병을 앓고 있었다. 몸이 아니라 마음에 속병이 들었다. 부소갑과 관미성을 고구려에 빼앗긴 데 대한 억울함이 마음의 병을 도지게 만들었다. 나이가 십여 세에 불과할 때 삼촌 진사에게 왕위를 찬탈당한 울분으로 마음의 병이 생겨, 그 후 7년간 우울증에 시달렸었다. 그 우울증을 낫게 해준 사람이 바로 외숙 진무였다. 진사왕 재위 7년 만에 진무 덕에 아신, 그 자신이 왕위를 물려받으며 우울증이 씻은 듯이 가셨던 것이다.

그러나 아신의 우울증이 다시 도진 것은 연전에 청목령을 회복하러 갔다가 대설로 인해 실패하고 돌아오면서부터였다. 그는 모친 아이부인의 말처럼 그 자신이 근초고왕과 같은 백제의 위대한 대왕이 되겠다는 야심을 갖고 있었다. 그래서 그는 왕위에 오른 직후부터 근초고왕 당시의 옛 땅을 회복하기 위해 몇 차례 고구려를 공격했던 것인데, 번번이 실패를 거듭하자 이제는 마음이 초조해지기 시작했다.

아신은 고민 끝에 내관에게 일러 진무를 편전으로 들게 했다.

"폐하! 찾아계시옵니까?"

좌장 진무가 편전에 들어와 예를 올렸다.

"오직 믿을 사람은 외숙뿐이오. 저 원수덩어리인 고구려왕 담덕에게 혼찌검을 내주려면 외숙 혼자서는 어려울 것 같고, 곁에 든든한 장수가 하나 더 있었으면 하는 바이오."

"황공하옵니다. 신이 몽매하여 폐하께 심려를 끼쳐드렸나이다."

진무는 대왕 아신 앞에서 죄스러운 마음뿐이었다. 왕명을 받들고 몇 차례에 걸쳐 고구려를 쳤다가 실패만 거듭했으므로, 그는 마땅히 대꾸할 말을 찾지 못했던 것이다.

"외숙을 꾸짖자고 한 말이 아니오. 무술과 지혜를 겸비한 장수가 곁에서 외숙을 도와준다면 우리 백제는 두 날개를 다는 셈인데, 과연 그런 인물로 누가 있는지 천거해 보시오."

아신의 말에 진무는 한동안 침묵을 지키고 있다가 마침내 입을 열었다.

"전에 폐하께서 수곡성 원정에 나서실 때 선봉에 섰던 사두 장군이 있사옵니다. 월나군月奈郡(영암) 출신으로 학문이 출중하여 병법에 밝고, 무술 또한 뛰어나 군계일학의 풍모를 지녔사옵니다. 요직을 내려 무장으로 키우면 장차 군사軍師 역할을 맡길 만한 인물이라 사료되옵니다. 아직 젊어서 전쟁 경험이 적긴 하지만, 중책을 맡기면 충분히 책무를 다할 수 있는 능력자라 생각되옵니다."

백제 8대 성씨 중의 하나인 사沙 씨의 대표적인 인물이 사두였다. 그는 월나군 태생인데, 어려서부터 학문과 병법을 익혔다. 뿐만 아니라 그는 일찍이 월출산에 들어가 아침 해돋이를 보면서 심신 단련을 시작해 저녁노을이 지기까지 쉬지 않고 무술 익히기를 10여 년, 그 후 하산하여 그 스스로 좌장 진무의 수하로 들어왔던 것이다.

"으음, 사실 오늘 외숙을 보자고 한 것은 하나 긴밀히 의논할 것이 있어서요."

"무엇이옵니까?"

"혹시 목만치라고 들어본 기억이 있으시오?"

아신은 진무를 깊은 눈길로 쳐다보았다.

"목만치라면 근초고대왕 시절의 명장 목라근자의 아들이 아니옵니까?"

"그렇소. 목만치는 부왕 때 위사좌평을 지낸 인물로, 그 아비를 닮아서 검술은 물론 지략이 아주 뛰어나다 들었소."

"소신도 목만치 장군에 대해서는 들은 바가 있사옵니다. 그런데 폐하께서 왜국으로 망명한 목만치를 찾으시는 이유는 무엇이오니까?"

"외숙! 우리 백제에는 목만치 장군이 필요하오. 외숙과 목만치가 있으면 우리 백제군은 독수리 같은 튼튼한 양 날개를 달게 되는 셈 아니겠소? 그렇게만 된다면 바다 가운데 있는 관미성이나 부소갑 북쪽 요새인 청목령도 독수리의 날갯짓 한 번으로 날아가, 겁에 질려 낙엽 속에 머리를 처박고 꽁지만 내놓은 장끼나 까투리 같은 고구려군을 날카로운 발톱으로 찍어 누를 수 있지 않겠소?"

아신은 덥석 진무의 손을 잡았다. 그의 간절한 소망이 담긴 이글이글 타오를 듯한 눈빛은 상대의 눈길을 붙들고 오래도록 놓아주지 않았다.

"폐하! 망극하오이다. 왜국으로 망명한 목만치를 불러오라는 분부 아니오니까? 소신이 당장이라도 배를 타고 왜국으로 건너가 목만치 장군을 데려오겠나이다."

진무는 순간 울컥하고 치밀어 오르는 감정의 덩어리를 미처 되삼키지 못해, 결국 말끝에 울먹이는 목소리가 되고 말았다. 대왕 아신의 처지와 심정을 십분 이해할 수 있었던 것이다.

"아니오. 외숙이 가면 이 나라의 군대는 누가 지휘할 것이오? 방금 전에 천거해 준 사두 장군을 사신으로 파견하면 어떻겠소? 그토록 외숙이 믿는 수하라면 왜국에 가서 목만치 장군을 데려올 적임자란 생각이 드는구려."

"네, 폐하! 지금은 한창 겨울이 맹위를 떨치는 때라 배를 타기 쉽지 않습니다. 따뜻한 봄이 되면 사두 장군을 왜국에 사신으로 보내도록 하시지요. 왜국은 해상으로 먼 길인데다, 풍랑의 위험도 있어 계절을 잘 선택해야 하옵니다."

"맞는 얘기요. 언제 사두 장군을 불러 왜국에 사신으로 보내는 일을 계획해 보도록 하십시다."

아신은 그때서야 진무의 손을 놓아주며 안도의 숨을 쉬었다.

3

기다리는 봄은 쉽게 오지 않았다. 워낙 겨울이 긴 데다, 소매 끝에서 느껴지는 찬바람이 저절로 몸을 움츠러들게 만들었다. 뺨을 스치는 봄바람과 마음에서 느껴지는 봄기운은 그렇게 차이가 있었다. 봄이 왔는데도 봄 같지 않다는 말이 실감으로 와닿았다. 태왕 담덕의 심리에서 비롯되는 계절 감각이 바로 그러했다.

밤이면 얼었다 낮이면 녹는 현상을 여러 번 반복하고 나서야, 비로소 강물은 은빛 물결을 빛내며 흘러갔다. 강물만 그런 것이 아니었다. 나뭇가지에 물이 오르는 봄이 왔지만, 서너 번 강설과 혹한을 겪은 후에야 꽃봉오리 벌어지기 시작했다. 봄을 기다리는 나무들도 마음이 급해 잎보다 먼저 꽃을 피워 올리는 모양이었다.

담덕은 국내성 앞 너른 들판을 지나 왕당군의 훈련장으로 말을 달리면서 강둑 아래 펼쳐진 압록강의 흐르는 물결을 유심히 바라보았다. 이른 아침이라 수증기가 피어오르면서 안개로 변해 시야를 잔뜩 가렸다. 말발굽 아래 밟히는 회갈색 잡초들이 이슬을 흠뻑 머금고 있었다.

'지금쯤이면 한수도 녹았겠지? 배를 띄우기 좋은 때가 되었군.'

담덕은 기나긴 겨울이 가고 봄이 오기를 학수고대하며 기다려왔다. 마침내 백제의 한성 공략을 목전에 두고 있었다. 그의 옆에 호위무사 10여 명과 기마병 백여 기가 따르고 있었다.

"폐하! 이젠 완연한 봄입니다. 코끝에 스치는 바람결이 한결 부드럽습니다."

담덕과 말 머리를 나란히 한 호위무사 수빈이 코로 길게 숨을 들이마시는 시늉을 하더니, 그 끝에 옅은 한숨을 매달았다.

늘 함께 태왕 곁을 지키던 마동은 밀명을 받고 산동으로 건너간 지 달포가 지나 있었다. 바로 곁에서도 들리지 않을 정도로 짧게 토해 낸 수빈의 한숨소리를 담덕이 들은 모양이었다.

"그렇구나. 봄은 여자의 계절이라 하던데, 웬 한숨이냐? 늘 같이 있다가 떨어져 있으니 마동이 생각나서 그러느냐?"

"네에? 폐하! 그런 말씀 마십시오. 마동 오라버니가 없으니까 마음이 편해 좋습니다. 같이 있으면 얼마나 귀찮게 구는지 아십니까?"

수빈은 갑자기 변성기에 접어든 소년처럼 목소리에 강하게 힘을 주었다.

"왜 그걸 귀찮게 군다고 생각하느냐? 마동도 다 생각하는 바가 있어 그러는 것 같던데……."

담덕은 그러면서 슬쩍 수빈의 얼굴을 일별했다. 봄바람이 아직은 차서 얼굴이 발그레하게 달아올라 있었다. 하지만 그것은 봄바람 때문만은 아닌 것 같았다.

"폐하! 마동 오라버니가 없으니까 불안해서 그러시는 거죠? 이 수빈이도 호위무사입니다. 마동 오라버니의 몫까지 두 배로 호위를 해드릴 테니 염려 마십시오. 차라리 산동에 간 마동 오라버니가 돌아오지 않았으면 좋겠어요."

수빈의 말에 담덕은 껄껄대고 웃었다.

"왜 자꾸만 마동과 떨어져 있으려고 그러느냐?"

"폐하! 이 기회에 마동 오라버니를 산동 해룡부대에 묶어두어, 해적이나 퇴치하라고 그러세요."

"뭐라고?"

"해룡부대를 이끌어가시던 일목장군이 여기 국내성에 와 계시니, 이젠 그 아들이 해룡부대를 지켜야지요."

"마동은 호위무사야. 어린 시절부터 평생토록 생사고락을 같이하겠다고 맹세했단 말이다."

담덕은 수빈을 바라보며 빙그레 웃었다.

"이젠 폐하 곁에 이 수빈이가 있잖아요. 수빈이가 폐하 곁을 평생토록 지켜드리겠습니다."

"그래, 그렇게 하자꾸나. 수빈과 마동 둘이서 곁을 지켜준다면 정말 마음 든든할 것 같구나."

말을 끝낸 담덕은 늘어뜨렸던 고삐를 바짝 당기며 박차를 가했다. 백마가 압록강 너른 둑길을 달리기 시작했다. 수빈도 곧 양발에 힘주어 박차를 가하며 그 뒤를 따라 질주했다.

원래 태왕은 성 밖으로 행차할 때 대연이나 수레를 이용하는 것이 관례였다. 그러나 담덕은 가마꾼들 여럿이 수고하는 대연이나 말 여러 필이 끄는 수레를 타는 것이 부담스러워 곧잘 애마를 타고 출행하기를 좋아했다. 대연이나 수레를 탈 경우 혼자 앉아서 가야 하므로 적적하나, 애마를 타고 출행을 하게 되면 호위무사들과 자유스럽게 대화를 나눌 수도 있어 그

즐거움이 더했다. 더더구나 말을 타고 마음껏 들판을 달릴 수 있다는 점이 무엇보다 큰 기쁨이었다. 삽상한 바람이 코끝으로 스칠 때의 기분은 말을 즐겨 타는 사람만이 아는 찌릿한 맛이었다. 헤엄을 칠 때 몸을 스치는 물결의 느낌이 그러하듯, 말을 탈 때 머리칼로 파고드는 바람의 결과 그 끝에 묻어오는 들판의 풋풋한 향기는 마음을 물아일체의 경지로 끌어올려 줄 때가 있었다.

태왕의 행차 소식을 뒤늦게 보고받은 왕당군 장수들이 급히 말을 타고 훈련장 입구까지 달려 나왔다. 그들은 말에서 뛰어내려 담덕을 향해 군례를 올렸다.

"태왕 폐하! 이른 아침에 어인 행보이시옵니까?"

왕당군을 이끄는 총대장 우적이었다.

"봄이 되니 궁궐 안이 답답해 바람이나 쐴까 해서 나선 길입니다."

담덕은 태왕이지만 언제나 사부인 우적에게 깍듯한 예우를 차렸다.

바람이나 쐴 겸 들렀다고 말했으나, 담덕이 이른 아침에 전갈도 하지 않은 채 불시에 들이닥친 것은 내심 왕당군의 훈련 실태를 살펴보고자 해서였다. 그것을 모르지 않는 우적은 태연한 표정을 지었지만 자못 긴장된 마음을 감추지는 못했다.

"겨우내 궁궐 안에만 계셨으니, 그럴 만도 하겠습니다. 평소

에도 폐하께서는 옥좌보다 말안장이 더 편하다고 여기시지 않았사옵니까?"

우적은 그러면서 너털웃음을 웃었다.

"사부의 말씀이 옳습니다. 오랜만에 애마의 안장에 오르니 날아갈 듯한 기분입니다."

담덕은 우적과 말 머리를 나란히 하고 훈련장으로 들어섰다.

훈련장에서는 아침 일찍부터 군사들이 무술 훈련에 열중하고 있었다. 여기저기서 기합소리가 하늘을 찔렀고, 창칼이 부딪칠 때마다 햇빛에 반사된 무기들이 번쩍번쩍 빛났다.

"폐하! 군사들의 사기를 점검해 보시겠습니까?"

우적이 물었다.

"오후에 사열을 받기로 하고, 오전에는 왕당군 장수들과 긴밀히 의논할 일이 있습니다. 군사들은 계속해서 훈련토록 하고, 장수들만 소집해 회의를 열도록 해주십시오."

담덕의 말을 들은 우적은, 역시 자신의 예견이 정확했음을 감지했다.

'백제를 공략하려는 것이로군!'

그렇게 생각한 우적은 곧 왕당군 장수들을 소집했다. 잠시 후 훈련장에서 군사들을 지휘하던 장수들이 총대장의 막사로 모여들었다.

긴급 군사회의가 시작되었다.

먼저 담덕이 입을 열었다.

"이젠 강물이 녹았습니다. 압록강이 풀렸으니 남쪽의 한수도 배가 다닐 수 있겠지요."

"아직 이른 봄이라 날씨의 변동이 심하니, 언제 한파가 또 닥칠지 모르옵니다. 허나 한겨울처럼 배가 다니지 못할 정도로 얼음이 얼지는 않겠지요."

우적의 말이었다.

"이번에 한수 이북을 우리 고구려 땅으로 완전히 편입시킬 생각입니다. 제장들은 어떻게 백잔을 공략할 것인지 의견들을 내주시기 바랍니다."

그러면서 담덕은 좌우의 왕당군 장수들을 둘러보았다.

"관미성 전투 때처럼 수륙 양면 작전을 구사하시겠다는 말씀이옵니까?"

이렇게 말한 것은 왕당군 소속의 흑부군을 이끄는 어연극이었다.

"맞습니다. 이번에는 먼저 육로를 통해 전면전을 펼쳐 한수까지 쳐내려갈 생각입니다. 수곡성이 있는 패하에서 한수 사이에는 백잔의 성들이 무수히 많지요. 그 성들을 차례차례 공략해야만 한수 이북을 우리 고구려 땅으로 굳힐 수 있습니다."

담덕이 이처럼 마음먹은 것은, 한수 이북까지 고구려가 차지해야만 다시는 백제가 패하를 건너 수곡성이나 부소갑을 넘보지 못하리라 판단했기 때문이다.

"한수 이북에도 백잔의 성이 수십 군데나 됩니다. 그 성들을 공략하려면 아군의 병력도 수만은 돼야 할 것 아니겠습니까?"

한수 이북의 백제 성을 여러 번 공격해 본 말갈군 대장 두치가 담덕을 향해 예리한 눈빛을 보냈다.

"두치 장군 말이 맞습니다. 이번 전투 역시 육로와 해로 양쪽에서 공격을 가할 생각인데, 육로 쪽은 아무래도 우리 왕당군이 맡아야 할 것 같습니다. 국내성 군사를 동원할 경우 그 틈을 노려 요동의 후연이 공격해 올 수도 있겠지요. 그러나 지금 북위의 탁발규가 호시탐탐 참합피를 노리고 있어 후연도 함부로 군사를 움직이기 어려울 것입니다. 그러므로 추수 장군이 이끄는 국내성 군사 1만을 배에 태워 관미성 군사 1만과 합류토록 해, 한수를 통해 백잔의 도성 한성으로 진격토록 할 생각입니다. 여기에 산동 해룡부의 3천이 출동하게 되면 총 2만 3천은 되니, 충분히 한성을 공략할 수 있을 것이라 판단됩니다. 다만 먼저 우리 고구려가 육로 공격을 감행하여, 한성에 있는 백잔의 군대가 한수를 건너 지원토록 해야만 합니다. 이를 위해서는 우리 왕당군 1만이 모두 출동해야 하고, 평양성에서 1만, 수곡성에서 5천의 지원군을 합해 총 2만 5천의 병력이 육로로 공격토록 할 것입니다. 제장들은 육로 공격시 우리 아군이 취해야 할 작전에 대해 의견들을 내놓기 바랍니다."

태왕은 지난겨울 동안 장고를 거듭하며 짜두었던 백제 공략 계획을 설명했다.

"그렇다면 문제는 육로 공격을 맡은 우리 군대가 한성의 적군으로 하여금 한수를 건너오도록 유인하는 것이 관건이 되겠군요?"

이렇게 말한 것은 흑부군 대장 어연극이었다.

"한수 이북의 백제군 성곽이 많으므로 2만 5천의 병력이라 할지라도 일시에 공격하려면 군사들을 분산시킬 방법밖에 없겠군요. 적어도 왕당군 3개 군대를 5천씩 쪼개 2개 부대로 만들고, 평양성 지원군 1만을 역시 2개 부대로, 그리고 수곡성 지원군 5천까지 총 5개 부대로 나누어 한수 이북의 백제 성들을 동시에 공격해야만 합니다. 그래야 한성에서 출진하는 적의 지원군을 분산시켜 정신 차리지 못하게 만들 수 있습니다. 우리 고구려군이 여기서 불쑥 저기서 불쑥, 시차를 두지 않고 공격의 샅바를 바짝 조이면 적들은 갈팡질팡하다 무너지고 말 것입니다. 이렇게 될 경우 각 전장에 흩어져 있어 백제군은 연락 체계를 원활하게 갖추기 쉽지 않습니다. 아무래도 폐하께선 5개 부대 가운데 중앙 부대에서 진두지휘를 하시게 되겠지요?"

우적은 왕당군의 총대장이자 군사답게 군대의 배치까지 신경을 쓰고 있었다.

"그 말씀이 지당하다고 생각됩니다만, 이번에 육로보다 해로 공격 부대를 지휘토록 하겠습니다."

담덕의 말에 제장들은 모두 놀란 표정을 지었다. 그들은 당연히 지난번 거란의 비려부를 칠 때처럼 태왕이 태극군을 직접 이끌 것으로 생각했기 때문이다.

"네에? 대장군의 말씀처럼 폐하께서 태극군을 이끌고 가운데서 진두지휘를 하셔야 하지 않겠습니까?"

어연극이 의외라는 표정을 지었다.

"적으로 하여금 그렇게 믿도록 해야겠지요. 그러므로 육로 원정군에는 가짜 태왕을 세울 작정입니다. 그 적격자로 태극군의 유청하 대장이 어떨까 합니다만……."

담덕이 유청하 쪽으로 고개를 돌렸다. 이제 태극군은 거란의 비려부를 공략하고 돌아와서 왕당군과 합류해 무술 훈련을 같이 받고 있었다.

"허면 폐하께서는 이번 전투에 참여하지 않고 국내성에 남으실 생각이시옵니까?"

유청하가 짐짓 놀란 표정을 지었다.

"아니오. 국내성 군사를 이끄는 추수 장군을 따라 배를 타고 한수로 진격하려고 합니다. 적의 원군이 한수를 건넌 뒤 한성이 비어 있는 틈을 노려, 야밤을 기해 우리의 해로 공격군이 기습을 할 것입니다. 이번 기회에 다시는 적들이 도발하지 못하도록 백제왕 아신을 영원한 신하로 삼을 생각인 바, 반드시 한성에 가서 직접 그의 죄를 물을 것이오. 그러므로 유청하 대장은 태왕의 복장을 하고 태극군을 진두지휘해, 적의 눈을 완벽하게 속일 수 있도록 해야 합니다. 그리고 고구려 육로 공격군의 총 지휘는 왕당군의 우적 대장군이 맡도록 하십시오. 각기 편성된 부대 간의 연락을 취하는 역할은, 호위무사들 중 적의 진중에 자주 침투해 세작 활동을 한 자들에게 맡기도록 할 작정입니다."

담덕은 말을 마치며 입을 한일자로 다물었다. 그러한 그의 표정엔 강한 의지가 나타나 있었다.

4

"무엇이? 패하를 건너온 고구려군이 다섯 갈래로 나누어 우리 성들을 공격하고 있다고?"

백제 대왕 아신은 한수 이북에서 달려온 전령병의 보고를 받고 화들짝 놀랐다. 지난겨울 패하를 건너 청목령을 치러 갔다 폭설로 인해 회군했을 때, 그는 봄이 오면 다시 군사를 일으켜 고구려를 치겠다고 굳게 마음을 다지고 있었다. 그런데 고구려군이 선수를 쳐서 공격을 가해 온 것이었다. 적들이 부대를 다섯으로 나누어 동시에 한수 이북의 백제 성들을 공격하고 있다는 급보는, 그저 멍청하게 앞만 보고 가다 졸지에 뒤통수를 얻어맞은 것처럼 황당하면서도 큰 충격으로 다가왔다.

'어린 담덕, 이놈이? 네가 정녕 이렇게 나온단 말이지?'

아신은 자신보다 열 살은 아래인 담덕이 예기치 못한 강수强
手로 나올 때마다 왠지 모르게 자존심이 부쩍 상하곤 했다.

"폐하! 고구려가 다섯 갈래로 군대를 나누어 동시다발적으
로 공격을 가해 오는 것은, 우리 백제군의 방어를 혼란케 하기
위한 전술입니다. 고구려왕 담덕이 그 다섯 군대 중 중앙에서
전군을 지휘하고 있다고 하니, 그의 군대만 잡으면 지휘 체계가
무너져 적군을 쉽게 제압할 수 있을 것이옵니다. 오히려 다섯
군대로 분산되어 있으므로, 중앙군 5천을 잡는 것은 일도 아닙
니다. 군사 1만을 내어주시면 한수를 넘어 황악槐岳(북한산)으
로 달려가 매복하고 있다 일시에 급습해 담덕을 사로잡아 오겠
사옵니다."

좌장 진무의 자신에 찬 발언에 아신은 힘을 얻었다.

"진무 장군! 시각을 다투는 일이오. 적들이 한수를 건너오게
되면 이곳 한성이 위험하게 되오. 황악이야말로 더 이상 물러
설 수 없는 한수 방어선이니, 어서 그곳으로 달려가 적들을 막
으시오. 장군이 청한 군사에 5천을 더해 1만 5천의 군사를 주
겠소."

아신은 더 이상 깊이 생각할 여유조차 없었으므로, 흔쾌하
게 진무의 청을 받아들였다.

"하지만 폐하! 이곳 궁궐을 수비할 병력도 필요합니다. 1만 5천이 원군으로 가면 궁궐 수비 병력이 5천밖에 안 됩니다. 만약을 위해 궁궐 수비 병력 5천을 더 남겨두시옵소서. 소장은 1만 군사면 충분하옵니다."

"아니오. 황악에서 고구려 주력군을 막아 적의 진군 속도를 늦추는 동안, 지방 군사들을 지원군으로 요청할 것이오. 한시가 급하니 이곳 방어는 염려 말고 어서 떠나시오."

대왕 아신은 다급했다.

"하오면, 폐하! 소장의 부장으로 있는 사두를 남겨 궁궐을 방어토록 하겠나이다. 지략과 무술을 겸비한 사두가 있는 한 폐하를 안전하게 모실 수 있을 것이옵니다."

"뜻대로 하시오."

진무가 군사 1만 5천의 원정군을 이끌고 한수를 건너간 후, 아신은 곧 사두를 편전으로 불러들였다.

"사두 장군! 진무 장군의 1만 5천 원정군이 떠나고 나서 이제 궁궐에는 수비 병력이 5천밖에 남아 있지 않소. 방금 각 지방으로 전령들을 보내 궁궐을 수비할 병력을 지원하라 명했지만, 지방에서 지원군이 올라오려면 며칠은 걸릴 것이오. 그 사이 혹시라도 모르니 궁궐을 수비할 대책을 세워야 하는데, 어찌하는 것이 좋을지 장군의 의견을 듣고 싶소."

아신은 이렇게 말하면서 진무의 말처럼 사두가 정말 지략을 가진 인물인지 시험해 보고자 했다.

"폐하! 이곳 한성은 평지에 세운 토성이옵니다. 돌로 쌓은 산성처럼 견고하지 못한 데다 평지여서 적의 공격을 막는 데 어려움이 많습니다. 그러므로 성 밖 150여 보 이상 떨어진 곳에 거마작拒馬作 목책을 둘러 일시적이나마 적의 기병을 차단할 수 있어야 합니다. 목책은 말이 뛰어넘을 수 없을 만큼 높아야 하며, 적의 기병이 목책 앞에서 주춤거리는 사이에 성안에서 장거리 공격용 무기인 쇠뇌로 활을 쏘아 기선을 제압하는 것이 중요합니다. 또한 기병을 막는 목책 앞에는 무쇠로 만든 마름쇠를 뿌려 말의 발굽과 다리를 상하게 만들어야 합니다. 그리고 목책 뒤에는 함정을 파고 그 안 바닥에 쇠창살과 뾰족하게 깎은 나무말뚝을 촘촘히 박아 말과 병사가 빠지면 찔려 죽도록 해야 합니다. 이렇게 일차적으로 기병을 막고, 그 다음 보병이 공격을 해오는 것에 대비해 성 밖 50여 보 앞에는 사슴뿔처럼 나무를 깎아 만든 녹각鹿角을 세워야 합니다. 흔히 '십중녹각'이란 말도 있는데, 열 겹으로 세우려면 녹각의 수효가 많이 들기 때문에 일단 급한 대로 세 겹만 세워도 보병을 방어하는 데 큰 무리가 없을 것이옵니다."

사두의 말은 순리에 어긋남 없이 자연스럽게 술술 풀려나왔다. 그러나 그것은 방어전술의 정석일 뿐이었다.

누가 몰라서 그런 방어전술을 쓰지 않는 것이 아니었다. 한성에는 당장 그런 방어 장비들이 충분히 준비되어 있지 않았다.

"가만, 가만⋯⋯. 녹각은 알겠는데, 거마작이란 어떤 방어 장비요?"

아신이 물었다.

"네, 폐하! 그것은 적의 기마병이 돌격해 올 때 쓰는 수성용 무기이옵니다. 쇠나 나무로 만들 수 있는데, 특히 쇠기둥에 여러 개의 창을 꽂아 기마병이 접근하지 못하도록 하는 것을 '거마작'이라 하옵니다. 쇠기둥 대신 나무에 창을 꽂아 만든 것은 따로 '거마목'이라고 부르기도 하옵니다."

"허어, 그런 수성용 무기가 이 성에는 준비되어 있지 않소. 그러니 무기를 당장 만들 수도 없는 노릇이고, 다른 대책을 강구하지 않으면 안 될 것이오."

대왕 아신의 얼굴에 어두운 그늘이 졌다.

한성은 사방이 열려 있는 평지성이었다. 백제는 건국 초기에 황악을 방어벽으로 삼아 한수 북쪽에 강을 뒤로 하여 도성을 마련했었다. 그러다가 고구려의 침략에 대비해 다시 한수 남쪽으로 도성을 옮겨 토성을 구축했던 것이다. '한수'는 그 의미가 '큰 강'이라는 뜻으로, 도강을 하기가 힘들어 군사적 요충지로 적격이었다. 따라서 한수 남쪽 들판에 평지성으로 쌓은 한성은 비록 토성이지만 적의 침략을 크게 신경 쓰지 않아도 되었다. 그러나 적이 한수를 건너와 성을 포위해 버린다면 한성은 독 안에 든 쥐 꼴이 될 수밖에 없었다. 동서남북으로 성을 방어하려면 사두의 말처럼 성을 빙 둘러 거마작과 녹각을 설치해야 하는데, 거마작은 고사하고 녹각조차 준비된 것이 많지 않아 겨우 한수를 바라보는 북문과 서문 정도에나 설치할 수 있었다. 결국 동문과 남문은 방어수단이 없었으므로, 병사들이 몸으로 막아야만 할 판이었다.

"한성 방어를 준비하는 데는 적어도 열흘이 필요하옵니다. 지방에서 지원군이 올라오는 것을 기다리면서, 성안의 군사들은 거마목과 녹각을 만들어야 합니다. 또한 대장간에서는 풀무질을 밤낮으로 하여 마름쇠를 수십만 개 준비토록 해야 하옵니다."

이 같은 사두의 말은, 나름 한성의 실정을 냉정하게 바라본 분석이었다.

"사두 장군의 말이 옳소. 진무 장군이 담덕을 잡아오리라 믿지만 혹시라도 모르니, 한성의 남은 군사들을 독려해 방어 준비를 철저히 하도록 하시오."

대왕 아신도 당장은 사두의 말을 따를 수밖에 없다고 생각했다.

한편 한수를 건넌 진무는 1만 5천의 병력을 황악의 북쪽 사면에 숨긴 채 고구려 주력군이 나타나기만을 기다렸다. 이미 고구려군은 육로를 통해 다섯 갈래로 진군하여 한수 이북의 백제 성들을 거의 모두 공략한 뒤였다. 그만큼 고구려군의 진격 속도는 빨랐다. 고구려 기마대의 속전속결 전략이 주효했던 것이다.

백제 대장군 진무는 일단 적진의 상태를 파악하기 위해 고구려군 진영으로 척후병을 내보냈다. 고구려 영채를 찾아 다섯 갈래로 갈라져 달려간 백제의 척후병 중 하나가 고구려 중군의 선발대에 사로잡혔다. 왕당군으로 구성된 중군은 태극군을 지휘하는 유청하가 이끌고 있었으며, 고구려 육로 원정군의 총대장 우적이 군사 역할을 맡아 좌우의 각기 2개 부대까지 지휘를 하고 있었다.

유청하는 태왕 담덕의 백마를 타고 황금 갑옷까지 걸쳐 입었다. 척후병이 고구려 중군 선발대 군사들에 의해 붙잡혀 왔을 때 그는 높은 자리에 앉아 있었고, 그 아래에서 총대장 우적이 심문을 맡았다.

"태왕 폐하가 계신 자리다. 거짓을 지껄이면 당장에 목을 칠 것이로되, 바른대로 말하면 목숨만은 살려주겠다. 한성에서 보낸 원군이 얼마나 되는가?"

"네, 1만 5천입니다."

백제의 척후병은 흘끔 높은 곳에 앉아 있는 황금 갑옷 차림의 유청하를 바라보았다. 자못 위엄을 가장한 그의 모습에 척후병은 잔뜩 겁에 질린 얼굴이 되어 고개를 아래로 떨어뜨렸다. 말로만 듣던 고구려 태왕이 거기 있음을 목격하자, 오금이 저려 다리까지 후들거렸다.

"원군이 지금 황악의 숲속에 잠복해 있는 것을 알고 있다. 장수 진무로 하여금 스스로 항복을 하면 태왕 폐하께서 큰 상을 내리겠다고 전하거라."

우적은 심문을 마치고 백제 척후병에게 항복을 권유하는 태왕의 칙첩勅牒을 전했다.

척후병은 곧바로 황악의 백제 진영으로 달려가 진무에게 칙첩을 전하고, 전후 사정을 설명했다.

진무는 칙첩을 보자마자 화가 머리끝까지 치솟았다.

'담덕, 이 어린놈이 감히 칙첩을? 허헛, 서로 피를 보지 않으려면 무조건 항복하라고?'

진무는 이를 부드득 갈아붙이며 척후병에게 고구려 중군의 군세와 진을 치고 있는 곳이 어디인지 꼬치꼬치 캐물었다. 그런 연후 그는 가만히 고개를 주억거렸다.

'적의 중군이 5천이면 우리가 여기에 군사를 매복해 둘 필요가 없다. 오늘밤 당장 적진을 기습해 담덕을 생포해야겠다.'

이렇게 마음먹은 진무는 그날 밤 자시子時(23시~1시)를 기해 1만 5천의 군사를 이끌고 고구려 중군의 진영을 급습했다.

그러나 고구려 총대장 우적은 백제군이 기습해 올 것을 미리 알고, 대항을 하다 힘에 겨워 밀리는 척 후퇴를 했다. 중군은 이렇게 후퇴를 거듭했으나, 좌우 날개인 고구려군 4개 부대는 황악을 놔두고 우회하여 한수로 진군했다.

고구려 중군이 군사들의 손상을 크게 입지 않고 후퇴를 거듭하자, 백제 장군 진무는 뒤늦게 적의 계략에 빠진 것을 깨달았다.

'이크! 한성이 위험하다.'

백제 장군 진무가 급히 군사를 돌려 한수로 향했으나, 이미 그때는 고구려 군사들이 강 북편에 배수진을 친 채 백제 원군을 기다리고 있었다. 진무의 군대가 한수를 건너 도성으로 돌아가지 못하게 하기 위한 전술이었다.

고구려 육로 원정군 총대장 우적은 국내성을 떠날 때 이미 이러한 전술을 비밀리에 태왕 담덕과 짜놓았었다. 즉 고구려의 해로 원정군이 관미성에서 배를 타고 출발해 안전하게 한수를 거슬러 올라가 한성을 공략할 수 있도록 하기 위한 고도화된 전략이라고 할 수 있었다.

이렇게 되자, 백제 장군 진무는 졸지에 앞뒤로 적을 맞게 되었다. 그는 급히 군사들을 이끌고 황악의 남쪽 사면으로 이동해 산을 등지고 방어하는 꼴이 되고 말았다.

5

가만히 갯가를 내려다보면 바닷물은 끊임없이 출렁이며 뭍으로 물을 실어오는 것 같은데, 잠깐 생각에 잠긴 사이 바다는 저만큼 멀리 달아나버렸다. 썰물이 질 때였다. 관미성의 성벽에 기대서서 서해 바다를 바라보면서 태왕 담덕은 장고를 거듭했다. 그는 잠깐이라도 혼자 있고 싶다며 호위무사까지 물리치고 깊은 생각에 잠겨 있었다.

고구려 육로 원정군으로부터 전령이 도착하면 곧 배를 띄워야 하는데, 문제는 적에게 최대한 노출되지 않는 시각을 노려야만 했다. 심야에 한수의 물줄기를 따라 한성까지 거슬러 올라가기 위해서는 큰 군선보다는 어선 정도의 작은 배를 이용하는 것이 용이하다고 판단했다. 그래서 고구려 해로 원정군은 발해만 비사성 성주에게 명하여 군선뿐만 아니라 그 인근 연안의 어선들까지 관미성으로 집결시킨 후 출동 시기만을 기다리고 있었다.

고구려가 관미성을 차지하면서부터 서해를 건너 산동반도로 이어지는 해역은 백제나 신라의 배들이 일절 얼씬도 할 수 없게 되었다. 즉 발해만에서부터 남쪽으로 이어지는 서해의 절반 이상은 온전히 고구려 해상권으로 들어와 있었던 것이다.

그러므로 발해만의 고구려 해군은 백제가 알지 못하게 군선과 어선을 관미성과 갑비고차 해안으로 끌어들일 수 있었다.

"폐하! 무엇을 그리 골똘히 궁구하고 계시옵니까?"

어느 결에 담덕 곁으로 일목장군 추수가 다가왔다.

"오! 썰물을 구경하다 장군께서 오시는 것도 모르고 있었습니다."

"해로 원정군 출항 시각을 고민하고 계셨군요? 방금 육로 원정군의 우적 총대장으로부터 기별이 왔습니다. 적장 진무가 한성 군사 1만 5천의 원정군을 이끌고 한수를 건너왔는데, 그들을 황악 남쪽 산자락에 묶어놓았답니다. 아군이 이미 한수 북편의 포구를 모두 장악해 진무의 군사들은 한성을 구하기 위해 도강하기 어렵게 되었습니다. 그러므로 우리 해로 원정군이 언제고 안심하고 출동할 수 있다 하니, 이제 출정 일시만 확정하면 됩니다."

추수는 태왕 담덕이 육로 원정군 소식을 학수고대하고 있던 터라, 전령병의 소식을 전하기 위해 급히 달려왔던 것이다.

"그것 참 잘 되었군요. 작전대로 되어가긴 하는데, 문제는 우리 해로 원정군이 한수를 통해 백제의 도성까지 배로 이동하는 것입니다. 적들이 눈치채지 못하게 하려면 심야가 좋겠는데, 보름달이 밝아 걱정입니다. 배가 물살을 거슬러 올라가야 하는 것도 부담이고……."

담덕은 지금까지 고민하고 있던 생각을 털어놓았다.

"하하하! 폐하께서 그 걱정을 하고 계셨군요? 방금 말씀하신 대로 우리 해로 원정군의 출항은 심야의 어둠을 이용하는 것이 좋습니다. 썰물이 가장 많이 빠져나간 때를 간조라고 하고, 밀물이 가득 들어찼을 때를 만조라고 합니다. 이 물때를 잘 활용해야 할 것입니다."

"그건 알고 있습니다만……."

"우리 군이 출항할 때는 밀물이 들어올 시각이어야만 합니다. 배가 물살을 거슬러 올라가야 하는 것이 부담이라고 하셨는데, 밀물이 들 때 출항하면 그럴 염려가 없습니다."

추수는 산동반도 해룡부를 지휘해 서해에 출몰하는 해적들을 퇴치하면서 바다의 생태 전반에 걸쳐 아주 익숙해 있었다.

"장군께서 따로 생각해 둔 작전이 있으신 모양이군요?"

"지난번 우리 해로 원정군 장수들과 작전회의를 할 때 논의를 하려다, 문득 기밀이 새어나갈까 걱정되어 입을 굳게 다물고 있었습니다. 또한 출정 날짜와 시간을 논의하기 위해서는 여러 가지 저간 사정을 두고 보아야만 했구요."

"그래, 장군께선 어떤 전략을 갖고 계시는지요? 밀물 때 출항한다는 것은 공감합니다만, 구체적으로 그 이유를 말씀해 보십시오."

담덕은 적이 안심되는 얼굴로 추수를 쳐다보았다.

"해룡부 소속 백제 출신 어부들에게 들은 이야깁니다만, 밀물이 들어올 때면 한수의 강물이 역류를 한다고 합니다. 바다와 통해 있으니 당연한 현상이지요. 그 역류하는 물길이 만조 때는 한성 인근까지 간다고 합니다. 백제 출신 어부들이 고기를 팔기 위해 자주 한수를 통해 백제 도성까지 왕래를 했으므로 그 말은 사실일 것입니다. 만조가 될 때면 백제 도성 인근에서 갈매기들이 나는 것을 볼 수 있다고 하니, 밀물 때문에 강물이 역류하는 것은 이상한 일이 아닙니다. 주로 바다에 사는 날짐승인 갈매기는 물고기를 잡기 위해 역류하는 밀물을 따라 한성 부근까지 날아가는 것이지요."

"그렇군요. 갈매기가 그곳까지 날아간다면 강물이 역류하는 것이 틀림없겠습니다."

그렇게 말하면서 태왕 담덕은 손뼉을 마주치기까지 했다.

"밀물이 역류할 때 배를 띄우면 훨씬 빨리 한성까지 도달할 수 있습니다. 하루에 두 번 간조와 만조가 되는데, 밤에는 간조 시각이 자시 경입니다. 이는 그때부터 썰물이 밀물로 바뀌어 강물이 역류하기 시작한다는 것이지요. 다음 만조는 대략 묘시卯時(5시~7시)에서 진시辰時(7시~9시) 사이인데, 밀물이 들 시각인 자정에서 새벽까지 우리 해로 원정군을 이동시키면 됩니다. 다만 문제는 보름달인데, 오늘 밤과 내일 밤을 두고 보도록 하시지요. 일교차가 심한 봄가을에는 바다나 강에 안개가 많이 끼게 되어 있습니다. 밤에 갑자기 기온이 내려갔다가 낮에 기온이 올라가면 안개가 끼는 현상이 발생합니다. 주로 동녘이 밝아오기 전인 새벽녘에 안개가 짙게 끼지요. 따라서 밀물 시각에 아군이 출항하면 자정 이후엔 어둠이, 새벽엔 안개가 가려주어 백제군에게 발각될 염려가 없을 것이옵니다. 또한 옅은 구름층이 하늘에 떠 있을 때는 달무리가 지곤 하는데, 오늘이나 내일쯤 그런 현상이 일어날 가능성이 높습니다. 흔히 달무리가 지고 나면 비가 내린다고 합니다. 요즘 계속 가물었는데, 오늘도 구름이 오락가락하는 것을 보면 내일이나 모레쯤엔 봄비가 내릴 것 같습니다. 우리 해로 원정군의 출항 시기는 오늘 자정 아니면 내일 자정 무렵이 좋을 듯합니다. 오늘내일 달무리가 지는 것을 보고 결정하시지요."

"장군! 아주 명쾌한 혜안이십니다. 갑자기 캄캄한 어둠에 가려졌던 눈이 화광火光처럼 밝아지는 느낌입니다. 과연 장군께선 천문지리에 능통하십니다."

담덕은 칭찬을 아끼지 않았다.

"크게 자랑할 만한 것은 못 됩니다. 산동에서 해룡부를 이끌면서 자연스럽게 터득한 바다 상식 아니겠습니까?"

추수는 겸연쩍은 표정으로 빙그레 웃었다. 그러나 그는 이번 전투에 임하는 심정을 누구에게도 밝힐 수 없으나, 내심 남달리 특별한 각오를 다짐하고 있었다.

'이번 기회에 반드시 백잔왕 아신을 죽여 대왕 폐하의 원수를 갚고야 말겠다.'

추수가 생각하는 대왕은 그가 호위무사로 섬겼던 고국원왕이었다. 오래전의 일이지만 옛날 평양성 전투에 출전했을 때를 떠올리면, 추수는 지금도 그 분노가 좀처럼 가시지 않았다. 한쪽 눈을 잃어 '일목장군'이란 별호를 얻은 것도 그때의 일이었지만, 무엇보다도 그는 대왕의 호위무사로서 임무를 다하지 못하고 적의 화살을 맞아 전사케 한 죄책감을 지울 길이 없었다. 그의 가슴속에 앙금처럼 가라앉아 있는 원한은 죽을 때까지 가지고 갈 수밖에 없는 숙명과도 같은 것이었다.

"장군! 한수 북단은 우리 육로 원정군이 장악했으므로 안심해도 되지만, 그래도 한수 남단의 백제군들이 걱정입니다. 그래서 우리 해로 원정군을 두 갈래로 나누어 출정시킬까 합니다."

"태왕 폐하께선 어떤 전략을 세워놓으셨는지 말씀해 주십시오."

때마침 추수도 2만이 넘는 해로 원정군을 이끌고 한수를 통해 한성까지 간다는 것은 무리라는 생각 때문에 고심하고 있던 중이었다. 그런데 뜻밖에도 담덕이 군사를 두 갈래로 나누어 출동시키자는 말에 내심 놀라움을 금치 못했다.

"일단 방금 장군과 함께 논의한 대로 제1대는 한수로 접근하여 한성의 북문과 동문을 치는 것입니다. 제2대는 해로를 통해 미추홀彌鄒忽(인천)까지 가서, 거기서 육로로 한성을 향해 진군합니다. 이렇게 되면 한수 남단을 지키는 검포黔浦(김포) 등지의 산성을 자연스럽게 위협하게 되어, 한수로 거슬러 오르는 제1대에 대한 적의 관심을 따돌릴 수가 있습니다. 이들 제2대는 물길을 따라 난 한수 남단의 육로를 통해 진군해 한성의 서문과 남문을 공격토록 하는 것입니다."

담덕의 말에 추수는 무릎을 치며 찬동해 마지않았다.

"기가 막힌 전술이옵니다. 미추홀에서 육로를 통해 한성으로 접근한다는 것은 소장도 미처 생각하지 못한 탁견이옵니다. 전에 관미성 전투 때 백잔왕 진사가 패잔병을 수습해 퇴각한 길이 바로 폐하께서 방금 말씀하신 제2대의 진로가 아니겠습니까?"

"맞습니다. 그때 진사가 왜 한수를 놔두고 그 길로 퇴각했는지 잠시 생각해 본 일이 있는데, 우리 고구려군의 추격이 두려웠기 때문입니다. 미추홀이나 한수 남단의 검포에는 백제 성을 지키는 군사들이 있어 안심이 되었던 것이지요."

"폐하! 이것으로서 이번 전투의 전략은 완벽하게 갖추어진 것 같습니다. 하늘 서편에서 구름이 일어 달무리가 질 때를 기다려 출항하는 일만 남았습니다. 폐하께서는 관미성 군사 1만을 제1군으로 편성, 한수를 통해 한성까지 가십시오. 소장은 국내성 군사와 산동의 해룡부대 군사까지 합친 1만 3천을 제2

군으로 편성해 미추홀로 상륙, 육로를 통해 한성으로 진군토록 하겠사옵니다. 어느 부대가 먼저 한성에 도달하든 적의 성문을 공격토록 하면 백잔왕 아신은 잔뜩 겁을 집어먹고 수성하는 데만 골몰할 것이옵니다."

해로 원정군의 총대장을 맡은 추수는 이렇게 태왕 담덕과 각기 군사를 나누어 진군키로 하고, 출항할 적당한 시일과 시각이 오기만 기다리기로 했다.

고구려 육로 원정군의 전령이 다녀간 날은 때마침 보름달이 밝아 출항하기에 좋은 날씨가 아니었다. 이미 한수 북단은 육로 원정군이 차지하고 있었으므로, 진무의 1만 5천 군사들은 강북의 황악 남쪽 산자락에 완전히 고립되어 있는 셈이었다. 그러므로 관미성과 갑비고차에 머물고 있는 고구려의 해로 원정군은 크게 출항을 서두를 이유가 없었다.

그로부터 이틀이 지나갔다. 추수의 말처럼 저녁 무렵부터 서쪽 하늘로 옅은 구름층이 몰려들더니 밤이 되자 달무리가 졌다.

"폐하! 오늘 밤이 출항의 적기이옵니다. 소장은 제2대를 이끌고 먼저 미추홀로 출동하겠사옵니다. 미추홀 쪽은 바다로 접근하므로 밀물로 한수가 역류하는 것을 기다릴 이유가 없습니다. 폐하가 이끄는 제1대가 출항하기 전에 소장의 군대가 미추홀로 상륙해 검포의 백제군을 겁박하는 것이 좋겠습니다. 따라서 제2대는 일찌감치 술시成時(19시~21시)를 기해 출항하겠사옵니다. 폐하께서는 밀물이 들기 시작하는 간조 시각인 자시를 기해 제1대를 출항시키도록 하십시오."

관미성에서 태왕 담덕과 저녁 식사를 함께한 추수는 곧바로 고구려 해로 원정군 제2대가 머물고 있는 갑비고차로 떠났다.

달무리가 진 그날 밤 자정 무렵, 마침내 담덕도 고구려 해로 원정군 제1대로 편성한 관미성 군사들을 이끌고 출항했다. 관미성 주변 해안과 한수로 진입하는 강 하구에는 조금씩 안개가 끼기 시작했다. 달무리가 진 데다 밤안개는 적군으로부터 해로 원정군의 뱃길을 가려주어 날씨까지 일조하고 있었다.

6

고구려 해로 원정군 제2대를 이끌고 태왕 담덕보다 먼저 출항한 추수는 미추홀에 군선을 정박시키고 곧바로 상륙했다. 그는 군사 1천을 군선 지키는 병력으로 선착장에 남겨둔 후, 말을 탄 기마대와 창칼로 무장한 보병들을 이끌고 일단 감포 쪽으로 진군했다. 한수 하류의 남단에 있는 감포 야산에는 백제의 성이 있었다. 기마대의 말들이 한성을 향해 전속력으로 달려 나가자, 백제 성의 군사들은 말발굽 소리만 듣고도 바짝 긴장하지 않을 수 없었다.

감포의 산성을 지키고 있던 장수가 한밤중에 경계병의 보고를 받고 나서 바짝 긴장하여 한성으로 급히 전령을 보내 고구려군의 침입을 알렸다. 고구려군이 밤중에 갑자기 나타나 산성을 놔두고 한수의 물길을 따라 동남 방향으로 달려가는 것은, 백제 도성을 공격 목표로 삼고 있음에 틀림없는 일이었던 것이다.

새벽녘이 가까워서야 백제왕 아신은 감포의 산성에서 보낸 전령병으로부터 고구려군이 기마대를 앞세워 한수 남쪽으로 난 길을 따라 한성을 향해 달려오고 있다는 보고를 받았다. 그는 비몽사몽간에 한성 방어를 책임지고 있는 장군 사두로부터 급보를 받고 나서, 처음에는 그저 자신이 꿈을 꾸고 있는 것이려니 생각했다.

대왕 아신은 침전에서 몸을 벌떡 일으키며 사두에게 물었다.

"어찌 고구려군이 한수를 건너오지 않고 갑자기 우리 백제 땅인 서쪽 육로를 통해 진군하고 있단 말이오?"

"진무 장군과 대치하고 있는 한수 이북의 고구려군과는 다른 병력 같사옵니다. 배를 타고 바다를 건너와, 곧바로 미추홀로 상륙해 이곳 도성을 향해 달려오고 있다고 합니다. 한시가 급하니, 소장은 남문 쪽으로 달려가 군사들을 독려해 고구려군의 공격을 막겠사옵니다."

보고를 마친 사두가 서둘러 대왕의 침전을 나섰다.

아신은 그의 뒷모습이 사라지는 것을 보며, 아직도 잠이 덜 깬 목소리로 중얼거렸다.

"귀신이 곡할 노릇이로군! 꼭두새벽에 어찌 후방에서 적이 나타난단 말인가?"

그렇지 않아도 잠자리가 뒤숭숭해 악몽을 꾸고 난 다음이라, 아신은 실제로 자신의 볼을 꼬집어보기까지 했다. 꿈이 아니고 생시임을 볼에서 느껴지는 아픔이 그대로 전해 주고 있었다.

'이크, 정말 큰일이로구나!'

아신은 서둘러 갑옷을 챙겨 입고 칼과 활을 들었다. 이미 대기하고 있던 내관들과 호위무사들이 그를 보좌하고 나섰다.

"폐하! 사정이 급하게 됐으니, 일단 피신부터 하고보는 것이 옳지 않겠사옵니까?"

늘 가까이에서 보좌를 하고 있는 늙은 내관의 말이었다.

"무슨 소리냐? 적이 쳐들어왔는데 도망부터 치라니? 앞으로 어느 놈의 입에서든 그런 소리가 나온다면 당장 이 칼로 목을 치겠다. 어서 안내해라! 고구려놈들이 쳐들어온 곳이 어디냐?"

아신은 이미 눈이 뒤집혀 있었다. 물불을 가릴 계제가 아니었다.

"사두 장군이 남문 쪽으로 달려갔습니다."

호위무사 하나가 말했다.

"그래, 남문으로 가자! 짐이 고구려놈들에게 본보기를 보여주겠다!"

아신은 말에 오르기 바쁘게 남문을 향해 달렸다. 그는 어려서부터 성격이 호탕하여 어떤 일이 닥치면 거칠 것 없이 곧바로 행동에 옮겼다. 매사냥과 말타기를 즐겼을 정도로 무술에 있어서도 누구 못지않게 자신감을 갖고 있었다.

새벽이 오기 직전의 어둠은 깊었다. 아직은 캄캄한 밤이었는데, 서쪽 하늘에 달무리 진 둥근달이 떠 있었다. 보름이 지나 배가 한쪽으로 꺼져가는 달은 희미한 빛을 지상에 뿌리고 있었고, 언덕 너머 어디선가 고구려 기병들의 말발굽 소리와 함성이 어지럽게 들려왔다.

"모두들 단단히 각오하라. 이곳 한성에 뼈를 묻을 각오로 싸워야 한다!"

장군 사두가 높다란 문루에서 전방을 응시하며 좌우의 성벽에 늘어선 백제 군사들을 향해 소리쳤다.

궁궐은 정문을 남쪽에 두고 있었다. 성 밖으로는 방어용으로 해자가, 바로 그 다음에 목책이 둘러쳐져 있어 적들이 곧바로 공격을 하기에 용이하지 않았다. 고구려 해로 원정군이 관미성에서 날씨를 보아가며 하루 이틀 출정 날짜를 늦추는 사이에, 백제 장군 사두는 부지런히 목책을 보수하고 녹각을 세웠다. 기마병의 공격에 대비한 함정도 곳곳에 파놓았고, 마름쇠도 들판에 두루 뿌려 놓았다. 그런 방어 준비를 하느라 밤낮을 가리지 않고 군사들을 혹독하게 다루어, 정작 고구려군이 쳐들어왔을 때 한성의 백제군은 맞서 싸울 기력조차 남아 있지 않았다.

새벽어둠이 서서히 걷힐 즈음, 추수의 고구려 해로 원정군 제2대는 언덕을 넘어 한성 남문 앞 들판에 당도했다. 미추홀에서부터 전속력으로 말을 달려온 고구려 기병과 말들의 입에서는 허연 입김이 뿜어져 나오고 있었다. 기병이나 말이나 몸에 무거운 철갑을 두르고 있어서 헉헉댈 수밖에 없었다.

전투에선 기선제압이 절반의 성공이라고 할 수 있었다. 추수는 숨 돌릴 사이도 없이 철갑기병들에게 공격명령을 내렸다.

"적들은 아직 잠을 덜 깨 꿈인지 생시인지 모르는 상태다. 눈곱도 떼기 전에 기습해 적들을 영원히 꿈나라로 보내야 한다. 적의 수급을 많이 베어오는 자에게는 큰 상을 내릴 것이다. 자, 총돌격하라!"

추수는 이미 나이 50대의 노장이었다. 그러나 그의 기백은 해적들이 무서워 벌벌 떨던 일목장군의 명성에 걸맞게 펄펄 살아 있었다. 바로 그 옆에서 아들 마동이 또한 말 위에서 칼을 높이 치켜든 채 기세등등한 모습으로 명령만 떨어지면 짓쳐 달려나갈 자세를 취하고 있었다. 마동은 태왕 담덕의 명을 받고 산동으로 가서 해룡부의 군대를 이끌고 온 장본인이었다. 그래서 그때까지도 일단은 해룡부 소속으로 남아 있었다.

언덕 위에서 바라본 한성 남문의 전투 상황은 만만치 않았다. 고구려 철갑기병이 목책 앞에 다다랐을 때, 선두를 달리던 말과 기병들이 함정에 빠지는 사태가 곳곳에서 벌어졌던 것이다. 개중에는 마름쇠를 밟아 거꾸러지는 경우도 있었다. 기습 공격을 한 것임에도 불구하고, 백제군이 그 사이 마름쇠를 뿌리고 함정까지 파놓을 정도로 철저히 대비하리라곤 미처 생각지 못한 일이었다.

추수는 징을 울려 일단 철갑기병들을 후퇴시켰다.

고구려군이 1차 공격을 감행했다가 실패하고 물러가자, 화살을 쏘아대며 방어에 진력하던 백제군 진영에서 일제히 함성이 터져 나왔다.

와, 와, 와, 와!

함성을 지르는 백제군을 바라보며, 대왕 아신이 옆에 서 있는 장군 사두에게 말했다.

"장군! 언제 함정까지 파놓아 방비를 한 것이오?"

"아무래도 이곳은 궁궐의 정문이라 적들이 가장 먼저 공격할 것에 대비해 함정을 파놓고 그 앞에 마름쇠까지 뿌려놓았습니다. 그러나 너무 시간적 여유가 없어 남문과 동문까지는 대비를 해놓았으나, 북문과 서문은 미처 손도 대지 못했습니다. 사나흘만 더 시간이 주어졌다면, 완벽하게 방어 준비를 할 수 있었을 터인데…… 적의 병력이 어느 정도 되는지 알 수 없으나, 성을 완전히 포위하게 되면 빠져나갈 길이 없사옵니다."

사두의 얼굴엔 수심이 가득했고, 말끝에 저절로 한숨이 따라붙었다.

"그때는 생사를 걸고 싸워야 하지 않겠소?"

고구려 기병대가 목책 앞에 이르렀을 때 오랜만에 활을 쏘아 본 아신은 화살을 뽑아 움켜쥔 오른손에 잔뜩 힘을 주었다.

"폐하! 적들이 성을 포위하기 전에 소장이 퇴로를 마련할 터이니, 우선 북문 쪽으로 피신하시는 것이 좋겠습니다. 북문을 빠져나가 한수에서 배를 타고 도강하면, 어찌 됐든 진무 장군에게로 가는 길이 있을 것이옵니다. 지금으로선 그것이 최선이란 생각이 드옵니다."

사두의 이 같은 말에 아신이 호통을 쳤다.

"바로 적이 코앞에 있는데, 도성을 버리고 도망치라니……대체 장군은 무슨 소릴 하고 있는 것이오?"

"폐하! 적들이 일단 물러가기는 했지만, 1차 공격은 우리의 방어력을 시험해 보기 위한 전략 같사옵니다. 2차 공격 때는 만만치 않은 혈전이 벌어질 것이옵니다. 지금이 잠시 휴지기라고 판단되오니, 이때를 기해 성을 빠져나가는 것이 상책입니다. 소장은 이 성에 뼈를 묻을 각오로 싸울 것이옵니다. 우리 백제의 종묘사직이 걸린 문제이오니, 폐하께선 성신聖身을 보전하셔야 하옵니다."

갑자기 사두가 아신 앞에 무릎을 꿇었다. 눈물까지 보이지는 않았지만, 그의 목소리는 목울대를 넘어오다 걸려 거의 울음에 가깝게 들렸다.

바로 그때였다. 동문 쪽에서 기병이 급히 말을 달려와 보고했다.

"폐하! 동문에도 적군이 나타났사옵니다."

"무엇이?"

"고구려왕이 직접 군대를 이끌고 왔사옵니다."

"담덕이 직접? 그게 무슨 소리냐? 담덕은 진무 장군이 상대하고 있지 않은가? 이, 어찌 된 일이란 말인가? 그런데 군사의 수는 얼마나 되느냐?"

"안개 속이라 짐작을 할 수는 없사오나, 언뜻언뜻 보이는 기치들로 봐서 대병력임이 확실하옵니다."

"어허! 이를 어찌하면 좋단 말인고?"

아신은 허탈감에 빠졌다. 조금 전 장군 사두 앞에서 큰소리치던 기세는 어디로 사라졌는지 알 수 없고, 그의 얼굴은 금세 흙빛으로 변해 있었다.

"폐하! 이곳 남문은 그래도 철저히 방어하면 견딜 수 있으나, 동문은 적의 공격을 막기 쉽지 않사옵니다. 남문보다 방비가 허술한 것이 사실이기 때문이옵니다. 소장은 곧 동문 쪽으로 가서 군사들을 독려해 몸으로라도 적을 막겠사옵니다."

사두가 몸을 일으키며 외쳤다. 그도 결국 대왕을 피신시킨다는 생각은 접을 수밖에 없었다. 이미 동문에까지 적군이 들이닥쳤다면, 북문이고 서문이고 곧 포위될 것이 분명하므로, 대왕을 피신시킬 시간조차 없다고 판단했던 것이다.

"그, 그러시오. 동문이 더 급하게 됐군! 이곳은 짐이 지킬 터이니 장군은 어서 동문으로 가보시오."

아신의 명이 떨어지기 바쁘게 사두는 동문 쪽으로 급히 말을 몰았다.

사두가 탄 말이 꼬리를 감출 즈음, 남문 밖에서는 고구려군이 보병을 앞세워 공격을 가해 왔다.

기병보다 뒤늦게 당도한 고구려의 보병은 1만 가까이 되는 대군이었다. 1차 공격에서 백제군이 기병의 공격에 대비해 철저하게 방어 준비를 해놓은 것을 알았으므로, 추수는 일단 기병대를 뒤로 물리고 보병들을 앞세워 2차 공격을 시도했다.

고구려 보병은 방패를 앞세우고 바로 그 뒤에 궁수들을 따르게 했다. 이렇게 방패부대와 궁수부대를 수십 개의 조로 짜서, 서로 앞뒤를 바꿔가며 천천히 전진해 나갔다. 성안에서 날아오는 백제군 화살을 방패부대가 막고, 화살 공세가 뜸한 틈을 노려 방패와 방패 사이로 궁수부대가 나와 화살을 쏘았다. 수십 개의 조가 서로 역할을 바꿔 화살을 쏘아대며 전진을 거듭했으므로, 고구려군의 공성전투는 자못 위협적이었다. 이렇게 되자, 성안의 백제군은 빗발처럼 쏟아지는 화살 때문에 제대로 방어할 틈새를 찾지 못해 갈팡질팡하기에 이르렀다.

백제군의 화살이 뜸해진 틈을 노려 고구려 보병은 땅속에 파놓은 함정을 점검해 가는 여유까지 부리며 성 가까이 접근할 수 있었다. 따라서 녹각이나 목책을 걷어내면서 서서히 전진해 성문 앞까지 도달하는 데는 그다지 큰 어려움을 겪지 않았다. 바로 보병 뒤에는 충차가 따라왔고, 마침내 수십 명의 군사들이 미는 충차는 성문을 향해 돌격해 들어가기 시작했다.

충차로 돌격하기를 몇 차례 거듭하자 성문은 곧 부서져나갔다. 그러자 보병 뒤에 대기하고 있던 철갑기병들이 쏜살같이 성안으로 쏟아져 들어갔다. 이미 보병들이 성문 앞까지 전진하면서 장애물을 모두 걷어낸 뒤라, 기병대는 아무런 장해도 받지 않고 성안으로 돌격해 들어갈 수 있었다.

추수는 기병대와 함께 입성하여 눈을 부릅뜨고 백제 대왕 아신부터 찾았다. 드디어 그에게 일목장군이란 별호를 붙게 해준 20여 년 전 평양성 전투의 치욕을 되갚아줄 차례가 온 것이었다.

호위무사들과 함께 북문 쪽으로 도망치던 아신은 곧 추수의 기마대에 발견되고 말았다. 추수는 아들 마동과 함께 기마대 선두에서 달리며 아신을 따르는 백제 군사들을 사정없이 짓밟았다. 고구려 기마대의 칼에 백제 군사들의 머리가 넝쿨 떨어진 호박처럼 땅바닥으로 나뒹굴었다.

특히 말을 잘 타는 마동은 백제군의 가운데를 뚫고 나가, 마침내 도망치는 백제 대왕 아신을 따라잡을 수 있었다. 그의 칼이 좌우로 춤을 추자 순식간에 백제왕의 호위무사 여러 명이 추풍낙엽처럼 쓰러졌다.

"백잔왕 아신은 항복하라!"

마동은 홀로 도망치는 아신의 말을 추격하며 소리쳤다.

그 소리에 깜짝 놀라 뒤를 돌아본 아신은, 자신을 따르는 호위무사들이 보이지 않는 걸 깨달았다. 마동의 뒤로도 끊임없이 몰려드는 고구려 기병들을 보자, 그는 식겁해서 양발을 굴러 말에 박차를 가했다. 그러자 마동은 허리에 찬 가죽주머니에서 수리검을 꺼내 아신의 등짝을 향해 던졌다. 날카로운 수리검은 여지없이 아신의 갑옷을 뚫었고, 그는 그대로 말에서 떨어져 땅바닥으로 곤두박질치고 말았다.

다급해진 아신은 곧바로 일어서려 했으나, 이미 마동의 칼이 서늘하게 그의 목에 와닿았다.

"목숨만은 살려주시오!"

아신은 덜덜 떨며 마동을 올려다보고 외쳤다.

뒤미처 달려오던 추수가 아들 마동에게 항복하여 목숨을 구걸하는 아신을 발견했다.

"네가 백잔왕 아신이냐?"

추수가 외쳤다.

"아버님! 백잔왕이 틀림없습니다."

마동이 아신을 대신해 말했다.

그때 추수는 불과 몇 걸음 떨어지지 않는 거리에서 아신을 향해 활을 겨누었다.

"지난 평양성 전투를 생각하면 지금도 이가 갈린다. 네놈의 할아비 수(근구수왕)가 내 왼쪽 눈알을 빼앗았고, 종국에는 짐 독 묻은 독화살을 쏘아 고국원대왕을 전사케 했다. 내 오늘 그 원수를 갚아주마!"

추수는 활시위를 팽팽하도록 잡아당겼다. 바로 그때 마동이 아신의 앞을 가로막았다.

"아버님! 대체 왜 이러십니까?"

"마동아! 위험하닷! 저리 비켜라!"

추수는 활을 쏘려다 말고 멈칫하며 소리쳤다. 하마터면 활이 아들의 가슴을 꿰뚫을 뻔했던 것이다.

"이미 백잔왕은 항복을 했사옵니다. 이제는 태왕 폐하께서 백잔왕에 대한 주벌을 내리셔야 마땅하옵니다. 그러므로 아버님은 참으십시오."

마동의 이 같은 말을 듣고 나서야 추수는 겨우 제정신으로 돌아왔다. 가슴에 응어리진 원한 때문에 그는 잠시 자신을 제 어할 수 있는 능력을 상실했던 것이다.

"……허어?"

추수는 아들을 바라보며 팽팽하게 당겼던 활을 천천히 거두어들였다.

"아버님! 부디 고정하소서. 아버님의 한은 태왕 폐하께서 갚아주실 것이옵니다."

마동의 말에, 잠시 생각에 잠긴 듯하던 추수는 이내 고개를 끄덕거렸다.

"네 말이 맞다. 내가 잠시 실성을 했던 모양이구나."

추수는 말에서 내려 마동에게 다가왔다.

"아버님 심정 십분 이해하지만, 저로서도 어쩔 수 없었사옵니다. 용서해 주십시오."

마동이 벌겋게 달아오른 얼굴로 머리를 숙였다.

"아니다. 내 잘못이다. 그리고 이 아비는 네가 이렇게 큰 줄 미처 몰랐다. 사리분별이 아주 명확하구나. 태왕 폐하를 모시는 호위무사답다."

추수는 아들 마동이 대견스러웠다. 자신이 고국원왕의 호위무사로서 책임을 다하지 못한 것을, 아들이 그 손자인 태왕 담덕의 호위무사가 되어 임무에 충실하고 있다는 생각을 하니 가슴이 먹먹할 정도로 뿌듯해졌다.

"아버님!"

마동의 목소리에 물기가 어렸다.

"고맙다, 아들아! 하마터면 태왕 폐하께 큰 실수를 범할 뻔했구나. 그래, 저 백잔왕 아신에게 주벌을 내리실 분은 바로 태왕 폐하이시다."

하나밖에 없는 추수의 오른쪽 눈에서 한 줄기 눈물이 흘러내렸다. 그것은 곧 얼굴에 묻은 피와 땀에 섞여버렸고, 글썽이는 눈으로 의젓한 모습의 아들을 바라보는 그의 입가에는 어느새 엷은 미소가 번지고 있었다.

7

안개는 한수의 둔덕을 넘어 꾸역꾸역 피어올랐다. 안개 속에 희끗희끗 드러났다 사라지는 고구려 군사들을 바라보면서, 한성 동문의 문루에 올라선 백제 장군 사두는 지금이야말로 생사를 가르는 결단을 해야 할 때라고 생각했다.

'방법이 없다. 아, 우리 백제는 이대로 무너지는가?'

사두는 이제 백제를 풍전등화와 같은 위기에서 구할 수 있는 길이 없다고 판단했다. 다만 어떻게 해서든 담덕을 사로잡아, 그의 목숨을 담보로 고구려군이 조용히 물러가게 만드는 것이 유일한 방법이었다. 아무리 곱씹어봐도 가당치 않은 일이지만, 지금으로서는 그 밖에 다른 어떤 길도 보이지 않았다. 만약 그것이 가능하지 않다면 설득이라도 해서 백제의 왕실만은 그대로 유지할 수 있게 해야 한다는 것이 그의 판단이었다.

'불가능을 가능케 하는 것이 바로 전쟁 아니겠는가?'

사두는 다시 마음속으로 이렇게 되뇌었다. 호랑이를 잡으려면 호랑이 굴로 들어가야 하듯, 담덕을 사로잡으려면 적진으로 뛰어들어야만 그나마 한 가닥 희망이라도 보인다고 그는 생각했다. 이미 그는 새벽녘 고구려군이 쳐들어온다는 소식을 접했을 때, 목숨을 내놓았다. 그러므로 두려울 것이 없었다.

마침내 사두는 좌우에 서 있는 휘하 장수들에게 명령했다.

"지금 우리는 달리 방법이 없다. 이미 도성은 적군에게 포위당했다. 나는 죽으러 가기로 결심했다. 만약 적이 추격해 올 경우 화살로 적극 응사하라. 그래도 적에게 성을 탈취당하면 그 자리에 뼈를 묻을 각오로 끝까지 항전하라. 그것이 백제군사의 본 모습임을 보여줘라. 내가 성 밖으로 나서는 즉시 문을 굳게 닫고 방어 준비를 하라."

사두는 홀로 말을 타고 성문을 나섰다.

사실상 안개 때문에 양군이 맞서고 있는 일정 거리에선 서로의 동태를 파악하기 힘들었다. 그는 천천히 목책 앞에까지 말을 타고 나갔다. 드디어 고구려군의 대열이 안개 속에 드러났다.

"고구려왕 담덕은 들어라. 나는 백제 장군 사두다. 누구나 생명은 아까운 것. 피아간에 애써 피를 보는 것처럼 어리석은 일이 또 있겠는가? 고구려군을 대표해서 누구든 선뜻 나서서 나와 겨루자. 그것으로 깨끗하게 이 전투를 정리하자."

사두의 목소리는 안개를 뚫고 나가 고구려군 진영을 쩌렁쩌렁 울렸다.

갑자기 고구려군 진영이 술렁이기 시작했다.

"저거 미친놈 아닌가?"

"간덩이가 부었구먼."

"혼자 나와서 대체 뭘 어쩌자는 거야?"

태왕 담덕 뒤에서 휘하 장수들이 수런거렸다.

"가만, 저놈이 저러는 걸 보면 뭔가 그 뒤에 무슨 흉계를 숨기고 있는 게 아닐까요?"

이렇게 나선 것은 관미성 성주 우형이었다. 그는 전에 왕당군의 흑부군을 이끌던 연나부 출신 장수였다.

"그럴 수도 있겠지요. 아무튼 예사 인물은 아닌 듯싶은데……."

담덕은 잠시 생각에 잠겼다.

"태왕 폐하! 소장이 달려가 저놈이 어떤 수작으로 나오는지 시험해 보고 오겠습니다."

우형이 나섰다.

"아니오. 아직 안개가 걷히지 않아 적장 뒤에 무엇이 있는지 모르지 않습니까? 함정이 분명합니다."

담덕은 서두르지 않았다.

고구려군 진중에서 수군거리기만 할 뿐 별다른 반응이 없자, 사두는 더욱 목소리를 높였다.

"고구려에 나와 겨룰 장수가 없느냐? 겁쟁이들만 모였구나. 담덕이 이놈! 휘하에 내세울 장수가 없다면 네가 직접 나와라."

"아니, 저놈이 감히 폐하에게 욕을 하다니?"

이때 담덕 곁에 있던 호위무사 수빈이 말에 박차를 가해 뛰어나갔다.

"수빈아! 안 돼! 돌아와라."

깜짝 놀란 담덕이 외쳤으나, 수빈은 앞으로 쏜살같이 달려나가면서 등자에 얹은 발로 더욱 세게 말의 뱃구레를 걷어찼다.

누구도 말릴 사이 없이 수빈은 한성 동문 앞 들판에서 백제 장군 사두와 맞붙었다.

"이얍!"

"엽!"

두 사람의 칼이 부딪칠 때마다 기합소리가 허공으로 울려 퍼졌다.

"목소리를 들으면 애송이 소년 장수 같은데, 제법 칼을 쓸 줄 아는군!"

사두는 수빈의 목소리를 듣고 변성기의 소년으로 착각했다.

"잔소리 말고 내 칼을 받아라."

수빈은 어린 시절부터 무명선사에게 배운 무명검법을 구사해 사두의 허점을 공략해 들어갔다.

　"고구려에 그렇게 내세울 장수가 없느냐? 코흘리개 어린아이를 내보내다니."

　사두는 수빈을 어린 장수라 생각하고 말로 놀려먹으며 유인 작전을 폈다.

　"감히 네놈이 함부로 입을 놀려 우리 태왕 폐하를 욕하다니? 그 죄 값으로 반드시 네 목을 가져가겠다."

　수빈도 말로는 지지 않았다.

　두 장수의 실력은 막상막하여서 십여 합이 지나도록 어느 쪽으로도 기울지 않았다.

　그때 고구려군 진영에서 우형이 태왕 담덕을 향해 군례를 올리고 말했다.

　"폐하! 아무래도 안심이 되지 않습니다. 소장이 가서 적장을 물리치고 호위무사 수빈을 안전하게 데려오겠사옵니다."

　담덕도 수빈이 걱정되어 우형의 말을 거부할 수가 없었다.

　"적장이 제법 마음에 드니, 해치지 말고 사로잡아 오시오."

　담덕의 명이 떨어지기 무섭게 우형이 시위를 떠난 화살처럼 튀어나갔다.

　"아니? 하나로 모자라 둘씩 덤비겠다는 것이냐? 좋다. 고구려 놈들 모두가 덤벼도 다 상대해 주마."

사두는 이제 수빈과 우형을 맞아 싸웠다.

우형은 창을 잘 썼다. 그는 사두의 옆구리로 파고들며 공격을 하는 척하면서 적의 칼날을 비켜 말의 뒷다리에 창을 꽂았다. 그 바람에 말이 놀라 껑충 뛰면서 사두는 앞으로 거꾸러져 땅바닥으로 나뒹굴었다.

우형은 말에서 뛰어내려 순식간에 밧줄로 사두를 묶었다. 그는 곧 자신의 말에 포로가 된 적장을 매달고 고구려군 진영으로 돌아왔다.

"장군! 내가 다 잡아놓은 놈을 그렇게 가로채가는 법이 어디 있습니까?"

뒤미처 고구려군 진영으로 돌아온 수빈이 씩씩거리며 우형에게 대들었다.

"수빈아! 너를 아끼느라 우형 장군을 내보낸 것이니 너무 화내지 말거라. 네가 없으면 호위무사 노릇은 누가 하겠느냐? 지금 이 자리엔 마동도 없고……."

이 같은 담덕의 말을 듣고 나서야, 수빈은 화를 안으로 삭이며 호위무사의 본분으로 돌아와 자리를 지켰다. 자신이 잠시 본분을 잊고 함부로 행동했다는 사실을 그때서야 깨달았던 것이다.

"폐하! 소장은 사로잡힌 몸이니 당장 이 자리에서 죽여주십시오. 다만……."

두 손이 뒤로 묶여 땅바닥에 무릎 꿇린 사두가 말 위에 높다 랗게 올라앉은 태왕 담덕을 바라보며 말했다.

"다만 무엇이냐?"

"다만……, 다만 저 성안의 생명들을 살려주십시오."

사두는 눈물을 글썽이며 애원의 눈길을 보냈다.

"생명이라 하면 누구를 말하는 것이냐?"

"백제의 대왕을 비롯하여 군사들, 백성들, 가축들 모두이옵 니다."

"네 목숨도 생명인데, 왜 너는 죽으려고 하면서 다른 생명을 구하려고 하느냐?"

담덕은 날카로운 눈빛으로 적장을 직시했다.

"폐하! 소장의 목숨은 다른 생명을 살리는 데 바치기로 했사 옵니다. 이는 또한 피아간의 피를 흘리지 않도록 하는 데 있으 므로, 고구려군의 생명을 지키는 일도 될 것이옵니다. 소장의 목숨에 대한 대가는 그것으로 충분하옵니다."

사두의 눈물 어린 호소에, 담덕은 가슴 저 깊은 곳으로부터 뭉클한 어떤 감동이 물결쳐오는 것을 느꼈다.

'백제에도 이런 인재가 있었단 말인가?'

담덕은 가만히 고개를 끄덕거렸다.

"폐하! 어서 소장의 목을 베어주십시오. 그리고 그 값으로 양 군이 피를 흘리지 않도록 해주십시오."

광개토태왕 담덕

"허면, 그대가 성안의 군사들에게 항복을 권유할 수 있겠는가?"

"네, 지금 당장 항복하라는 서찰을 써서 활로 쏘아 보내겠습니다."

사두가 말했다.

담덕은 역시 피아간 피를 흘릴 수밖에 없는 것이 전쟁이지만, 그것을 최소화할 수 있는 방안이 있다면 따르는 것이 최선이라고 생각하고 있었다.

사두가 비록 적장이지만, 담덕은 그의 진정성을 믿기로 했다.

"그래 좋다. 지금 당장 항복을 권유하는 서찰을 써서 화살로 쏘아 보내라."

담덕은 휘하에 전쟁 양상을 기록하기 위해 따라온 사관史官에게 적장 사두가 서찰을 쓸 수 있게 휴대용 지필묵을 가져다주라고 명령했다. 일찍이 태왕은 기록의 중요성을 인식하고 전쟁에 나갈 때도 기록을 하는 문사를 사관으로 뽑아 데리고 다녔다. 전쟁에서 이기고 지는 것은 다반사이므로, 반드시 전후에 기록을 토대로 하여 승패의 원인분석을 철저하게 점검해 볼 필요가 있었던 것이다.

잠시 후 사두는 항복하라는 서찰을 화살 깃에 매달아 한성 동문의 문루로 쏘아 보냈다.

그 무렵, 동문을 지키던 사두 휘하의 장수들도 싸움을 이미 포기한 상태였다. 남문이 파괴되어 고구려군이 성안으로 들어왔고, 백제왕 아신도 사로잡혔다는 소식이 그들에게 전해졌기 때문이다.

곧 한성의 동문이 열렸다. 담덕이 이끄는 고구려 해로 원정군 제1군은 피 한 방울 흘리지 않고 입성했다. 무조건 항복을 한 백제군은 무기를 버린 채 동문을 활짝 열어놓고 고구려 군사들을 맞아들였다.

고구려군에 의해 성내가 완전히 장악된 후, 담덕은 높은 의자에 올라앉아 밧줄에 묶인 채 무릎이 꿇려진 백제왕 아신과 장군 사두를 나란히 앉히고 다음과 같이 준엄하게 꾸짖었다.

"백잔왕 아신은 들어라."

태왕 담덕의 좌우에는 아신과 사두를 가운데 두고 고구려 장수들이 기세등등한 자세로 시립해 있었다. 그러한 고구려 장수들 앞에는 성안에 남아 있던 다른 백제의 제신들도 무릎을 꿇린 상태에서 벌벌 떨며 눈치를 살피고 있었다.

"……네!"

아신은 잔뜩 기가 죽어 혓바닥이 안으로 말려들어 가는 듯한 목소리로 대답했다.

"고구려 태왕이시다. 죄인은 제대로 예를 갖추어라."

장군 추수가 무섭게 호통을 쳤다. 그는 아직도 자신의 손으로 아신을 죽이지 못한 게 원한에 사무친 표정이었다.

"네, 태왕 폐하! 죽을죄를 지었나이다. 어서 분부만 내려주시옵소서."

아신은 무릎을 꿇은 상태에서 땅에 이마가 닿도록 허리를 꺾었다.

"아신, 그대는 우리 고구려의 포로가 되었느니라. 포로는 노예나 다름이 없다. 앞으로 짐의 노예가 되겠는가?"

"네, 지금부터 영원한 노객奴客이 되겠나이다."

아신이 말하는 '노객'은 노예이면서 동시에 신하를 이르는 말이었다.

태왕 담덕은 한성 공략 계획을 세울 때부터 백제왕 아신을 사로잡으면 조부인 고국원왕의 원수를 갚는 의미에서라도 당장 목을 치려고 했었다. 그러나 백제 장수 사두와의 약속을 저버릴 수가 없었다.

"지금부터 그대는 짐의 영원한 노객이 되었다. 목숨만은 살려줄 것이니, 그 대신 맹서盟誓하는 뜻을 글월로 지어 올리도록 하라. 그리고 이후부터 다시는 우리 고구려의 남변을 칠 생각을 머릿속에서 싹 지워버리도록 하라. 그대는 백잔왕이 되고 나서 고구려 남변을 여러 차례 침범했다. 그 죄를 물어 당장 목을 칠 것이로되, 그대 휘하의 장수 사두가 눈물로 호소하여 살려두노라. 그러나 전쟁에는 반드시 대가가 따르는 법, 따로 우리 고구려 제장들이 전리품을 요구할 것이니, 한 치의 어긋남도 없이 조속히 생구生口와 물자들을 마련토록 하라."

담덕은 그것으로 20여 년 가슴속에 묻어두었던 포한을 풀기로 했다.

8

한성을 장악한 고구려군 장수들은 긴급회의를 열었다. 거기에는 한수 북편을 장악한 고구려 육로 원정군 총대장 우적을 포함해 왕당군 장수들도 참석해 있었다. 태왕 담덕이 이끄는 고구려 해로 원정군이 한성을 점령했다는 소식을 듣고, 육로 원정군 제장들까지 긴급히 한수를 건너온 것이었다.

"때마침 육로와 해로를 통해 백잔 원정에 나선 우리 고구려 장수들이 다 모였습니다. 육로 원정군은 한수 이북에 있는 백잔의 성 58개와 7백 촌을 공취攻取하는 큰 성과를 올렸습니다. 그리고 해로 원정군은 한성 공략에 성공하고, 백잔왕 아신을 굴복시켜 영원한 노객으로 삼았습니다. 이제 남은 것은 한수 이북의 황악산 자락에 숨어 있는 진무의 무리들인데, 이들의 경우 아신이 보내는 항복 권유 서찰 하나만 있으면 쉽게 해결될 것입니다. 국내성으로 귀환하기 전에 백잔으로부터 전리품을 받기로 했으니, 제장들은 이에 대한 의견을 말씀해 주시기 바랍니다."

태왕 담덕은 좌우의 제장들을 천천히 둘러보았다.

"백잔왕 아신이 영원한 노객이 되겠다고 맹서했지만, 소장은 그 말을 믿지 않습니다."

이렇게 불쑥 나선 것은 일목장군 추수였다. 순간, 제장들의 눈길이 그리로 쏠렸다.

"장군께선 어찌 그리 생각하십니까?"

담덕은 백전노장 추수가 그렇게 나오리라곤 짐작도 못했던 일이라, 잠시 생각을 가다듬다가 의아한 표정으로 되묻지 않을 수 없었다.

"아신은 백잔왕이 된 이후 우리 고구려 변경을 계사년(393년)에 한 번, 갑오년(394년)에 한 번, 그리고 바로 작년인 을미년(395년)에는 두 번씩이나 공격했사옵니다. 태왕 폐하께서 이번 전투에서 그 버릇을 단단히 고쳐주어 영원한 노객으로 삼으셨다고 하지만, 소장은 달리 생각합니다. 우리 속담에 세 살 버릇 여든까지 간다는 말이 있듯이, 아집으로 뭉쳐진 외골수의 성격이라 언제고 다시 준동하려고 들 것이 틀림없사옵니다. 만약 차제에 아신의 목을 치지 않으신다면, 이번에 아예 포로로 삼아 국내성으로 끌고 가서 위리안치를 시켜야 후환이 없을 것이옵니다."

추수는 아들 마동이 아신을 사로잡았을 때, 활을 쏘아 심장을 뚫지 못한 것을 크게 후회하고 있었다. 그때 마동이 '아버님의 한은 태왕 폐하께서 갚아주실 것'이라고 해서, 그게 순리라고 생각해 활을 거두었었다. 그런데 정작 태왕 담덕은 아신의 목을 치지 않고 살려주었으니, 추수로서는 화가 나서 도무지 참을 수가 없었던 것이다.

"추수 장군의 심정을 모르는 바 아니지만, 이미 아신이 영원한 노객이 되겠다고 맹서를 한 이상 더는 죄를 물을 수가 없습니다. 우리는 백잔에 대한 천추의 한을 갖고 있는 것이 사실입니다. 그러나 코는 코, 눈은 눈이라는 식의 앙갚음은 서로에게 더 큰 원한을 안겨줄 뿐입니다. 이제 쌓였던 감정을 풀고 화해의 길을 모색해, 두 나라가 평화의 길로 나가는 것이 마땅하다고 생각합니다."

담덕은 한성을 공략한 것으로 그동안 고구려가 백제에 품었던 한을 깨끗이 정리해 버리고 싶었다.

"태왕 폐하! 추수 장군의 말에도 일리가 있사옵니다. 아신은 백잔왕이 된 다음 해부터 한 해도 거르지 않고 우리 고구려의 변경을 침략했사옵니다. 이 기회에 백잔의 세력을 완전히 뿌리 뽑아 더는 도발 엄두를 내지 못하도록 해야 할 것이옵니다. 이미 우리 고구려군은 육로와 해로 원정군이 갖추어져 있습니다. 이러한 기회는 두 번 다시 오기 어렵습니다. 따라서 육로 원정군은 한성 이남으로 진군을 계속하고, 해로 원정군은 군선을 타고 근해로 우회하여 남쪽의 발라發羅(나주)를 공략해야 하옵니다. 그렇게 될 경우 백잔의 지방 군대는 우리 육로와 해로 원정군 사이에 끼어 오도 가도 못하다 항복하거나 지리멸렬될 것이옵니다. 그리하여 백잔 땅을 고구려 영토로 편입시킬 경우, 신라는 저절로 고개를 숙이고 들어와 부용국_{附庸國}이 되길 자처할 것이므로 반도가 모두 고구려 지배 아래 놓이지 않겠사옵니까?"

고구려 육로 원정군 총대장 우적이 추수보다 한 술 더 떠서 완전한 '백제토벌론'을 들고 나왔다.

"우적 장군의 의견에도 일리가 있습니다. 아신의 발만 묶어 놓을 것이 아니라, 차제에 백잔의 땅을 우리 고구려의 영토로 만들면 남쪽에 대한 근심을 더 이상 하지 않아도 될 것이옵니다."

추수가 또한 우적의 '백제토벌론'에 강력한 힘을 실어주었다.

이렇게 되자 태왕 담덕의 얼굴도 심각해지지 않을 수 없었다. 원래 한성 공격을 계획했을 때, 백제가 다시는 고구려의 남경을 침범치 못하도록 겁을 주기 위한 것이 목적이었다. 애초에 백제를 토벌하여 나라를 완전히 고구려의 영토로 만들자는 생각은 없었던 것이다. 그런데 뜻밖에도 육로와 해로 원정군의 총대장이자 백전노장인 두 장수가 강력하게 백제의 토벌을 주장하고 나오자 적이 당황하지 않을 수 없었다.

"역사적으로 거슬러 올라가면 추모대왕 때부터 백제는 우리 고구려의 형제국이었습니다. 동부여에서 예씨 부인의 소생인 유리대왕이 고구려로 오지 않았다면 소서노의 두 아들 비류나 온조 중 누군가가 왕위를 이었을 것입니다. 예씨 부인은 추모대왕의 정비이고, 소서노는 후비이므로 장자인 유리대왕이 왕위를 이었을 뿐이지요. 그러므로 우리 고구려와 백제는 엄연한 형제국이니, 화친을 맺고 잘 지내면 남쪽의 평화가 유지될 것이라 생각합니다."

담덕은 고구려 건국 때의 역사를 근거로 삼아 백제가 형제국임을 강조하려고 들었다.

이때 관미성 성주 우형이 나섰다. 그는 몇 대에 걸쳐 왕비를 배출한 바 있는 연나부 출신의 장수였으므로, 추모대왕의 정비와 후비 이야기가 거론되자 누구보다 더 민감한 반응을 보였다.

"소서노는 추모대왕과 맺어지기 전에 이미 결혼했다가 남편과 사별한 과부로, 비류나 온조도 그때 데리고 들어온 자식입니다. 소서노의 전 남편 우태優台의 피를 이어받은 자들이옵니다. 그러므로 추모대왕의 피가 섞이지 않았으니 비류와 온조는 친자식이 아니고, 따라서 엄격하게 말하면 백제를 고구려의 형제국이라 칭할 수 없는 일이옵니다. 차후 이대로 아신을 살려두어 백제를 다스리게 한다면 우리 고구려에 큰 후환이 따를 것이옵니다. 고구려가 백제라는 이름을 낮추어 '백잔'이라 해온 것은 그만큼 오랜 기간 동안 견원지간의 숙적 관계였기 때문이 아니겠사옵니까? 추수 장군과 우적 장군의 말처럼 백제를 완전히 토벌하여 다시는 준동치 못하도록 그 씨를 말리는 것이 옳을 듯하옵니다."

이때 태왕 담덕이 손을 들어 더 이상 제장들이 나서는 것을 막았다. 그리고 천천히 입을 열어 말했다.

"짐은 오랫동안 마음속에 간직하고 있는 꿈이 있습니다. 우리 고구려가 어느 정도 안정되면 그때 모든 신료들이 모인 가운데 밝히려고 나중으로 미루고 있었지요. 그런데 지금 제장들이 하나같이 백제 토벌을 주장하니, 이 자리에서 짐의 포부를 밝히려 하는 바이오. 이제까지 주장한 제장들의 의견이 다 옳다고 생각합니다. 그러나 아직은 백제를 토벌할 때가 아닙니다. 우적 장군은, 육로로 밀고 내려가고 해로로 서해 도서를 통과해 발라를 치면 쉽게 백잔의 땅을 공략할 수 있다고 주장하고 있습니다. 좋은 전략입니다. 허나 그렇게 만만하게 볼 일만은 아니라 생각합니다. 만약 전쟁이 장기화된다면, 저 서북쪽의 후연이 그 기회를 노려 침략해 올 것이 불을 보듯 뻔합니다. 짐은 서북 변경의 요동을 회복하고, 요하를 건너 저 중원 땅으로 진출하는 꿈을 갖고 있습니다. 우리 고구려 남부를 비롯해 백제와 신라, 그리고 그 사이에 쐐기처럼 끼어 있는 가야까지 포함하여 이 좁은 반도에서 아웅다웅 힘겨루기나 해서 되겠습니까? 우리 고구려 역시 지형적으로 볼 때 반도에 뿌리를 두고 있긴 하나, 이 반도의 땅을 딛고 일어서서 저 광야의 땅으로 달려가야만 미래의 희망이 있습니다. 즉 반도를 토양으로 삼아 '고구려'라는 나무를 심되, 그 가지를 저 대륙으로 뻗쳐 광활한 땅을 차지하는 큰 나무로 가꾸어야 합니다. 이것이 천손의 나라 고구려가 천하를 얻는 길입니다. 그 나무가 바로 우리의 신단수이며, 그 아래 넓게 펼쳐진 그늘을 안식처로 삼아 백성들이 행복을 누릴 수 있도록 하자는 것이 역대 고구려 대왕들의 숙원입니다. 짐은 일찍이 태자가 되기 전에 여기 곁에 있는 호위무사 마동과 함께 중원 땅을 두루 돌아본 경험이 있습니다. 대상단을 따라 사막을 건너 저 서역까지 다녀왔는데, 세상은 참으로 넓고 문명은 너무도 다양하다는 걸 절감했습니다. 우리가 지금 이 좁은 반도 안에서 손바닥만한 땅을 놓고 티격태격 아이들 장난 같은 싸움이나 하고 있는 것은, 우물 안의 개구리 같은 생각을 갖고 있기 때문입니다. 짐은 마동과 함께 대상단을 따라 서역으로 가기 위해 고비사막을 지날 때 너무나 다른 세상을 보았습니다. 사방을 둘러보아도 다 지평선뿐이었지요. 우물 안의 개구리처럼 우리는 하늘을 그저 구리 동전만한 크기로 생각했다는 것을 그때 절감했습니다. 짐이 고비사막에서 본 하늘은 이 세상의 그 어떤 것으로도 비교할 수 없을 만큼 컸습니다. 그런 큰 하늘과 끝없이 넓은 평원을 대하자

가슴이 뻥 뚫리는 시원한 느낌이 들면서 갑자기 눈물이 울컥 솟았습니다. 이런 세상이 다 있구나. 우리는 그동안 손바닥 같은 세상 안에서 살았구나. 제장들은 생각해 보시기 바랍니다. 손바닥으로 무엇을 얼마나 움켜잡을 수가 있겠습니까? 움켜쥐어 보았자 한 줌의 흙밖에 안 됩니다. 그 흙에 곡식을 심은들 얼마만큼의 소출을 내서, 그 누구의 입에 풀칠을 할 수 있겠습니까? 짐은 욕심이 많아, 말을 타고 하루 종일 달려도 끝이 보이지 않는 땅을 일구고 곡식을 심어, 온 나라의 백성들이 배불리 먹을 수 있는 식량을 생산하고 싶습니다. 그래서 그동안 우리 고구려 백성들이 손바닥처럼 좁은 땅에서 이웃끼리 돌로 둑을 쌓아 경계를 표시하고, 서로 시기하고 티격태격 다투며 살아가는 그 모습이 안타깝기만 했던 것입니다. 우리 고구려가 저 광활한 서북쪽 땅들을 차지하게 된다면 반도에 갇혀 있는 백제나 신라, 그리고 가야는 저절로 굴복하고 들어오게 돼 있습니다. 사람이 작은 꿈을 가지면 소인이 되고, 큰 꿈을 가지면 대인이 되는 법입니다. 나라도 마찬가지로 큰 꿈을 가지고 발전시켜야 대국이 될 수 있습니다. 또한 대국이 된다는 것은 땅만 크고 백성이 많다고 이루어지는 것이 아니라고 생각합니다. 모름지기 대국은 대국다워야 한다고 봅니다. 다시 말하면 단군왕검 시대부터 내려온 우리 민족의 홍익인간 정신을 살려 널리 사람을 이롭게 하는 세상을 만들어야 한다는 것입니다.

즉, 누구도 비교할 수 없을 만큼 영토가 크고, '홍익인간'이란 민족정신으로 화합한다면 주변국들이 감히 넘볼 수 없는 나라가 될 것입니다. 그러면 곧 내정이 안정되어 백성이 행복하고, 또한 주변 나라에 큰 덕을 베풀어 평화를 구가하는 세상을 만들 수 있다고 생각합니다. 앞으로 우리 고구려는 반드시 그 일을 해내야만 합니다. 오늘 같은 제장들의 멈출 줄 모르는 투지와 상무정신, 그 힘으로 저 광활한 대륙을 경영하는 대고구려를 건설합시다."

담덕은 말을 마치고 좌우의 제장들을 둘러보았다. 그는 제장들에게 위압감을 주기 위해 태왕이 된 이후 잘 쓰지 않던 '짐'이라는 호칭까지 사용하였다.

그러자 자세를 바로잡은 제장들은 약속이나 한 듯 숨을 멈추고 태왕의 이야기에 귀를 기울였다. 그리고 서서히 그들의 얼굴 표정에서 묘한 감동의 물결이 일어나고 있었다. 강력하게 '백제토벌론'을 주장하던 추수와 우적 두 노장도 눈시울이 붉어질 정도로 가슴 뭉클한 감격에 취해 있었다.

이때 일목장군 추수가 벌떡 일어나 양손을 들어 올리며 외쳤다.

"태왕 폐하 만세! 고구려 만세!"

그 소리를 필두로 하여 태왕 양편에 자리했던 제장들이 모두 일어나 추수가 하는 대로 따라서 만세를 외치기 시작했다.

담덕은 손을 들어 만세를 제지시켰다.

"결코 자만해서 하는 말이 아닙니다. 자만은 진정성을 잃어버리기 쉬운 헛된 야망에 불과할 뿐이므로, 이를 경계해야 할 것입니다. 그러나 방금 짐이 말한 것은 우리 고구려의 꿈입니다. 꿈은 실현가능해야 진정성을 획득할 수 있습니다. 앞으로 그런 진정성을 가지고 고구려의 미래를 힘차게 열어 가십시다."

이 같은 담덕의 말에 다시 제장들은 만세삼창을 했다. 조용해지기를 기다려 추수가 비장한 목소리로 말했다.

"우리는 오늘 고구려의 위대한 군주 모습을 보았습니다. 태왕 폐하의 꿈이 그렇게 크신 줄 미처 몰랐습니다. 지금 이 자리에서 우리 제장들은 부끄러워 고개를 들 수 없을 정도입니다. 태왕 폐하의 큰 꿈이 실현될 수 있도록 우리 모두 멸사봉공의 정신으로 고구려의 영광을 위해 목숨을 바칩시다."

추수의 말이 끝나기 무섭게 나머지 제장들도 커다란 박수로 그 뜻을 같이했다.

"고맙습니다. 그러니 앞으로 제장들께서는 짐의 뜻을 알고 성심껏 따라주시기 바랍니다. 이제부터 우리 고구려는 광야의 꿈을 펼치기 위해 저 서북방으로 갈 것입니다."

태왕 담덕의 이 한 마디로 긴급회의는 끝을 맺었다.

담덕은 백제의 도발을 우려하는 제장들의 뜻에 따라 아신의 아우와 대신 10명을 볼모로 삼아 고구려로 데려가기로 결정했다. 그리고 노예 1천 명과 세포細布 1천 필을 전리품으로 챙겨 국내성으로 귀환했다.

제6장

북국의 바람

1

봄철이 되면 북풍과 함께 모래 먼지를 동반한 황사바람이 중원의 광활한 들판을 가득 메웠다. 봄을 알리는 바람이지만, 북풍은 아직 찬 공기를 잔뜩 머금고 있어 들판이나 성 안팎의 번화한 거리에서도 사람들의 모습을 찾아보기 어려웠다. 황사바람 때문에 모두들 밖에 나가기를 꺼려 집 안에 틀어박힌 채 꼼짝도 하지 않고 지냈던 것이다. 마음은 성급하게 봄이라 우기지만, 아직 사람들이 느끼는 체감온도는 겨울에 머물고 있었다.

후연의 도성 중산도 황사바람으로 인해 모래 먼지가 자우룩하게 하늘을 덮고 있었다. 백양나무·버드나무·오동나무 등에도 가지마다 뽀얗게 먼지가 앉아 온통 회색빛 일색이었다. 구중궁궐은 더욱 어두워서 낮에도 휘황하게 황촉불을 밝혀놓지 않으면 정무를 보기도 어려울 정도였다. 기왓골을 훑고 지나가는 바람이 편전에까지 휘파람 같은 소리를 전해 주고 있었다. 바람소리가 칼끝처럼 사람들의 가슴을 저미며 파고들었다.

"이토록 연일 찬바람이 몰아치는 것을 보면 아직도 북쪽에는 눈이 녹지 않았겠군!"

후연의 모용수는 혼잣소리로 중얼거렸다. 옥좌에 깊이 몸을 파묻은 그는 이미 머리가 희끗희끗한 노년이었다. 그러나 그 눈빛만은 갓 벼려놓은 칼날처럼 날카로워, 누구도 감히 얼굴을 들어 바라보는 신하가 드물었다. 흰머리와 수염 가운데 유독 붉은빛을 띤 그 얼굴만큼은 혈색 좋은 늙은이처럼 보였다. 그러나 사실상 그것은 건강해서가 아니라, 분노를 삭이지 못해 몸속의 열기가 밖으로 뻗쳐 나온 일종의 발열 증상 같은 것이었다.

"폐하! 소자에게 다시 군사를 주시면 지금이라도 평성으로 달려가 탁발규의 목을 잘라오겠나이다."

옥좌 아래 부복하고 있던 태자 모용보가 바닥에 머리를 찧을 듯 허리를 꺾으며 간청했다.

"참합피 전투에서 탁발규에게 그런 모욕을 당하고도 지금 제정신으로 하는 얘기냐? 참합피라는 말만 들어도 짐은 너무 참담해서 치가 떨리느니라."

모용수의 날선 눈길이 모용보의 머리 위로 날아가 칼끝처럼 꽂혔다.

"폐하! 그래서 이번에는 반드시 탁발규의 심장에 칼을 꽂겠나이다."

모용보는 자신의 정수리로 떨어지는 아버지의 눈길을 느끼고 번쩍 정신이 들었다.

"이번에는 짐이 직접 군대를 이끌고 탁발규를 짓밟으러 갈 것이니라."

모용수의 이 같은 말에는, 태자 모용보를 믿지 못하겠다는 강한 불신이 내포되어 있었다.

모용보는 할 말을 잃었다. 더 이상 참합피 전투에서 참패한 변명을 구구절절 늘어놓을 수는 없었다. 더구나 그가 보복을 위해 다시 군사를 달라는 말을 반복할 경우, 아버지의 분노만 더욱 격앙시킬 뿐이라고 생각했다. 그는 지난겨울 참합피 전투를 다시금 떠올리지 않을 수 없었다.

395년 초겨울, 후연은 북위와 벌인 참합피 전투에서 실로 어이없는 패배를 당했다. 당시 모용수는 태자 모용보에게 군사 8만을 주어 북위를 공략하게 했다. 후연에 있어서 참합피는 북방 진출의 교두보라고 할 수 있었다. 이러한 군사 요충지는 피아 모두에게 중요한 곳이었다. 북위의 탁발규 역시 참합피를 공략하여 남방 진출의 전략 기지로 활용하고 싶었다. 그래서 먼저 노려 참합피의 전투력을 시험해 보기 위해 북위군을 이끌고 가서 성주 난한의 큰형 난제를 사로잡은 후, 중산에 인질로 잡혀 있는 동생 탁발고와 교환하자는 요구를 해온 것이었다.

그렇지 않아도 점차 세력이 커지는 북위를 공략할 명분을 찾고 있던 모용수는, 즉각 탁발고를 죽이고 모용보로 하여금 군사를 이끌고 가서 북위의 군대를 제압하라는 명령을 내렸다. 곧 겨울이 닥쳐오는 데도 불구하고 그가 군사를 일으킨 것은, 참합피가 그 사이에 탁발규에게 점령당할까 그것이 크게 걱정되었기 때문이다.

모용수는 진작부터 북위와 고구려가 사신을 교환하며 선린외교를 펼치고 있다는 사실을 잘 알고 있었다. 북위군이 참합피를 공략하는 척하면서 시위를 벌여 난제를 사로잡아 갈 때, 고구려군은 전렵 행사를 한다는 명목으로 대흥안령에서 요하의 물줄기를 따라 남하해 요동성을 위협하는 전략을 구사했다.

이때 모용수는 비록 군사 시위에 그쳤을망정 두 나라의 협공 위협이 후연으로 하여금 참합피와 요동성 어디에도 원군을 내지 못하게 만드는 작전이었음을 모르지 않았다. 그런데 바로 그 직후 요동성 인근에서 시위를 벌이던 고구려 원정군이 급히 철군했다는 소식을 접했다. 백제가 고구려의 남경을 공격해 왔기 때문이라는 것이다.

"백제왕 아신이 우릴 도와줄 때도 있군!"

모용수는 이때야말로 북위를 공략할 절호의 기회라고 판단했다. 고구려가 백제와 전쟁을 하는 기간에는 요동성을 넘볼 틈이 없기 때문에 안심하고 북위를 공격할 수 있었던 것이다.

이젠 세력이 커져 모용수의 말에 콧방귀를 뀌려고 드는 북위의 탁발규를 생각하면 매우 괘씸한 생각이 들었다. 그는 직접 연나라 대군을 이끌고 가서, 동생 탁발고에 이어 형 탁발규의 목까지 끊어 북방의 근심을 덜고 싶었다. 그러나 태자 모용보가 간하기를, 한겨울에 노구를 이끌고 원정을 한다는 것은 큰 모험이라며 자신이 출정하겠다고 나섰다. 모용수 역시 겨울 출정에는 자신이 없었다.

일리가 있다고 판단한 모용수는 태자가 북위 출정에 나설 때 다음과 같이 말했다.

"군사 8만을 줄 터이니, 태자가 가서 북위군을 무찌르고 참합피를 지켜라. 명년 봄에는 짐이 직접 군사를 이끌고 가서 아예 북위의 근거지를 없애버릴 작정이다."

이때 모용보는 북방의 탁발규를 치러 가려면 매우 험한 여정이므로, 노장 고화를 놔두고 그의 아들 고발을 호위무사 겸 부장으로 삼아 원정군을 꾸렸다.

"이랴, 이랴!"

모용보는 사정을 두지 않고 말에 채찍을 가했다. 그 옆에 바짝 따라붙어 호위하던 고발도 말의 뱃구레를 걷어차며 박차를 가하지 않을 수 없었다.

이렇게 서두르다 보니 모용보를 따라잡으려고 기병들도 부지런히 말채찍을 휘둘렀다. 그러나 뒤에서 진군하는 보병들은 그 속도를 따라잡지 못해 헉헉대며 거친 숨만 몰아쉴 뿐이었다.

기병과 보병의 거리가 너무 현격한 차이를 보이면 작전상 불리하다는 것을 모용보도 알고 있었지만, 기병만으로도 북위군을 초토화시킬 수 있다는 자신감이 그를 서두르게 했다. 이처럼 그를 초조하게 만든 것은, 원정군이 도착하기 전에 북위군이 참합피성을 탈취해 버릴 것만 같았기 때문이다. 그러다 보니 기병들의 진군을 재촉했고, 그 결과 뒤따라오는 보병과의 연락 관계도 제대로 이루어지지 못하는 사태가 발생했다.

한편 모용보가 군사 8만을 이끌고 북위를 향해 진격해 오고 있다는 소식을 접한 탁발규는, 한족 출신으로 정책고문역을 맡은 원로대신 최굉을 불러 긴밀히 후연군 방어 대책을 논의했다.

"폐하! 소신은 이미 늙어 신출귀몰한 전략을 세우는 데 한계가 있사옵니다. 군사전략이라면 소신보다 자식 놈이 한 수 위입니다. 어려서부터 사서오경은 물론이고 군사·지리·천문 등의 서적을 두루 익혔으며, 특히 병법서를 많이 읽어 전략전술에 밝으므로 자식 놈에게 물어보도록 하겠나이다."

최굉은 북위의 국정을 이끄는 8명의 대신 중 영수의 자리에 있는 재상이었다. 그가 아들을 핑계 댄 것은 일찍 출사시켜 자신의 권력을 물려주고 싶었기 때문이다.

"호오! 그래요? 짐이 직접 보고 물어보는 게 좋겠군! 내일 조회 때 당장 아들을 데리고 나오도록 하시오."

탁발규는 원래 최굉의 능력을 인정하고 있었기 때문에, 그의 말이라면 거의 다 들어주는 편이었다.

원래 탁발규는 활달한 성격에다 자신이 옳다고 생각되면 끝까지 밀고 나가는 고집 또한 있었지만, 부처님처럼 귀가 커서 다른 사람의 말에 귀를 기울일 줄도 알았다. 또한 귀가 마치 당나귀처럼 앞을 향한 데다 귓바퀴도 두툼해 멀리서 나는 소리도 잘 알아들었으며, 특히 일단 한 번 믿으면 끝까지 신뢰하는 성격이라서 최굉의 말이라면 최대한 들어주려고 노력했다.

다음날 최굉은 아들 최호를 탁발규 앞에 대령시켰다.

"후연의 태자 모용보가 8만의 군사를 이끌고 북진 중에 있다고 한다. 그대가 신출귀몰하는 전략에 능하다고 하니, 어디 한 번 의견을 들어보자."

전날 부친으로부터 후연의 침공 이야기를 들은 최호는 밤새 궁리한 전략을 거침없이 털어놓았다.

"지금 후연의 모용수가 태자 모용보에게 원정군을 이끌고 진군토록 한 것은 이미 늙어 한겨울에는 스스로 거동하기 어렵기 때문이옵니다. 소문에 의하면 후연의 도성 중산에서는 모용수의 자식들 사이에 은근히 세력 다툼이 일어나고 있다 하옵니다. 정비의 아들 모용보가 태자이긴 하지만, 용장으로 알려진 후비의 아들 모용농이 남몰래 제위를 노리고 있다는 소문이 있사옵니다. 모용수는 그런 모용농의 야심을 알기에 태자 모용보로 하여금 공을 세울 기회를 주기 위해 이번에 원정군을 맡긴 것이옵니다."

"그래서 어찌해야 한다는 것인가?"

탁발규는 최호의 이야기에 호기심을 갖기 시작했다. 그가 중산에 파견한 세작들을 통해 들은 소문도 바로 그와 같았기 때문이다.

"모용보는 우유부단한 성격 같지만, 내심 욕심이 많다고 들었사옵니다. 만약 그가 원정을 나온 사이에 중산에서 큰 사건이 터진다면 모용보는 곧바로 군사를 돌릴 것이옵니다."

"큰 사건이라면……?"

"후연의 도성 중산에서 반란이 일어났다고 하면, 원정을 나온 모용보는 당혹스러워 할 것이옵니다. 혹여 부친 모용수가 반란군에게 제압된다면 태자인 모용보는 제위를 빼앗길 위험성이 높기 때문이옵니다. 그러하면 곧바로 군사를 돌리지 않을 수 없습니다."

"흐음! 재미있는 발상이로군! 그러나 중산의 반란으로 모용수가 죽는다? 그런 거짓말을 퍼뜨려 어떻게 모용보를 믿게 만들 수 있겠는가?"

탁발규는 이제 최호의 말에 마른침을 삼킬 정도로 경도되었다.

"우선 세작들을 통해 그런 소문이 후연의 원정군에게 퍼지도록 해야 하고요. 다른 한편으로는 참합피의 성주로 하여금 파발마를 띄워 모용보에게 비보를 전하게 하면 감쪽같이 속일 수 있을 것이옵니다."

최호는 패기 있게 자신의 꾀를 읊어나갔다.

"참합피의 성주가 어찌 그런 거짓말을 참말인 양 모용보에게 전하겠는가?"

"지금 참합피 성주 난한의 큰형 난제가 이곳 평성에 억류돼 있지 않사옵니까? 야수와도 같은 악덕한 모용수와는 달리, 폐하께서는 포로를 살려 인덕을 쌓아두셨습니다. 바로 인덕으로 악덕을 물리치는 것이 이번 전략이옵니다. 포로 난제로 하여금 서찰을 써서 동생 난한에게 보내도록 하시옵소서. 참합피 성주 난한은 이번에 폐하께서 인질 교환 제의를 했을 때, 당연히 모용수가 그 조건을 수락할 것이라 생각했사옵니다. 그런데 결과는 폐하께서 잘 알고 계시는 바와 같습니다. 모용수는 중산에 볼모로 잡혀 있던 사자를 처단하는 것에 그치지 않고, 오히려 원정군을 출정시켜 아국을 공격토록 하고 있사옵니다. 이것은 우리에게 잡혀 있는 포로 난제를 죽이든 살리든 맘대로 하라는 뜻입니다. 그러니 졸지에 큰형이 위험에 처하게 된 것을 안 참합피 성주 난한은 몹시 분노하여 모용수에게 반감을 가질 수밖에 없게 되었사옵니다. 이때 우리가 참합피 성주의 분노를 촉발시킬 수 있도록 난제로 하여금 서찰을 써서 회유토록 하면, 모용보를 감쪽같이 속일 수 있을 것이옵니다. 사실상 모용보의 8만 군사가 쳐들어오면 우리는 그것을 막아야 하는데, 이때 참합피의 군사가 성문을 열고 나와 협공할 경우 우리 군은 매우 불리한 입장에 처해집니다. 따라서 난한에게 우리 군이 절대로 참합피성을 공격하지 않을 것이며, 모용보의 원정군을 물리치고 나면 인질로 잡힌 난제도 풀어주겠다고 설득해야 하옵니다. 그리하면 모용수에게 실망한 난한도 흔쾌히 우리의 전략을 들어주지 않을 수 없을 것이옵니다. 더구나 난한은 평소 모용보에게 반감을 갖고 있는 모용농과 가까이 지내면서 은인자중 기회만 노리고 있사옵니다. 이번 전투에서 모용보가 우리 군사들에게 패배할 경우, 중산에 있는 모용농에게 절호의 기회가 찾아올 것이옵니다. 그러므로 난한은 반드시 봉화를 통해 중산에 반란이 일어났음을 알았다는 파발을 띄워 모용보를 자못 혼란스럽게 만들 것이옵니다."

"과연 신출귀몰한 작전이로다!"

탁발규는 손뼉을 치며 호탕하게 웃었다. 그러고는 최호의 작전을 그대로 실행에 옮기도록 했다. 이때 탁발규는 약관의 나이에 불과한 최호에게 직랑直郎의 벼슬까지 내렸다.

최호의 작전대로 탁발규는 세작들로 하여금 중산에서 반란이 일어나 모용수가 위기에 처했다는 소문을 퍼뜨리도록 했다. 그 소문을 접하고 태자 모용보는 당황했다. 자신이 도성에 없을 때 형제 중 누군가가 제위를 가로챌지도 모른다는 두려움이 앞섰다. 특히 배다른 형제인 모용농은 전부터 은근히 견제를 해온 경쟁자였다.

바로 그때 참합피 성주 난한의 파발마가 모용보 원정군 진중으로 날아들었다. 그 서찰에는 소문대로 갑자기 중산에서 반란이 일어나 모용수가 위태로움에 처했다는 내용이 적혀 있었다.

처음에 모용보는 그 서찰의 내용을 믿을 수 없었다. 그러나 너무 급히 달려오느라 기병과 보병의 사이가 크게 벌어져 연락 관계가 두절되는 바람에 중산의 소식을 곧바로 전달받지 못하는 상황이었으므로, 결국 봉수와 역참으로 빠르게 소식을 접할 수 있는 참합피의 파발을 믿게 되었다. 바짝 조바심이 난 그는 당장 북위를 치는 일보다 중산의 반란군을 제압하는 것이 먼저라는 생각을 했다. 더구나 만약 부친 모용수가 반란군에게 목숨을 잃는다면, 그 기회를 틈타 배다른 동생 모용농이 태자인 자신을 따돌리고 제위에 오를 수도 있었다. 그는 참합피 성주 난한의 파발을 접하는 순간, 모용농의 반란을 떠올렸던 것이다.

"북위 정벌은 나중이다. 중산으로 급히 돌아가야겠다."

모용보는 소문의 진위를 정확하게 파악할 겨를도 없이 즉시 군사를 돌렸다.

이때를 기다리고 있던 탁발규는 모용보의 원정군 퇴각로에 북위의 군사들을 매복시키고 있다가 기습을 감행했다. 탁발규는 동생 탁발준에게 군사 7만을 주어 후연군의 남쪽 퇴로를 막고, 젊은 장수 탁발건에게는 기병 5만을 주어 황하 동쪽에 주둔해 있다 측면 공격을 가하게 했다. 그리고 탁발규가 직접 지휘하는 북위군 2만은 후퇴하는 후연군을 추격하는 전략을 구사했다. 이처럼 북위군이 사방에서 공격을 가해 오자, 후퇴하던 모용보의 후연군은 사면초가의 위기에 처했다.

사방이 북위군에게 포위를 당하자, 졸지에 후연군은 갈 길을 잃고 말았다. 이때 호위무사 고발이 태자 모용보를 향해 소리쳤다.

"태자 전하! 투구와 갑옷을 벗어 소장에게 주십시오."

고발은 급히 자신의 투구와 갑옷을 벗어 모용보에게 건넸다.

"어쩌려고 그러는가?"

"서로 갑옷을 바꿔 입자는 것입니다. 이젠 적군에게 완전히 포위되어 빠져나가기 힘듭니다. 소장이 태자 전하처럼 꾸며 적들을 다른 곳으로 유인하겠습니다. 그때 포위망이 허술한 틈새를 뚫고 탈출하셔야 합니다. 태자 전하, 무례를 용서하십시오."

고발은 급한 나머지 모용보를 말 위에서 붙잡아 내렸다.

어떻결에 모용보는 고발이 하라는 대로 갑옷을 바꿔 입었다.

"고발 장군!"

모용보가 안타깝게 소리쳤다.

"태자 전하! 부디 살아계셔야 하옵니다!"

고발은 군례를 올리고 나서 곧 모용보의 말에 훌쩍 올라탔다.

"장군! 꼭 살아서 돌아와야 하네."

모용보도 고발이 탔던 말에 오르며 소리쳤다.

"기수는 나를 따르라!"

고발은 태자의 기치를 든 기수를 앞세운 채 몇몇 기병들을 이끌고 서남쪽 방향으로 무조건 말을 내달렸다.

이때 모용보는 일부 호위하는 기병들을 이끌고 동남쪽 방향으로 말을 몰았다. 그는 달리는 말 위에서 자꾸 뒤를 돌아다보았다. 고발이 달아난 쪽으로 탁발규의 군대가 떼를 지어 몰려가는 것이 확연하게 눈에 띄었다. 피아가 뒤섞인 채 달려가는 무리들은 곧 말발굽에서 일어나는 뿌연 먼지 속으로 파묻혔고, 태자의 기치조차 가물가물하다 시야에서 까마득히 멀어졌다.

'발아! 제발 살아서 돌아와다오!'

모용보는 이를 악물며 말채찍을 휘둘렀다. 땀과 먼지로 얼룩

진 그의 얼굴에선 자신도 모르는 사이 두 볼을 타고 눈물이 흘러내렸다. 고발은 군신관계이기 이전에 어린 시절부터 생사고락을 같이해 온 친구이자 전우였던 것이다.

탁발규의 북위군은 참합피 전투에서 모용보의 후연군에게 대승을 거두었다. 날씨까지 북위의 군대를 도와서, 후연의 원정군이 후퇴를 시작할 때 갑자기 기온이 뚝 떨어져 황하의 강물이 꽁꽁 얼어붙었다. 얼음 위로 달리니 후퇴하는데 유리할 것 같았지만, 후연군은 추위에 강한 북위군의 발 빠른 추격을 도저히 감당할 수 없었다. 후연군이 빙판에 미끄러지고, 쓰러진 군사 위에 또 넘어지면서 갈팡질팡하는 사이 북위군의 기병들이 그들을 따라잡았다. 이때 북위군이 포로로 잡은 후연의 군사만 무려 5만이나 되었다. 북위군은 뒤늦게 합류한 후연군의 보병들까지 덮쳐 포로의 수가 그만큼 늘었던 것이다. 거기에 황하의 얼음이 깨져 물에 빠져 죽은 군사가 1만, 도망친 군사들도 부지기수여서 모용보의 원정군은 겨우 1만여 패잔병만 살아서 중산으로 돌아갈 수 있었다.

이렇게 북위군의 작전에 속아 참합피 전투에서 대패한 모용보로서는 아버지 모용수를 볼 낯이 없었다. 그래서 모용보는 하루가 멀다 하고 편전으로 아버지를 찾아와 다시 북위로 원정을 나가게 해달라고 간청하고 있는 것이었다.

"아직은 이르다. 찬바람이 그치기를 기다려 군사를 낼 것이다. 거듭 말하지만, 이번에는 이 아비가 직접 나서려고 한다. 그러하니 그동안 태자는 군사들 조련에 힘쓰도록 하라."

모용수는 엎드려 간청하는 태자를 물러가게 했다.

그런데 바로 그때 모용농이 편전으로 들어와 급히 고했다.

"요동성에서 날아온 급보이옵니다. 고구려왕 담덕이 대군을 이끌고 백제의 한성을 공략하러 갔다 하옵니다."

"무엇이?"

모용수의 머리는 빠르게 돌아갔다. 고구려가 백제와 남쪽에서 전투를 벌인다면, 요동은 일단 안심해도 좋았다. 사실 벌써부터 북위를 치기 위해 군사를 일으키고 싶었으나, 그 틈을 노려 고구려가 요동성을 공격할까 두려워 참고 있었던 것이다.

"폐하! 이번이 북위를 칠 수 있는 절호의 기회이옵니다. 소자를 보내주시옵소서."

모용농이 태자 모용보 옆에 같은 자세로 엎드려 간청했다.

2

'기회는 바로 지금인데……'

모용수는 눈을 지그시 내려뜬 채 단하에 엎드려 있는 두 아들을 내려다보았다.

오래전부터 모용보와 모용농은 서로 전쟁에서 공을 세우기 위해 경쟁을 거듭해 왔다. 사실상 모용수는 두 아들을 은근히 경쟁시키면서 과연 자신의 뒤를 이을 만한 능력이 누구에게 있는지 시험해 보고 있었다. 정비의 아들인 모용보를 태자로 삼기는 했지만, 그의 우유부단한 성격이 마음에 들지 않았다. 후비에게서 낳은 모용농의 경우 무술이 뛰어나고 용맹하나 과도한 욕심 때문에 나라를 다스리기에는 부적격이라고 생각했다.

'그래도 무난한 것은 태자야.'

모용수의 부드러워진 시선이 엎드려 있는 태자 모용보의 정수리에 가서 멎었다. 어느 사이 다시 그 눈길이 모용농의 머리로 향했다. 두 아들이 다 자신에게 군사를 주면 북위군 원정에 나서겠다고 주청하고 있었다.

"폐하! 소자에게 군사 5만을 주시면 속전속결로 북위군을 쳐 탁발규를 사로잡아 오겠나이다!"

모용농이 고개를 쳐들고 읍소했다.

"폐하! 지난 참합피 전투의 보복전은 마땅히 소자에게 맡겨 주셔야 하옵니다. 그 원한을 풀 기회를 주시옵소서."

태자 모용보도 지지 않았다.

"그래 좋다. 이번에는 너희들 형제들이 다 출동할 것이다."

모용수는 북위 원정에 나설 때 중산에 모용농을 남겨두는 것이 불안했다. 태자 모용보에게 반기를 들 조짐이 보이는 자식들은 이번 전투에 다 참가시켜 불안의 씨앗을 제거하기로 했다. 모용농처럼 욕심이 많은 자식인 모용린까지 데리고 가기로 한 것은 그 때문이었다.

모용린도 역시 모용농처럼 태자 모용보의 이복형제였다. 그들은 일찍부터 전투에서 공을 세울 욕심으로 서로 시기해 아군을 위험에 처하게 만든 경우가 적지 않았다. 특히 모용린은 젊은 데다 욕심이 많아 여러 차례 아버지와 형제들을 배신한 적이 있었다. 모용수는 아들 모용린 대신 그의 생모를 죽여 죄를 묻기까지 했다. 그럼에도 불구하고 모용린을 멀리 물리치지 못한 것은, 무술이 뛰어나 많은 전투에서 큰 공을 세웠기 때문이다.

드디어 모용수는 태자 모용보를 비롯해 모용농·모용린 등 아들 3형제에게 각기 군사 5만씩을 주어 북위 원정에 나섰다. 공평하게 군사를 내준 것은 은근히 경쟁 심리를 북돋우기 위한 것이었는데, 예상했던 대로 그들은 서로 먼저 공을 세우려는 욕심에 원정군의 선봉으로 나서길 원했다.

"농은 선봉군으로 적의 기선을 제압하고, 린은 후군을 맡아 원정군의 보급이 끊어지지 않도록 하라. 짐과 태자는 중군을 이끌겠다."

모용수는 선봉이 중요하다는 것을 알고 누구를 선봉장으로 세울 것인가 고심하다가, 역시 전투력이 강한 모용농이 적임자라고 판단했다. 그리고 자신의 뒤를 이을 태자 모용보는 곁에 두어 안전하게 중군을 지휘토록 했고, 모용린에게 후군을 맡긴 것은 형제간의 알력다툼이 일어날 것을 예방하기 위한 조치였다.

승부욕이 강한 모용린은 자신에게 후군이 맡겨졌을 때 벌레 씹은 표정을 지었지만, 매사 엄격한 부친의 명을 거역할 수는 없는 노릇이었다. 자식의 잘못을 물어 생모인 비빈까지 죽인 모용수에게 감히 대들었다가는 자신의 목숨까지 남아나지 못할 것이란 생각에, 그는 불뚝불뚝 솟아오르려는 분기를 애써 삭이고 있었다.

중산에서 원정군이 출정할 때 모용수는 아들 3형제와 함께 작전회의를 열었다.

"지난 전투에서 참합피 성주 난한이 북위의 농간에 넘어가 우리를 배신했습니다. 참합피는 탁발규가 태어난 고향으로, 그는 반드시 그 땅을 차지하려고 들 것입니다. 따라서 우리가 먼저 그곳을 지켜 탁발규의 코를 납작하게 만들어줄 필요가 있습니다."

지난겨울 참합피 전투에서 대패한 모용보는, 이번 원정을 가슴에 맺힌 한을 푸는 보복전으로 생각하고 있었다.

"아직 참합피가 북위에 굴복했다고 보기는 어렵습니다. 물론 지난 전투에서 성주 난한이 북위에 볼모로 잡힌 형 난제 때문에 잘못된 정보를 아군에게 전달해 패배하는 동인을 제공하기는 했습니다. 그러나 난한으로서도 어쩔 수 없는 선택이었을 겁니다. 일단 이번 전투에서 참합피가 어떻게 나오는지 두고 본 연후에 죄를 물어도 늦지 않습니다. 그보다는 북위의 탁발규 군대가 주둔하고 있는 평성부터 쳐들어가 기선을 제압해 저들의 간담을 서늘하게 해줄 필요가 있다고 생각합니다."

선봉을 맡은 모용농은 태자 모용보와 반대 의견을 냈다.

모용농이 그렇게 나온 것은, 그가 참합피 성주 난한과 비밀리에 정보를 주고받는 밀착관계에 있었기 때문이다. 전부터 난한은 모용농을 부추겨 태자 모용보를 축출하자고 모반을 획책하고 있었다. 지난 참합피 전투에서 난한이 탁발규의 전략에 호응하여 모용보를 위기에 몰아넣은 것도 표면적으로는 큰형 난제의 목숨을 살리려는 목적도 있긴 했지만, 마음 깊은 곳에서는 사실상 모용농을 앞세워 모반을 획책하고자 하는 의도가 다분히 깔려 있었다.

"보와 농의 의견이 모두 옳다. 참합피 성주 난한이 배신한 것은 괘씸한 일이지만, 짐이 북위 사신으로 온 탁발규의 동생 탁발고를 죽였으니 화도 날 만한 일이었다. 그로 인해 난한이 형 난제를 구할 명목을 잃었기 때문이다. 아마도 탁발규는 참합피를 공격치 않고 난한을 잘 다독여 피 흘리지 않고 성을 탈취하려는 꾀를 쓸지도 모른다. 그러나 북위에 인질로 잡혀 있는 형 때문에 일단 고개를 숙이는 척하고 있지만, 난한은 노련하므로 그런 얕은 수작에 쉽게 넘어가지는 않을 것이다."

이처럼 모용수가 난한을 두둔하는 데는 이유가 있었다. 난한은 모용수가 후연을 재건할 때 군사를 일으켜 큰 공훈을 세웠으며, 자신의 딸을 바쳐 후비로 삼게 했다. 그래서 그러한 믿음으로 난한을 후연의 최북방 요새인 참합피 성주로 앉힌 것이었다.

"폐하! 소자의 생각에도 북위의 평성으로 직접 쳐들어가는 것이 옳다고 봅니다. 아직 이른 봄이라 북방은 매우 춥습니다. 속전속결로 전투를 끝내지 않으면 아군에게 절대적으로 불리하게 되어 있습니다. 만약 참합피가 적군에게 굴복했다면, 아군이 평성을 공격할 때 탁발규는 난한에게 군사 지원을 요청할 것입니다. 그러므로 성급하게 참합피를 치는 것보다 먼저 평성을 공격하여 난한이 어떻게 나오는지 예의 주시해 볼 필요가 있습니다."

모용린의 이 같은 주장은 상당히 설득력이 있었다.

"린의 말이 그럴듯하구나. 물론 이번 전투는 속전속결로 끝내야지. 참합피가 아직 탁발규 세력에게 굴복한 것이 아닌 이상, 이번에 난한이 어떻게 나오는지 두고 보기로 하지. 농과 린의 말대로 평성부터 치기로 하자."

평성은 북위의 요새로, 그 남쪽의 후연과 경계를 삼고 있는 중요한 전략기지였다. 탁발규는 평성을 교두보로 삼아 남하정책을 써서 후연을 공략하려고 하고 있었다. 모용수는 그런 북위의 심장과도 같은 평성을 공략해 탁발규의 간담을 서늘하게 해주고 싶었다.

"폐하! 곧바로 평성을 치는 것은 아군에게 매우 불리합니다. 원정군은 북풍한설에 장거리 진군으로 지칠 대로 지칠 것이 분명한데, 적은 안방에 앉아 몸을 녹여가며 방어하는 입장입니다. 따라서 이번 전투는 적을 성 밖으로 끌어내는 유도 작전을 쓸 필요가 있다고 봅니다."

태자 모용보는 그대로 모용농이나 모용린의 의견에 따르기엔 자존심이 부쩍 상했던 것이다.

"허면 태자의 생각은 어떠한가? 적을 성 밖으로 끌어내는 유도 작전을 어떻게 구사하겠다는 것인지, 그 방안을 말해 보거라."

"양동작전을 구사할 필요가 있다고 생각합니다. 선봉군은 일단 참합피 쪽으로 진군합니다. 이는 참합피의 반응을 보아 아군 편을 든다면 군사를 지원토록 하고, 적군 편을 든다면 공격을 하는 쪽을 택합니다. 어찌 되었든 이렇게 되면 평성의 북위군은 군사를 내어 참합피 쪽의 아군을 공격하게 되어 있습니다. 만약 참합피가 아군 편에 섰다면 우리 원정군과 참합피의 군사가 합류해 세를 키우게 되므로, 탁발규는 평성에서 농성을 하거나 또는 군대를 이끌고 나와 전투 준비를 할 것입니다. 탁발규가 농성을 하게 되면 우리 원정군은 참합피의 군사들까지 합류시켜 일격에 평성으로 쳐들어갈 것이고, 탁발규의 군대가 성 밖으로 나왔을 때는 우리 중군이 비어 있는 평성을 급습해 적의 허를 찌르는 작전을 구사할 수 있습니다. 이때 선봉군과 중군이 양편에서 북위군을 치고, 뒤에 따라온 후군이 지원을 한다면 탁발규도 결국 견디지 못하고 항복할 수밖에 없을 것입니다."

태자 모용보의 이 같은 작전은 선봉을 맡은 모용농이 어찌 나오는지 반응을 보기 위한 일종의 미끼 같은 것이었다. 모용보는 진작부터 참합피의 성주 난한과 모용농이 뭔가 모종의 밀계를 꾸미고 있다는 것을 간파하고 있었다.

"태자 전하! 그것 참 좋은 생각입니다. 참합피 성주 난한을 시험해 보는 전략도 되면서, 동시에 평성의 북위군을 성 밖으로 끌어내는 데도 유리할 것 같습니다."

모용농이 찬동하고 나섰다.

모용보는 동생 모용농이 선봉장으로서 곧바로 평성을 치겠다고 고집할 줄 알았다. 그런데 의외로 모용농 스스로 참합피 쪽으로 진군하는 데 반대하지 않겠다는 것이 뜻밖이었다. 모용농이 선뜻 미끼를 물지 않았던 것이다.

이처럼 모용농이 자신의 전략에 쉽게 걸려들지는 않았지만 모용보는 오히려 내심 쾌재를 불렀다. 만약 모용농의 선봉군이 참합피 쪽으로 진군한다면, 모용보 자신은 먼저 평성을 공략해 부왕의 신임을 더욱 두텁게 할 수 있을 것이라고 생각했다.

"양동작전이라. 태자의 전략이 마음에 드는군. 이는 농이나 린의 전략에 한 수 더 보탠 매우 합리적인 작전 같구나. 자, 이 제 출동만 남았다."

모용수는 이것으로 원정군의 작전회의를 끝냈다. 원정을 떠 나면 도성인 중산의 방위는 태자 모용보의 차남 모용회에게 맡 기기로 했다. 이때 모용보의 서장자인 모용성은 동북쪽에 있는 후연의 제2도성인 용성을 지키고 있었으므로, 북위를 공략할 때 군사 및 군량미를 지원토록 할 요량이었다.

이렇게 북위 공략의 모든 작전계획이 수립되자, 모용수는 매 우 흡족한 얼굴로 아들 3형제를 둘러보았다. 모두 출중한 장수 들로 자라준 것이 고마웠다. 그는 이번 북위 원정에 성공하고 나면, 태자에게 정사를 맡기고 뒤로 물러나서 바둑을 구경하 듯 훈수나 둘 참이었다. 그는 제발 태자의 여러 형제들이 반목 하지 않고 정사를 함께 의논해 중원 통일에 앞장서 주기를 바 랐다.

연전에 서연을 멸망시켰고, 이번에 북위까지 정벌하면 후연 은 화북에서 가장 강한 국가로 자리매김할 수 있을 것이었다. 아직 전진을 멸망시킨 후진의 요장이 건재해 있었다. 그러나 모용수는 전진의 부견 밑에서 같이 장수로 지내며 눈여겨본 요장을 변변치 않은 인물로 보았다. 따라서 북위의 탁발규만 제압하면 후진 정도는 쉽게 굴복시킬 수 있을 것이라고 생각했다.

그런데 오래전에 전진의 부견이 서역 정벌을 위해 보낸 장군 여광이 화북 서쪽에서 군사를 정비해 나라를 일으키려 한다는 소문이 나돌았다. 오랜 기간 동안 사막으로 진군하며 서역의 여러 나라를 정벌한 여광이 중원으로 돌아왔을 때는 이미 부견이 죽고 전진도 나라 자체가 사라진 뒤였다.

뒤늦게 서역의 승려 구마라습을 대동하고 온 여광은 중원 서쪽의 양주凉州에 일단 터를 잡아 나라의 기틀을 세워 서진과 맞서고 있었다. 구마라습은 천축국의 귀족 구마라염과 구자국龜玆國 왕의 누이동생 기파耆婆 사이에서 태어나 7세 때 출가한 승려였다. 그는 구법승求法僧으로 서역 여러 나라를 돌며 소승 및 대승 불교의 교리를 두루 공부한 후 구자국에 돌아와서는 대승불교 전파에 주력하였다.

연전에 서연을 공략한 모용수는, 중원 서쪽에서 새롭게 부상하고 있는 여광의 세력을 예사롭게 보지 않았다. 아직 나라다운 면모를 갖추진 않았지만, 여광은 구자국에서 데려온 구마라습을 선승으로 우대하여 불국정토의 정신을 살려 나라 기틀을 잡는 데 주력하고 있다는 소문이었다.

'흐음! 북위와 후진을 축출하고 나서 여광과 맞서야 하는

데……. 여광까지 잡는다면 화북의 맹주가 될 수 있을 것이다.'

모용수는 일찍부터 부견의 수하 장수 중 여광을 특히 눈여겨보았는데, 결코 만만하게 볼 인물이 아니었다.

출전을 하루 앞둔 날 밤, 모용수는 그런 여러 가지 생각들로 잠을 설쳤다. 밤새 기와지붕 위에서 울어대는 세찬 바람소리도 그의 잠을 앗아가는 원흉 중의 하나였다. 그는 북방 원정길이라 내심 추위가 은근히 걱정되었다.

3

"모용수가 중산에서 아들 3형제를 앞세워 원정군 15만을 이끌고 북진하고 있단 말이렷다? 모용수 이놈이 제 발로 걸어와 목을 내미는 꼴이 아닌가? 이제야 제대로 아우 고의 한을 풀어주게 됐구나."

세작들이 보낸 파발을 통해 모용수의 원정군에 대한 보고를 받은 탁발규는 회심의 미소를 지었다. 그런데 문제는 참합피성이었다. 모용수의 원군이 총 15만, 참합피성에 적어도 2만 5천의 군사가 있었다. 분명 모용수가 직접 원정군을 이끌고 오면 참합피 성주 난한도 군사를 내어 협공에 나서지 않을 수 없을 것이었다. 원정군이 도착하기 전에 모용수가 파발마를 보내 군사 지원을 요청해 놓을 것이 불을 보듯 뻔한 노릇이었다.

탁발규는 원로대신 최굉과 마주 앉아 이에 대한 대책을 논의했다.

최굉이 먼저 입을 열었다.

"이제는 우리가 억류하고 있는 난제를 돌려보낼 때가 된 것 같사옵니다."

"어찌 그리 생각하시오?"

탁발규가 눈을 껌뻑거리며 상대를 쳐다봤다.

"참합피의 성주와 모용수를 이간질하는 수단으로 난제를 활용할 방법이 있사옵니다. 실은 그러해서 지난겨울 후연과의 전투가 끝나자마자 폐하께서 난제를 풀어주고자 하는 것을 극구 말렸던 것이옵니다."

"호, 난제를 이용한다? 어떻게 말이오?"

"이미 난제는 이곳 평성에서 호의호식하고 있습니다. 곁에 여자까지 붙여주었으니, 비록 억류돼 있다손 치더라도 여느 때보다 호사를 누리고 있지 않사옵니까? 아국에 대해 우호적인 감정도 가지고 있을 것으로 보입니다. 이때 난제를 여자와 함께 수레에 태워 참합피로 보내면 성주 난한도 좋아할 것이옵니다. 더구나 지난겨울 전투에서 모용보에게 거짓 파발을 띄워 아군을 도와준 것에 대한 보답으로, 이번에 난제가 갈 때 수레에 금은보화를 가득 실어 보낸다면 난한의 입이 쩍 벌어질 것이옵니다."

"허어? 금은보화까지 말이오?"

"이번에는 아까워하지 마십시오, 폐하! 이 세상에 뇌물을 좋아하지 않는 자를 보았습니까? 견물생심이라고, 난한의 예상을 뛰어넘을 만큼 많은 금은보화를 보낸다면 아마도 거절하지 못할 것이옵니다."

최굉은 이 대목에서 옥좌에 근엄하게 앉아 있는 탁발규를 올려다보았다.

"헌데, 그것이 어찌 난한과 모용수를 이간질하는 수단이 된단 말이오?"

탁발규도 최굉의 말에 일리가 있다고 내심 판단하고 있었으나, 짐짓 그가 어떤 전략을 가지고 있는지 구체적으로 듣고 싶었다.

"뇌물은 바로 상대의 손발을 꼭꼭 묶어놓는 질곡桎梏이 될 것이옵니다. 난제와 함께 금은보화를 가득 실은 수레를 참합피로 보내는 한편, 아국의 세작들로 하여금 평성과 중산을 오가며 그런 소문을 퍼뜨리도록 하면 불같은 성질을 가진 모용수는 당장이라도 참합피로 달려가 성주 난한의 목을 베려고 들 것이 틀림없습니다."

"그것 참 기발한 생각이오. 아무리 많은 금은보화라도 잠시 주었다 뺏으면 되니 우리로서야 손해 볼 것이 없겠지. 으와 왓, 흐 핫핫핫!"

탁발규는 말끝에 호탕한 웃음을 빼어 물었다. 그는 내심 이번에 모용수의 원정군을 격파한 후, 그 기세를 몰아 아예 참합피까지 차지하겠다는 결심을 굳히고 있었던 것이다.

최굉이 물러간 후 탁발규는 곧바로 내관에게 일러 난제를 불러오게 했다.

"폐하, 불러계시옵니까?"

편전에 들어온 난제는 겉모습이나 태도로 보아 북위의 신하 같았다. 머리에서 발끝까지 북위의 전통의복을 갖추었으니 그럴 만도 했다.

"오, 난공! 신수가 훤해지셨구려! 지난겨울 꽤나 추웠는데, 요즘은 지내실 만하지요?"

탁발규는 모용보의 후연군을 크게 물리친 이후부터 난제에게 다정다감하게 대했다. 난제를 계속 억류해 두자는 최굉의 언질이 있었기 때문이다.

"폐하, 성은이 망극하오이다!"

난제는 그러면서 얼핏 탁발규의 표정부터 살폈다.

"이제 봄이 가까우니, 난공을 참합피로 돌아가게 해주겠소."

"폐하! 그것이 사실이옵니까?"

"사실이고말고. 지난겨울 난공께서 참합피로 서찰을 보낼 때 약속하지 않았소? 사실은 전투가 끝나고 곧바로 보내드리려 했으나, 그때는 우리의 준비가 덜 돼 있어 미루고 있던 참이었소. 이제 준비를 마쳤으니, 곧 떠날 채비를 서둘러주시오."

탁발규는 시원시원하게 말했다.

다음날 난제는 곁에서 시중을 들던 여자와 함께 수레를 타고 평성을 떠났다. 그 뒤에 금은보화를 가득 실은 두 대의 수레가 따라붙었다.

탁발규가 보낸 금은보화를 보고 참합피 성주 난한의 입이 함지박만큼 벌어졌다. 비단 보자기에 싼 상자 안에는 금은만이 아니라, 저 멀리 서역의 옥산지로 유명한 화전에서 나는 갖가지 빛깔의 옥들도 들어 있었다.

"와, 이건 귀한 보물들이로군!"

일단 입이 벌어진 난한은 이렇게 말했으나, 다른 한편으로는 부쩍 의심이 들기도 했다.

'어찌하여 탁발규가 내게 이런 선심을 쓰는가?'

난한은 형 난제의 얼굴부터 바라보았다.

"혹시 탁발규가 보낸 금은보화에 무슨 의도가 숨어 있는 거 아닙니까?"

난한은 고개를 갸우뚱거렸다.

"이번에 억류되어 있으면서 보니, 탁발규가 보기보다 배짱이 두둑하고 장부다운 기질이 있더군. 만약 소인배처럼 마음이 좁아터진 자였다면, 이 형은 목숨을 부지하기 어려웠을 것일세. 중산에 억류되어 있던 탁발규의 동생 탁발고가 참수를 당했는데, 서로 교환 조건의 볼모로 있던 내가 어찌 살아남기를 바랐겠는가? 그런데 탁발규는 내 목을 치지 않고 오히려 후한 대접을 해주었네."

난제는 그러면서 탁발규의 선물을 받아두어도 큰 무리가 없을 것이라는 언질을 주었다.

"아닙니다. 분에 넘치는 선심은 흉계를 숨기고 있다는 증거입니다. 아무래도 탁발규가 음흉한 모략을 꾸미고 있는 게 틀림없습니다."

"나도 평성을 떠나면서 이젠 자유의 몸이 되었다고 좋아했으나, 지금 이 과분한 선물을 대하고 보니 아우처럼 의심이 들기도 했다네. 그러나 아우가 딸까지 중산으로 보내 후비로 삼게 했는데, 모용수는 이런 선물을 보낸 적 있었던가? 내게도 사랑스러운 조카딸이네. 그러한데 모용수는 수많은 첩실을 거느리고 있으면서 조카딸한테 푸대접을 해서 결국 병사하게 만들고 말았지 않은가?"

난제의 말은 맞았다. 사실상 모용수는 난한에게 후연의 최북단 경계에 있는 참합피성을 맡기면서 볼모 삼아 딸을 요구했던 것이다. 겉모습은 난한이 자신의 딸을 모용수의 첩실로 보내는 형식이었지만, 속내를 알고 보면 엄연히 볼모신세였기에 다른 첩실들처럼 사랑도 받지 못하고 독수공방하다 병사한 것이 사실이었다.

난한이 은근히 반역을 꿈꾸고 모용수의 후비 아들 모용농과 내통하면서 기회를 노려온 것도 중산으로 간 딸이 병사하면서부터였다. 그렇지 않아도 지난겨울 전투에서 모용보에게 거짓 파발을 띄운 것이 떨떠름하게 마음의 앙금으로 남아 있었는데, 이번에 모용수가 원정군을 이끌고 온다는 소식을 듣고 나서 사실상 난한은 남모를 고민에 싸여 있었다. 분명 모용수와 태자 모용보는 그때의 일을 물어 문책을 하려고 들 것이었다.

난한은 자신이 부리는 세작들의 잘못된 정보를, 급한 마음에 진위 파악도 제대로 하지 않고 모용보에게 보냈다고 이유를 댈 요량이었다. 그러나 그것을 곧이들을 모용수가 아님을 잘 알았다. 죄를 물어 견책을 하는 정도가 아니라, 자칫하면 삼형제 모두 목숨이 달아날지도 모르는 사안이었다.

"어찌 됐든 일단 탁발규의 선물은 받아두기로 하지요."

난한은 탁발규가 보낸 금은보화의 무게만큼이나 두 어깨에서 느껴지는 마음의 짐이 버거웠지만, 모용수에 대한 반발심리가 그 선물을 받아들이게 만들고 말았다. 그리고 무엇보다도 가치가 많이 나가는 것들이라서, 그는 내심 그 재화가 나중에 긴히 쓰일 때가 있을지도 모른다는 생각을 했다. 만약 모용농과 함께 반역을 꾀하게 된다면 군사비로 충당할 수도 있을 것이라는 계산이 머릿속에서 재빨리 돌아가고 있었던 것이다.

"그럼 나는 물러가 쉬겠네."

난제가 물러가려고 일어서자, 난한이 그의 뒤에 대고 물었다.

"형님, 이번에 수레에 함께 타고 온 여인은 믿을 수 있는 신분입니까?"

난한은 그 여자가 탁발규의 첩자일지도 모른다는 생각을 처음부터 하고 있었다.

"염려 놓으시게나. 그 여자는 유목민의 딸로 마음씨가 아주 착하다네. 그리고 만약 탁발규가 우리 참합피에 심어놓기 위해 보낸 첩자라 하더라도 내가 가까이에서 예의 주시하고 있을 것이니, 허튼짓은 하지 못할 것일세. 또한 첩자라면 우리가 역이용해 써먹을 수단도 있을 것으로 보네. 나를 믿어주게나."

"알겠습니다. 적진에 가서 고생 많으셨습니다. 가서 편히 쉬십시오. 허나 그 여인의 곁에 수하를 붙여 일거수일투족을 철저히 감시토록 해야 할 것입니다. 만약에 이상한 낌새가 보이면 이 아우에게 먼저 알려주십시오."

"염려 붙들어 매시라니까."

이렇게 말하고 난제가 물러가자, 난한은 그때부터 장고를 거듭했다.

'지금 한창 모용수는 15만의 원정군을 이끌고 북진하는 중일 것이다. 과연 북위의 탁발규를 이길 수 있을까.'

난한의 생각은 모용수와 탁발규 사이에서 갈피를 잡지 못하고 있었다. 그의 입장에서는 당연히 후연의 원정군과 합류해 탁발규의 북위군을 공격해야 하는데, 설사 평성을 함락시킨다 해도 그 이후 자신의 견책 문제가 거론될 것이 두려웠다. 그때는 난한 자신에게 어떤 주벌이 내려질지 알 수 없는 노릇이었다.

'만약 이번 전투에서 큰 성공을 거둔다면 모용수가 지난겨울의 잘못을 용서해 줄까?'

이런 생각을 하다가, 난한은 자신도 모르는 사이에 고개를 좌우로 흔들었다. 어찌 됐든 모용수의 평소 성격으로 보아 자신을 용서해 줄 것 같지 않았던 것이다.

밤이 되자, 매서운 북풍이 몰아쳤다. 나뭇가지를 흔드는 세찬 바람 소리에 난한은 도무지 잠을 이룰 수 없었다. 모용수의 15만 대군이 과연 북풍이 몰아치는 날씨를 오래 견뎌낼 수 있을지, 그것도 의문이었다. 탁발규의 북위군은 추위에 단련되어, 이에 대한 대비책이 강구되어 있을 것이었다. 또한 후연의 15만 대군을 상대하기 위해서는 전면전보다 농성을 택할 가능성이 높았다. 그렇게 되면 이번 전투는 장기전으로 갈 수밖에 없었다.

'장기전으로 가려면 군량미가 문제인데, 후연군은 과연 15만 대군이 먹을 식량을 조달할 수 있을 것인가? 중산에서 워낙 먼 거리이므로 보급부대의 이동이 쉽지 않을 것이다.'

난한은 그런 여러 가지 생각들로 새벽까지 잠을 이루지 못했다. 그때까지도 북풍은 참합피 성루 위로 스쳐 지나가며 매서운 냉기를 뿜어내고 있었다.

잠을 설친 채 밖으로 나온 난한은 성루 위에 뜬 새벽별을 바라보았다. 얼어붙은 하늘에 걸린 그믐달이 뭇별들 사이에서 빛을 잃어가고 있는 중이었다.

'새벽별이 밝게 빛나면서 그믐달은 빛을 잃고 있다.'

난한은 밤하늘을 바라보며 '새벽별'과 '그믐달'이 주는 상징성에 대해 한동안 고민을 거듭했다. 캄캄한 어둠처럼 한 치의 앞도 내다볼 수 없는 난세에 누가 새벽별이고 누가 그믐달일지는 두고 봐야 할 일이었다. 그의 마음자리는 그래서 뒤숭숭하고 때로 어지럽기까지 했다.

4

하늘에선 수많은 별들이 명멸하고 있었다. 북풍에 쓸려가서 그런가, 북쪽으로 올라가면서 점차 황사가 걷히고 청명한 날씨를 보여주었다. 밤이 되자 검은 융단에 보석이 박혀 있는 것처럼 캄캄한 하늘에서는 별들이 유난히 반짝거렸다. 가끔 유성이 포물선을 그으며 땅으로 떨어지고 있었다. 아니, 땅에 떨어지기도 전에 갑자기 모습을 감추었다.

'별똥별이로구나. 저 별은 어느 하늘에 박혀 빛을 내뿜다가 사라지는 것일까.'

잠이 오지 않아 군막 입구로 나온 모용수는, 허공에서 빛을 잃는 유성을 보자 문득 인생이 허무하다는 생각을 했다. 이제는 칠순의 나이. 그동안 그는 50여 년을 전장에서 보냈다. 정실 외에도 수많은 첩실을 거느렸고, 자녀들도 그가 두 손가락으로 셀 수 없을 만큼 많이 두었다. 그런데도 허무한 것은 어쩔 수가 없었다. 나이가 들어갈수록 그런 느낌이 가슴 절절하게 다가왔다.

이미 황하를 건넜고, 대엿새 후면 원정군이 북위의 요새 평성까지 진군할 수 있을 것이었다. 모용수는 그 많은 자식들 중에서 가장 든든하고 믿을 만한 아들 세 명을 데리고 출전한 마당이었다. 그런데도 가슴 한구석이 텅 빈 들판처럼 허허로운 느낌이 드는 것은 그로서도 어찌하지 못할 노릇이었다.

'내 욕심이 너무 과했던 것일까.'

모용수는 중산을 떠나 북쪽으로 진군해 갈수록 날씨가 더욱 추워지자 자신도 모르는 사이에 몸이 고슴도치처럼 말려드는 느낌을 받았다. 중산은 농부들이 밭에 씨앗을 뿌리는 봄철인데, 북쪽으로 청령靑嶺을 넘고 천문川文을 지나 점차 산악으로 길을 뚫어 진군하면서 날씨가 겨울로 되돌아간 듯 저절로 몸을 움츠러들게 만들었다. 낮에는 그런대로 견딜 만했으나, 밤이 되면 군막으로 찬바람이 스며들어 두꺼운 이불을 뒤집어써도 이가 덜덜 떨릴 정도였다. 특히 황하를 건너면서부터는 강바람이 몰고 온 냉기가 뼛속으로 스며드는 듯한 느낌이 들 정도였다. 정면으로 거센 맞바람을 맞을 때는 호흡을 하기조차 힘들어 가슴이 뻐근해 오기까지 했다.

다시 군막으로 들어온 모용수는 이런저런 생각을 거듭하다 새벽녘에야 겨우 잠 속으로 빠져들었다. 무서운 꿈을 꾼 것인지, 그는 비몽사몽간에 무엇인가 무거운 것이 잔뜩 가슴을 찍어 누르는 듯한 느낌에 몹시 몸부림을 쳤다.

"끄으응, 으으으……."

모용수는 자신도 모르는 사이에 가슴을 쥐어뜯으며 신음을 토해 냈다.

그때 태자 모용보가 군막 안으로 뛰어들며 소리쳤다.

"폐하! 왜 그러십니까?"

모용보의 소리에 깜짝 놀라 눈을 뜬 모용수는 이불을 젖히고 벌떡 자리에서 일어났다.

"가위가 눌렸던 모양이다."

"지금은 괜찮으십니까?"

"……괜찮다."

모용수는 가슴을 누르고 있던 손을 얼른 떼어냈다.

"폐하! 급히 보고드릴 게 있어 왔습니다."

모용보가 근심스런 얼굴로 모용수를 바라보았다.

"아니, 벌써 날이 밝은 모양이구나?"

모용수는 군막 사이로 밖을 주시했다.

"벌써 해가 중천입니다. 폐하께서 너무 곤히 주무시기에 밖에서 기다리고 있었습니다."

"허면 진작 군대를 출발시켰어야 할 게 아니냐?"

"폐하께서 충분히 휴면을 취한 뒤에 떠나도 닷새 안에 평성에 도착할 수 있습니다."

"그래, 날씨가 추우니 속전속결로 전투를 끝내고 탁발규의 목을 평성의 성문 앞에 높게 매달아야지."

모용수는 애써 기운차게 목소리를 높였다.

"보고드릴 것은……."

모용보는 말을 하다 말고 잠시 모용수의 얼굴을 살폈다.

"그래, 말해 보거라. 무슨 일이냐?"

"참합피 성주 난한 말입니다."

"난한이 어쨌다는 거냐?"

"얼마 전 탁발규가 볼모로 억류하고 있던 난한의 형 난제를 풀어주었는데, 두 대의 수레에 금은보화를 잔뜩 싣고 입성했다 합니다. 아마도 탁발규가 난한을 뇌물로 매수한 게 아닌가 싶습니다."

"그 얘긴 어디서 들었느냐?"

모용수의 눈빛이 매섭게 휘어졌다.

"도처에 풀어놓은 세작들이 가지고 온 소식입니다."

"그래, 난한이 탁발규의 뇌물을 덥석 받았단 말이더냐?"

"아마도 그런 모양입니다. 탁발규가 보낸 금은보화 중에는 서역의 옥산지인 화전에서 입수한 갖가지 색깔의 옥들도 들어 있었다 하니 욕심이 생겼겠지요."

"아무리 그래도 그렇지…… 괘씸한지고."

모용수는 바드득, 이를 갈아붙였다.

"폐하! 먼저 선발대로 떠난 농이 참합피 성주 난한을 어떻게 대할지 그게 꺼림칙합니다. 전부터 농과 난한은 한통속처럼 긴밀한 관계를 유지하고 있었습니다. 그래서 농으로 하여금 평성보다 참합피로 가게 해서 난한이 어찌 나오는지 떠보려던 것인데, 불에 기름을 붓는 격이 된 것이나 아닌지 모르겠습니다."

모용보는 난한이 아예 모용농의 군사들을 성안으로 끌어들여 반란을 일으킬지도 모른다는 두려움을 갖고 있었다. 더 겁나는 것은 탁발규에게 매수당한 난한이 북위군과 손을 잡게 되는 경우였다.

"농을 참합피 쪽으로 보낸 것이 이런 화를 불러오게 될 줄이야. 북위군과 전투를 하기도 전에 아군의 전선에 균열이 간다면 큰일 아니냐? 지금 즉시 참합피 성주와 원정군 선봉장에게 전령을 보내도록 하라. 참합피에는 원정군이 평성을 공격할 때 측면 지원을 하라고 이르고, 선봉군에는 참합피로 가지 말고 원래 작전대로 평성으로 진군토록 하라고."

"폐하! 참합피에서 측면 지원을 하지 않는다면 어찌 되겠습니까? 이번 전투에서 섣불리 평성을 공격해선 안 됩니다. 우리 중군이 갈 때까지 기다렸다 한꺼번에 평성을 들이치는 것이 좋을 듯합니다. 아무래도 탁발규의 뇌물을 먹은 난한이 목구멍에 걸린 가시처럼 껄끄럽게 생각됩니다."

모용보가 이렇게 평성 공격에 신중을 기하는 것은 지난겨울 전투에서 탁발규의 잔꾀에 속아 대패하면서 느낀 바가 많았기 때문이다. 이번에도 탁발규가 난한을 뇌물로 매수해 이간질을 획책하고 있는 것을 보면, 결코 만만하게 볼 상대가 아님을 알 수 있었다.

"흐음, 태자의 말에도 일리가 있다."

모용수는 군막 사이로 들이치는 찬바람에 몸을 움츠렸다. 몇 년 전까지만 해도 북위의 탁발규를 우습게 생각했는데, 그 짧은 기간 동안 독고부·하란부·고막해 등 북쪽의 주변 부部를 정리해 강력한 세력으로 부상한 것을 보면 그 수완이 남다르다는 것을 알 수 있었다. 더구나 북위의 도성인 서북쪽의 성락盛樂을 놔두고 동북 가까이 있는 평성에 주력군을 주둔시키고 있는 것은, 탁발규가 남진정책을 써서 후연을 공략하겠다는 의도를 노골적으로 드러내고 있다는 증거가 아닐 수 없었다. 그래서 사실은 북위의 세력이 더 팽창하기 전에 그 싹을 도려내려는 것이 모용수의 생각이었다.

"린이 이끄는 후군도 밤낮으로 길을 줄여 평성에 당도하도록 해서, 전군이 일시에 들이치는 것이 상책이라고 생각합니다."

모용보의 말에 모용수는 가만히 고개를 끄덕거렸다.

'실패 속에서 성공의 씨앗이 싹튼다. 이번 전투의 맥을 제대로 짚는 것을 보면, 태자가 지난겨울 전투 패배로 많은 것을 배운 모양이로군……'

모용수는 태자의 얼굴을 흔감한 표정으로 바라보았다.

"그래, 짐이 친히 난한과 농과 린에게 보낼 작전 명령서를 쓰겠다. 태자는 즉시 파발마를 띄워 그 친서를 참합피를 비롯해 선봉군과 후군에게 전달토록 하라."

모용수는 즉시 그 자리에서 친서를 썼다. 내용은 각기 달랐다. 선봉군을 이끄는 모용농에게는 평성에 이르러 전열을 정비한 채로 중군과 후군을 기다리라 하고, 참합피의 성주 난한에게는 원정군이 모두 도착해 일시에 평성을 들이칠 때 측면 지원을 하라고 명했으며, 후군의 모용린에게는 군사를 독려해 빠른 시일 안에 평성에 도착하라는 지시를 내렸다. 이 모두는 태자 모용보의 전략을 그대로 따른 것이었다.

이처럼 모용수는 작전 명령서를 쓰면서, 이제 자신이 늙었다는 것을 스스로 인정하지 않을 수 없었다. 아들 모용보만큼 머리가 돌아가지 않았다. 그렇다면 이번에 자신은 중산에 남고 태자에게 원정군을 맡겨 북위를 공략토록 해도 좋았을 것을 괜히 욕심을 부렸다고 자책하기도 했다.

모용수는 방금 쓴 친서 세 통을 모용보에게 내밀었다.

"폐하! 지금 즉시 각기 세 곳으로 파발을 띄우겠나이다."

군막에서 물러나온 모용보는 수하의 병사 중 믿음직한 기병 세 명을 골라 난한과 모용농에게 보내는 파발은 북쪽으로, 모용린에게 보내는 파발은 남쪽으로 말을 달리게 했다.

"자, 우리도 출발하자."

모용수는 붉은색보다 검은색이 더 짙게 배어나오는 빛깔의 적토마에 올라탔다. 그 말은 그가 20년 이상 전장을 누비며 생사고락을 같이한, 가장 정이 많이 든 애마였다.

"폐하! 날씨가 찬데 수레에 오르시는 게 어떻겠습니까?"

모용보가 걱정스런 얼굴로 말 위에 오른 모용수를 바라보았다.

"무슨 소리냐? 적이 코앞이다. 한가롭게 수레를 타다니. 아직 태자가 걱정할 만큼 이 아비가 늙지는 않았느니라."

모용수는 태자 앞에서 애써 강함을 보여주려는 듯 목소리에 힘을 주었다.

후연의 중군 기마대가 먼저 출발했고, 바로 그 뒤를 이어 모용수와 모용보 부자가 나란히 말을 몰았다. 그들의 좌우와 후미에서 호위무사들 30여 기가 따라붙었다. 그리고 다시 그 뒤에 보병들이 여러 부대로 나누어 전열을 갖추고 진군했다.

북녘의 들판은 회갈색을 띠고 있었다. 밤이면 기온이 떨어져 서릿발이 섰다가, 낮이 되면 땅이 녹으면서 초목들이 물기로 번들거렸다. 앞서 달리는 기마대의 말발굽에서 진흙 덩어리들이 튀어 올랐다 땅으로 떨어지며 검은 땅이 드러났다. 그래도 흙먼지가 자욱하게 일어나는 여름철보다 아직 철 이른 봄의 젖은 땅이 말을 타고 질주하기에 좋은 편이었다. 말발굽에서 진흙 덩어리들이 튀었으나 앞뒤 거리를 조절하면 큰 무리가 없었다.

다만 북풍이 맞바람이라 말이 질주할 때 숨을 틀어막았고, 제대로 숨쉬기 어려울 때는 가슴이 먹먹해지기도 했다. 모용수는 간혹 가슴이 뜨끔거릴 때마다 자신도 모르는 사이에 한 손으로 딱딱한 갑옷 위를 눌렀다.

이랴, 이랴, 이럇!

이히히힝, 히힝!

앞장서 달리는 중군 기마대는 전속력으로 질주했다. 군사들이 말채찍을 휘두르며 외치는 소리와 그때마다 들려오는 말 울음소리가 하늘 위로 메아리쳤다.

모용수조차 따라잡기가 힘들 정도로 앞서 달려가는 기마대의 속력은 빨랐다. 그가 중군을 출발시키기 전에 기마병들에게 죽기 살기로 달리라는 엄명을 내렸기 때문이다.

'아, 이제 나도 늙었군! 이 추운 날 원정에 나선 것은 아무래도 무리였어.'

모용수는 후회를 거듭하면서 앞서 달리는 기마대를 따라잡기 위해 말채찍을 정신없이 휘둘렀다. 그와 보조를 맞추어 모용보도 말 머리를 나란히 하고 따라붙었다.

"폐하! 괜찮으십니까?"

바로 옆에서 달렸으므로 모용수의 거친 숨소리가 모용보에게까지 들려왔던 것이다.

"애마가 걱정이지, 내 몸은 아직 쓸 만하다."

모용수는 아직까지도 기개만은 남달라서 아들 앞에서 나약한 모습을 보여주기 싫었다.

그러나 말이 씨가 된다고, 모용수의 질주하던 애마가 다리를 삐끗하더니 순간적으로 앞다리를 꺾었다. 재수가 없으려니까 말이 흙 속에 살짝 언 얼음을 밟아 앞으로 거꾸러진 것이었다. 그 바람에 모용수 역시 허공에 붕 떠올랐다 땅바닥으로 나뒹굴고 말았다.

"아버님! 폐하, 괜찮으십니까?"

말에서 뛰어내린 모용보가 쓰러진 모용수를 안아 일으키며 다급하게 외쳤다.

"허헛! 이럴 수가? 어, 이런! 가슴이 뻐근하게 아프구나."

모용수는 오른손으로 자신의 가슴을 누르고 있었다. 말에서 떨어지면서 땅에 가슴을 부딪쳤던 것이다. 자칫하면 얼굴을 갈아버릴 뻔했는데, 재빨리 옆으로 고개를 돌리는 바람에 투구에만 진흙이 좀 묻었다.

"가슴을 다치신 것 아닙니까?"

모용보는 걱정되는 표정으로 모용수의 찡그린 얼굴을 바라보았다.

"이 정도는 괜찮다."

짐짓 모용수는 갑옷과 투구에 묻은 진흙을 털어내며 웃었다.

그러나 애마는 아직도 땅바닥에 쓰러져 네 발을 버르적대고 있었다. 모용보가 고삐를 잡아 일으켜 세우려 했으나, 적토마는 앞발을 절뚝거리며 다시 주저앉고 말았다.

"말이 앞발을 다친 모양입니다."

"내버려둬라. 오래도록 탔다."

모용수는 애마가 발을 잘못 디뎌 넘어진 것에 노여움이 일면서도 다른 한편으로는 애잔한 느낌도 들었다.

"다른 말을 끌고 오도록 하겠습니다."

모용보가 말을 관리하는 군사에게 지시를 내렸다.

이때 모용수는 자신의 애마에게 다가가 갈기를 쓰다듬어 주었다. 갈기는 땀으로 흠씬 젖어 있었고, 두 눈에선 찐득한 액체가 흘러내렸다.

"그래. 너도 너무 많은 전장을 누볐다."

모용수는 허리에 차고 있던 칼을 뽑아 애마의 목을 단칼에 쳤다. 순간, 몸뚱어리에서 떨어져 나간 말 머리가 혀를 쑥 내민

광개토태왕 담덕

채 헐떡거렸고, 절단된 목 줄기에서는 시뻘건 피가 울컥울컥 뿜어져 올라왔다.

천천히 다가가 말 머리를 손으로 들어 올린 모용수는 그때까지 멀뚱하게 뜨고 있던 두 눈을 감겨주었다. 그의 눈에도 물기가 어렸다.

"아버님!"

모용보가 말 머리를 든 모용수의 하얗게 질린 얼굴을 바라보고 매우 걱정스런 표정을 지었다.

"말에게 무슨 죄가 있겠느냐. 발을 다쳐 고생하느니보다 아픔을 일찍 잊게 해주는 것이 도리다. 이 머리와 함께 몸통도 거두어 땅에 잘 묻어주도록 해라."

모용수는 피가 뚝뚝 떨어지는 말의 머리를 휘하 군사들에게 넘기고 나서, 곧 말을 관리하는 군사가 끌고 온 새로운 말에 올라탔다.

〈7권에 계속〉